MENINAS SELVAGENS

RORY POWER

Tradução:
Marcela Filizola

5ª edição

Galera

RIO DE JANEIRO

2021

CIP-BRASIL. CATALOGAÇÃO NA PUBLICAÇÃO
SINDICATO NACIONAL DOS EDITORES DE LIVROS, RJ

P895m
5ª ed.

Power, Rory
    Meninas selvagens / Rory Power; tradução Marcela Filizola.
    – 5ª ed. – Rio de Janeiro: Galera Record, 2021.

Tradução de: Wilder girls
ISBN 978-85-01-11945-2

1. Ficção americana. I. Filizola, Marcela. II. Título.

20-64712

CDD: 813
CDU: 82-3(73)

Meri Gleice Rodrigues de Souza – Bibliotecária – CRB-7/6439

Título original: *Wilder girls*

Copyright © Rory Power, 2019

Todos os direitos reservados. Proibida a reprodução, no todo ou em parte, através de quaisquer meios. Os direitos morais da autora foram assegurados.

Texto revisado segundo o novo Acordo Ortográfico da Língua Portuguesa.

Direitos exclusivos de publicação em língua portuguesa somente para o Brasil adquiridos pela
EDITORA RECORD LTDA.
Rua Argentina, 171 – Rio de Janeiro, RJ – 20921-380 – Tel.: (21) 2585-2000, que se reserva a propriedade literária desta tradução.

Impresso no Brasil

ISBN 978-85-01-11945-2

Seja um leitor preferencial Record
Cadastre-se no site www.record.com.br
e receba informações sobre nossos
lançamentos e nossas promoções.

Atendimento e venda direta ao leitor
sac@record.com.br

Para minha mãe,
e para mim,
e para a nossa versão
que jamais pensou
que chegaríamos aqui
juntas

Tudo que é raro,
original,
estranho,
oposto

— Gerard Manley Hopkins,
"Beleza matizada"

HETTY

CAPÍTULO 1

Alguma coisa. Bem ao longe no claro-escuro. Entre as árvores, se movendo no trecho onde a floresta se adensa. Dá para ver do telhado, o modo como a moita se curva ao redor dessa coisa, que avança com rapidez em direção ao mar.

Desse tamanho, deve ser um coiote, um dos grandes, dos que chegam na altura dos ombros, com dentes que têm o tamanho da lâmina de uma faca quando colocados na palma da mão. Sei disso porque encontrei um certa vez, com a extremidade pontiaguda saliente na cerca. Eu o peguei e escondi debaixo da cama.

Mais um estalar no mato e, então, tudo fica tranquilo novamente. No terraço da cobertura, Byatt abaixa a arma e a apoia no parapeito. Barra limpa.

Por via das dúvidas, mantenho a minha erguida, com a mira no olho esquerdo. Meu outro olho está morto, virou breu numa erupção. As pálpebras se fundiram e cerraram, com algo crescendo sob elas.

É assim com todas nós aqui. Doentes, estranhas, e não sabemos por quê. Coisas irrompendo de nós, pedaços faltando e partes desprendendo, depois endurecemos e acalmamos.

Pela mira, com o sol do meio-dia tornando o mundo mais branco, posso ver a floresta se estendendo até a ponta da ilha, e o mar além dela. Pinheiros compridos, largos como sempre, passando em muito a altura da casa. Aqui e ali, frestas onde os carvalhos e as bétulas perderam suas folhas, mas boa parte da copa está bem fechada e entrelaçada, com as agulhas dos pinheiros endurecidas pela geada. Apenas a antena de rádio emerge do mato, inútil agora que não há mais sinal.

Alguém grita da estrada e, ali, saindo das árvores, surge a Equipe do Barco, voltando para casa. Apenas poucas de nós podem fazer esse trajeto para o outro lado da ilha, onde a Marinha entrega suprimentos e roupas no cais de onde as balsas costumavam ir e vir. O restante permanece atrás da cerca, rezando para que elas voltem para casa em segurança.

A mais alta, a Sra. Welch, para na entrada e mexe no cadeado até, por fim, abrir o portão. A Equipe do Barco entra cambaleando, com as bochechas vermelhas por causa do frio. Todas as três retornaram e todas as três estão curvadas sob o peso de enlatados, carnes e torrões de açúcar. Welch se vira para fechar o portão atrás de si. Com uma diferença de apenas uns cinco anos para a mais velha de nós, ela é a mais nova das professoras. Antes disso, morava em nosso corredor e fingia não ver quando alguém perdia o toque de recolher. Agora Welch conta quantas somos todas as manhãs para se certificar de que ninguém morreu durante a noite.

Ela acena para indicar que está tudo limpo, e Byatt acena de volta. Eu cubro o portão. Byatt, a estrada. Às vezes, trocamos, mas meu olho não enxerga bem grandes distâncias, então nunca dura muito. De todo modo, ainda atiro melhor do que metade das meninas que poderiam ocupar meu lugar.

A última menina da Equipe do Barco desaparece de vista ao entrar na varanda, e assim nosso turno acaba. Descarregar os rifles.

Colocar a munição na caixa para a próxima garota. Roubar uma e colocar no bolso, só por via das dúvidas.

Há uma inclinação suave no telhado que nos leva do terceiro para o segundo andar. Dali, nos balançamos sobre a borda e entramos na casa pela janela aberta. Era mais difícil quando usávamos saias e meias, quando algo em nós ainda nos dizia para mantermos os joelhos tapados. Isso foi há muito tempo. Agora, em nosso jeans surrado, não temos nada com que nos preocupar.

Byatt entra atrás de mim, deixando outra marca de sapatos no parapeito da janela. Ela joga o cabelo sobre um dos ombros. Liso, como o meu, e de um castanho vivo e brilhante. E limpo. Mesmo quando não temos pão, sempre temos xampu.

— Viu alguma coisa? — pergunta ela para mim.

Dou de ombros.

— Nada.

O café da manhã foi fraco, e posso sentir o tremor de fome em meu corpo. Sei que Byatt também sente, então somos rápidas na descida para o almoço, seguindo para o salão do andar principal, com seu pé-direito alto. Mesas dobráveis lascadas; uma lareira; e sofás com encostos altos, cujos estofamentos foram arrancados e usados como combustível para nos aquecer. E nós — lotando o lugar com nossa presença —, falantes e cheias de vida.

Havia em torno de cem meninas quando tudo começou, além de vinte professoras. Todas juntas ocupávamos as alas da casa antiga. Hoje em dia, precisamos apenas de uma.

As meninas da Equipe do Barco entram pela porta da frente fazendo barulho, deixando as bolsas caírem e causando uma corrida pela comida. Eles nos enviam principalmente enlatados e, de vez em quando, pacotes de carne-seca. Quase nunca algo fresco, jamais o suficiente para todo mundo, e, num dia normal, as refeições são basicamente Welch na cozinha, destrancando a despensa e dividindo as menores porções que já se viu. Mas hoje é dia de entrega, novos suprimentos chegam carregados pelas meninas da Equipe do Barco, e isso significa que Welch e a Diretora não se envolvem e nos deixam disputar por uma coisa cada.

Byatt e eu, no entanto, não precisamos disputar nada. Reese está logo à porta e arrasta uma sacola para o nosso lado. Se fosse outra pessoa, as demais meninas iriam se importar, mas é Reese — com sua mão esquerda de dedos afiados e escamados —, então todo mundo fica calado.

Ela foi uma das últimas a ficar doente. Achei que talvez tivesse escapado, talvez estivesse a salvo, mas aí começou. As escamas, cada uma num tom furta-cor prateado, desdobrando-se de sua pele como se viessem de dentro. A mesma coisa aconteceu com outra menina do nosso ano. Escamas se espalharam por todo o seu corpo, tornando seu sangue frio até ela não acordar mais; por isso, achamos que era o fim para Reese, e ela foi levada para o andar de cima à espera de que aquilo a matasse. Mas isso não aconteceu. Um dia, estava enfurnada na enfermaria e, no seguinte, havia voltado — a mão esquerda agora uma coisa selvagem, porém ainda sua.

Reese rasga a sacola e deixa que Byatt e eu a vasculhemos. Meu estômago apertado, a saliva grossa em minha língua. Qualquer coisa, eu pegaria qualquer coisa. Mas pegamos uma sacola ruim. Sabonete. Fósforos. Uma caixa de canetas. Um pacote de munição. E então, no fundo, uma laranja — uma laranja de verdade, com a putrefação apenas começando a aparecer na casca.

Nós a agarramos. A mão prateada de Reese em minha gola, com calor crescendo sob as escamas, mas eu a jogo no chão e empurro meu joelho contra a lateral do seu rosto. Parto para cima, prendo o pescoço de Byatt entre meu ombro e meu antebraço. Uma delas chuta; não sei quem. Mas me acerta na parte de trás da cabeça e sou arremessada para a escada, batendo com o nariz na beirada de um dos degraus. Um clarão de dor explode. Em volta de nós, as outras meninas estão gritando, nos cercando.

Alguém agarra meu cabelo e me puxa para cima, para fora. Eu me contorço e mordo bem na região do tendão, onde a pele está esticada; ela grunhe. Diminuo um pouco a força. Ela também, e nos afastamos uma da outra.

Tiro o sangue do meu olho. Reese está esparramada na metade de cima das escadas, com a laranja em sua mão. Ela ganhou.

CAPÍTULO 2

Nós a chamamos de Tox e, durante os primeiros meses, eles tentaram transformar isso numa lição. Surtos virais nas civilizações ocidentais: história. "Tox" como a raiz nas línguas latinas. Regulamentações farmacêuticas no estado do Maine. Aulas seguindo como sempre, professoras diante do quadro com sangue na roupa, marcando testes como se todas nós ainda fôssemos estar aqui na semana seguinte. O mundo não está acabando, disseram elas, e a educação de vocês também não deve acabar.

Café da manhã no refeitório. Matemática, inglês, francês. Almoço, tiro ao alvo. Exames médicos e primeiros socorros, a Sra. Welch fazendo curativos e a Diretora aplicando agulhadas. Juntas para o jantar e depois trancadas para sobrevivermos outra noite. Não, não sei o que está deixando vocês doentes, dizia Welch. Sim, vocês vão ficar bem. Sim, vão voltar para casa em breve.

Isso logo acabou. As aulas foram saindo do cronograma conforme a Tox infectava uma professora atrás da outra. Regras viraram pó e desapareceram, até sobrar apenas o mínimo. Ainda assim, contamos os dias, acordamos todas as manhãs para olhar o céu à procura de câmeras e luzes. As pessoas no continente se importam, é o que Welch sempre fala. Elas vêm se importando desde o primeiro segundo que a Diretora ligou para o Campo Nash na costa, pedindo ajuda, e estão procurando uma cura. Na primeira remessa de suprimentos que a Equipe do Barco trouxe de volta, havia um bilhete. Digitado e assinado, impresso em papel oficial da Marinha.

De: Secretário da Marinha, Comandante Oficial do Departamento de Defesa, Força de Resposta a Incidentes Químicos e Biológicos, Diretor do Campo Nash, Centro de Controle e Prevenção de Doenças dos Estados Unidos (CDC)
Para: Escola Raxter para Meninas, Ilha Raxter
Assunto: Procedimentos de quarentena recomendados pelo CDC

Implementação imediata de isolamento e quarentena totais. Os indivíduos devem permanecer na área da escola em todos os momentos como medida de segurança e para preservar as condições iniciais de contágio. Com a exceção de uma equipe autorizada para a coleta de suprimentos (veja abaixo), ultrapassar a cerca escolar viola os termos da quarentena.

Acesso à linha telefônica e à internet pendentes; comunicação apenas pelos canais de rádio oficiais. Classificação completa de informações em vigor.

Suprimentos chegarão via remessa no cais oeste. Data e hora a serem marcadas via farol do Campo Nash.

Diagnósticos e tratamentos em desenvolvimento. CDC cooperando com instalações locais acerca da cura. Esperem entrega.

Esperar e continuar vivas, e nós achávamos que seria fácil — juntas atrás da cerca, protegidas da floresta e dos animais que haviam se tornado famintos e estranhos —, mas meninas continuavam morrendo. Erupções, que deixavam o corpo tão destruído a ponto de não continuar respirando, deixavam feridas que não cicatrizavam, ou, às vezes, uma violência quase febril colocava uma menina contra outra. Ainda é assim. A única diferença é que agora aprendemos que tudo que podemos fazer é cuidar das nossas.

Reese e Byatt, elas são minhas e eu sou delas. É por elas que rezo quando passo pelo mural e escorrego dois dedos na mensagem da Marinha ainda fixada ali, amarelada e ondulada. Um talismã, um lembrete da promessa que eles fizeram. A cura está vindo, desde que permaneçamos vivas.

Reese enfia a unha prateada na laranja e começa a descascar, e eu me forço a desviar o olhar. Quando a comida é fresca assim, lutamos por ela. Reese diz que é a única forma justa de resolver a situação. Sem pena nem caridade. Ela nunca aceitaria a comida se não a tivesse ganhado.

A nosso redor, as outras meninas aglomeram-se em turbilhões de gargalhadas altas enquanto vasculham as roupas que caem de cada sacola. A Marinha ainda nos envia o suficiente para o número inicial. Camisas e botas tão pequenas que não temos mais ninguém desse tamanho para usá-las.

E casacos. Nunca param de mandar casacos. Não desde que a geada passou a cobrir a grama. A primavera tinha acabado de começar quando a Tox apareceu, e ficamos bem em nossa saia de uniforme e camisa social durante aquele verão, mas o inverno chegou como sempre chega no Maine, longo e cruel. Fogueiras queimando durante o dia e os geradores da Marinha ligados após anoitecer, até que uma tempestade os destruiu completamente.

— Você está sangrando — comenta Byatt. Reese corta a ponta de sua camisa e joga o pedaço no meu rosto. Eu pressiono o tecido, meu nariz inchado fazendo um som úmido quando o aperto.

Acima de nós, no mezanino sobre o salão principal, ouvimos um som de algo arrastado. Todas olham. É Mona, do ano acima do meu — ruiva, o rosto em formato de coração —, voltando após uma temporada na enfermaria, no terceiro andar. Estava lá havia séculos, desde a erupção da última estação, e acho que ninguém esperava que um dia ela fosse descer de novo. Lembro como o rosto dela fumegou e rachou naquele dia, como a levaram para a enfermaria com um lençol sobre o corpo como se já estivesse morta.

Agora ela tem uma trama de cicatrizes nas bochechas e o começo de uma atmosfera diferente no cabelo. O de Reese é assim, uma trança loira com o brilho dado pela Tox, e isso é tão característico dela que é estranho ver o mesmo em Mona.

— Oi — diz ela, tentando manter o equilíbrio, e suas amigas correm até lá, as mãos agitadas e sorrisos para todos os lados, bastante espaço entre elas.

Não é do contágio que temos medo; todas nós já pegamos o que quer que seja isso. É de vê-la destruída de novo. Sabendo que algum dia, em breve, isso irá acontecer conosco. Sabendo que tudo que podemos fazer é ter esperança de que vamos sobreviver.

— Mona — falam suas amigas —, que bom que você está bem

Mas observo enquanto elas deixam a conversa morrer, observo conforme elas somem nas últimas horas de luz natural e deixam Mona sozinha no sofá, olhando os próprios joelhos. Não há mais espaço para ela com as amigas. Elas se acostumaram com sua ausência.

Desvio meu olhar para Reese e Byatt, as duas chutando a mesma lasca na escada. Acho que jamais me acostumaria a estar sem elas.

Byatt se levanta, com um franzido esquisito enrugando sua testa.

— Esperem aí — pede ela, indo até Mona.

As duas conversam por um minuto. Byatt está inclinada, falando diretamente no ouvido de Mona, o brilho do cabelo da garota tingindo a pele de Byatt de vermelho. E então Byatt fica ereta, e Mona pressiona o dedão na parte interna do antebraço dela. Elas parecem agitadas. Só um pouquinho, mas consigo notar.

— Boa tarde, Hetty.

Eu me viro. É a Diretora, com as linhas do rosto ainda mais marcadas agora do que costumavam ser. Seu cabelo grisalho está bem preso num coque, a camisa abotoada até o queixo. E uma mancha ao redor da boca, num tom cor-de-rosa pálido, do sangue que sempre está escorrendo de seus lábios. Nela e em Welch a Tox age diferente. Não as massacra como fez com as outras professoras; não muda o corpo delas como muda o nosso. Em vez disso, faz surgir feridas cheias de líquido na língua e lança um tremor no corpo que não vai embora.

— Boa tarde — digo à Diretora. Ela deixou uma série de coisas passar, mas bons modos não foi uma delas.

Ela indica com a cabeça o outro lado do salão, onde Byatt continua próxima de Mona.

— Como ela está?

— Mona? — pergunto.

— Não, Byatt.

Byatt não tem uma erupção desde o fim do verão e está fadada a uma em breve. Elas são cíclicas, cada uma pior do que a anterior até não aguentarmos mais. No entanto, depois de sua última, não consigo imaginar algo pior. A aparência de Byatt permanece igual — apenas uma dor de garganta da qual ela não consegue se livrar e aquele cume serrilhado de ossos descendo por suas costas, com partes saltando da pele —, mas me lembro de cada segundo da erupção. Como ela sangrou em nosso colchão antigo até pingar no piso embaixo do nosso beliche. Como parecia mais confusa do que qualquer outra coisa conforme a pele na região de sua coluna se partia.

— Ela está bem — respondo. — Mas está chegando a hora.

— Sinto ouvir isso — diz a Diretora. Ela observa Mona e Byatt por mais um tempo, franzindo a testa. — Não sabia que vocês eram amigas de Mona.

Desde quando ela se importa com isso?

— Somos colegas, acho.

A Diretora olha para mim como se estivesse surpresa por eu ainda estar ali diante dela.

— Ótimo — comenta ela, e então segue pelo salão, atravessando o corredor, em direção ao canto onde sua sala fica escondida.

Antes da Tox, nós a víamos todos os dias, mas, desde então, ou ela está andando de um lado para o outro na enfermaria, ou está trancada em sua sala, grudada no rádio, falando com a Marinha ou com o CDC.

Nunca houve sinal de celular aqui — para construir caráter, segundo os folhetos —, e eles cortaram os telefones fixos no primeiro dia da Tox. Para manter as coisas em sigilo. Para controlar a informação. Antes, pelo menos, podíamos falar com nossa família pelo rádio e podíamos ouvir nossos pais chorando por nós. Agora não temos mais nada. As coisas estavam vazando, explicou a Marinha, e medidas tiveram de ser tomadas.

A Diretora não se preocupou em nos confortar. Já tínhamos passado daquele ponto havia tempos.

Ela tranca a porta de sua sala quando Byatt volta.

— O que foi isso? — pergunto. — Com Mona.

— Nada. — Ela puxa Reese para levantá-la. — Vamos.

Raxter fica em um grande terreno na ponta leste da ilha. A escola é cercada por água em três dos lados e pela cerca no quarto. Passando do portão, há a floresta, com os mesmos tipos de pinheiros e coníferas que temos na área da escola, porém mais emaranhados e grossos, com galhos novos se entrelaçando aos antigos. Nosso lado da cerca continua limpo e organizado como era antes — só nós é que estamos diferentes.

Reese nos leva para o outro lado do jardim, para a extremidade da ilha, onde as pedras foram desgastadas pelo vento e formam uma espécie de casco de tartaruga. Sentamos ali uma ao lado da outra, com Byatt no meio, a brisa fria batendo em seu cabelo solto diante de nós. O dia está calmo, o céu limpo, mas num tom não azulado, e não há nada à vista. Além de Raxter, o mar engole bancos de areia e puxa correntezas, sempre profundo. Nenhum navio, nenhuma terra no horizonte, nenhum lembrete de que o resto do mundo continua existindo, seguindo sem nossa presença, tudo ainda do mesmo jeito como sempre foi.

— Como está se sentindo? — pergunta Byatt. Ela quer saber porque, duas manhãs atrás, a cicatriz do meu olho cego abriu completamente: um legado dos primeiros dias, um lembrete de como não entendíamos o que estava acontecendo conosco.

Minha primeira erupção cegou meu olho direito e o fechou, e achei que isso fosse tudo, até que alguma coisa começou a crescer sob ele. Uma terceira pálpebra, era isso que Byatt achava. Não doía, apenas coçava absurdamente, mas eu podia sentir algo se mexendo. Por isso, tentei abri-lo.

Foi uma estupidez. A cicatriz é prova disso. Mal lembro como foi, mas Byatt conta que eu larguei o rifle no meio do turno da Equipe das Armas e comecei a cavucar o rosto como se algo tivesse tomado meu corpo, enfiando as unhas entre a crosta dos meus cílios e rasgando a pele.

A ferida está quase cicatrizada, mas de vez em quando abre e o sangue escorre por minhas bochechas, cor-de-rosa, aguado e com pus. Durante os turnos na Equipe das Armas, tenho bastante coisa para pensar e não é tão ruim, mas agora estou sentindo pulsar. Talvez esteja infectado. Embora essa seja a menor de nossas preocupações.

— Pode dar uns pontos para mim? — Tento não soar ansiosa, mas ela percebe mesmo assim.

— Está tão ruim?

— Não, só...

— Por acaso você limpou a cicatriz?

Reese solta um som de satisfação.

— Falei para não deixar a ferida aberta.

— Vem cá — diz Byatt. — Deixa eu ver.

Mudo de posição nas pedras até Byatt estar de joelhos e eu com o queixo levantado para ela. Byatt passa os dedos sobre a ferida, roçando a pálpebra. Algo sob ela recua.

— Parece estar te machucando — comenta ela, tirando linha e agulha do bolso. Desde que meu olho ficou machucado, Byatt sempre as leva com ela. De nós três, ela é a primeira que vai fazer 17 anos e, em momentos como esse, dá para notar. — OK, não se mexa.

Ela escorrega a agulha para dentro e sinto dor, mas pouca coisa, o vento frio afastando-a. Tento piscar um olho para Byatt, para fazê-la sorrir, mas ela balança a cabeça, franzindo a testa.

— Falei para não se mexer, Hetty.

E está tudo bem, Byatt e eu, ela me encara como eu a encaro, e me sinto segura porque ela está aqui, até que a agulha entra muito fundo e eu me contorço, meu corpo inteiro curvando-se. Uma dor cegante e por toda parte. O mundo vira líquido ao meu redor. Posso sentir o sangue escorrendo para dentro da minha orelha.

— Ai, meu Deus! — exclama ela. — Hetty, você está bem?

— São só pontos — comenta Reese, deitada nas pedras, de olhos fechados. Sua blusa está meio levantada, então consigo ver um pedaço pálido de barriga, contrastante em meio ao mundo desfocado da tontura. Ela nunca está com frio, nem mesmo em dias como esse, nos quais nossa respiração pairam no ar.

— É — concordo. A mão de Reese nunca dá problemas, não como meu olho, e suavizo a rispidez em meus lábios. Já temos motivos suficientes para brigar, não precisamos de mais isso. — Pode continuar.

Byatt começa a dizer algo quando, de repente, ouvimos um grito próximo ao jardim. Nós nos viramos para ver se foi a primeira vez de alguém. Raxter vai do sexto ano até o fim do ensino médio — ou ia —, então nossas meninas mais novas têm 13 anos atualmente, 11 anos quando essa confusão toda teve início, e agora isso começou a desfigurá-las.

Mas não há nada de errado. É apenas Dara, do nosso ano, a menina com dedos de teias, parada onde as pedras começam.

— Aula de tiro ao alvo — avisa ela para nós três. — A Sra. Welch disse que está na hora de tiro ao alvo.

— Vamos. — Byatt amarra os pontos e se levanta, esticando a mão para mim. — Volto a cuidar do seu olho depois do jantar.

Já tínhamos aula de tiro ao alvo antes da Tox, uma tradição remanescente do começo da escola, mas não era como é agora. Só as meninas do último ano — e Reese, a melhor atiradora da ilha, nascida para aquilo como havia nascido para tudo em Raxter — podiam ir à floresta com o Sr. Harker e praticar em latas de refrigerante que ele enfileirava no chão. O restante de nós tinha uma aula sobre medidas de segurança relativas a armas de fogo, o que geralmente se transformava em uma aula livre quando o Sr. Harker inevitavelmente se atrasava.

Mas então a Tox pegou o Sr. Harker. Contaminou a mão usada por Reese para atirar e a desfigurou, de modo que ela não podia mais apertar o gatilho. E o que era só treinamento então se transformou numa prática de tiro ao alvo, porque agora há coisas que precisamos matar. De tantas em tantas tardes, conforme o sol se põe, miramos sem parar até atingirmos o centro do alvo.

Temos de estar preparadas, explica Welch. Para nos proteger, para proteger uma à outra. Durante o primeiro inverno, uma raposa conseguiu passar pela cerca, simplesmente se esgueirou pelas frestas.

Depois disso, a menina da Equipe das Armas disse que o animal havia feito com que ela se lembrasse de seu cachorro em casa, por isso não tinha conseguido atirar. Assim, a raposa atravessou o jardim e chegou ao pátio. E então encurralou a sobrevivente mais nova e dilacerou sua garganta.

Nós praticamos no estábulo perto da ponta da ilha, com suas grandes portas de correr abertas de ambos os lados para que os tiros perdidos acabem no oceano. Costumava haver cavalos, quatro deles, mas, logo no início da primeira temporada da Tox, notamos como a doença estava começando a entrar neles como entrou em nós, como estava empurrando os ossos deles contra a pele, esticando seus corpos até eles relincharem. Então os guiamos até a água e atiramos neles. As cocheiras estão vazias agora, e nos aglomeramos nelas para esperar nossa vez. Temos que atirar no alvo e não podemos parar até atingir o centro.

A Sra. Welch guarda a maioria das armas trancada em uma despensa na casa, junto com a munição que a Marinha começou a enviar quando ouviu falar dos animais, então há apenas uma espingarda e um pacote de balas aqui para todas nós, que ficam dispostos numa mesa de cavaletes cujo tampo é uma placa fina de madeira compensada. Não é como os rifles com os quais atiramos na Equipe das Armas, mas Welch sempre diz que uma arma é uma arma, e toda vez isso faz com que um músculo no maxilar de Reese se contraia.

Eu me sento na porta de uma cocheira e a sinto balançar quando Byatt pula para se juntar a mim. Reese se apoia meio jogada entre nós. Ela não tem permissão para praticar por causa de sua mão, mas está ali todos os dias, tensa e calada enquanto observa o alvo.

Em algum momento, a ordem era alfabética, mas todas nós perdemos coisas, olhos e mãos e sobrenomes. Agora são as meninas mais velhas que vão primeiro. Elas são rápidas, a maioria boa o bastante para acertar a marca com poucas tentativas. Julia e Carson conseguem em duas, uma longa e vergonhosa espera conforme Landry demora mais do que consigo contar, e então chega a vez do nosso ano. Byatt consegue com três tiros. Respeitável, mas existe um motivo para nos colocarem juntas na Equipe das Armas. Se ela não acertar seu alvo, eu vou acertar.

Ela me entrega a espingarda, e eu assopro as mãos para recuperar a sensação antes de tomar seu lugar, erguer a arma até meu ombro e mirar. Inspiro, me concentro e expiro, apertando firme. O som ecoa por mim. É fácil. É a única coisa na qual sou melhor do que Byatt.

— Boa, Hetty — grita Welch.

Alguém, ao fundo do grupo, repete o grito, de um jeito cantado, rindo. Reviro os olhos, largo a espingarda sobre a mesa improvisada e me junto a Reese e Byatt novamente na porta do estábulo.

Geralmente Cat é a próxima, mas há uma pequena confusão, um resmungo, então alguém empurra Mona para o meio. Ela cambaleia um ou dois passos, depois se apruma, observando o rosto das meninas ao redor à procura de um pouco de compaixão. Não vai encontrar nada; guardamos isso para nós mesmas atualmente.

— Posso passar minha vez? — indaga ela, virando-se para Welch.

Há uma calma pálida no rosto de Mona, mas uma inquietação no corpo. Ela quase conseguiu, quase conseguiu pular sua vez sem que notassem. Mas o restante de nós não vai deixar isso acontecer. Nem Welch.

— Infelizmente, não. — Welch balança a cabeça. — Vamos lá.

Mona diz mais alguma coisa, mas é baixo demais para que alguém escute, então ela segue até a mesa. A arma está disposta ali. Tudo que precisa fazer é mirar e atirar. Ela ergue a espingarda, acomodando-a na curva do braço como se fosse uma boneca.

— É para hoje — diz Welch.

Mona levanta a arma no nível do alvo e põe o dedo no gatilho. Todas estamos caladas. Suas mãos tremem. De algum modo, ela está mirando a espingarda corretamente, mas o esforço a está matando.

— Não posso — lamenta ela. — Eu não... Não posso. — Ela abaixa a arma, desvia o olhar para mim.

E é nesse momento que eles se abrem; três cortes profundos na lateral do pescoço dela, como guelras. Nenhum sangue. Apenas um pulsar a cada respiração, a contração de algo se movendo sob sua pele.

Mona não grita. Não faz um barulho sequer. Apenas desaba. De costas, com a boca aberta e ofegante. Ela continua me encarando, o peito subindo lentamente, e não consigo desviar o olhar, nem quando Welch se aproxima com pressa, nem quando se ajoelha aos pés de Mona e sente seu pulso.

— Levem Mona para o quarto dela — ordena Welch. O quarto dela e não a enfermaria, porque apenas as em estado mais grave vão parar lá. E Mona já esteve mais doente do que isso. Todas nós já estivemos.

As meninas da Equipe do Barco — marcadas pelas facas que elas têm permissão de levar presas no passador do cinto — afastam-se do restante de nós. Sempre elas. Pegam os braços de Mona, erguem seu corpo e a levam embora, de volta para o interior da casa.

Um murmúrio e logo depois um silêncio conforme começamos a segui-las, mas Welch pigarreia.

— Senhoritas — diz ela, prolongando a palavra como costumava fazer durante a verificação dos dormitórios. — Por acaso as dispensei? — Ninguém responde, e Welch pega a espingarda e a entrega para a primeira menina da ordem. — Vamos começar de novo. Desde a primeira.

Nenhuma de nós se surpreende. Largamos nossa surpresa em algum lugar pelo caminho e agora já esquecemos onde. Então fazemos uma fila, esperamos e atiramos, sentindo o calor — o calor de Mona — escoando da espingarda para nossas mãos.

O jantar é disperso e tenso. Normalmente, conseguimos ao menos sentar no mesmo cômodo, mas hoje pegamos nossas porções com

Welch e nos separamos, algumas no salão e outras na cozinha, aglomeradas ao redor do antigo fogão a lenha, onde queima a última cortina da casa, mantendo o calor. Depois de dias assim e de reações como a de Mona, costumamos nos separar e questionar quem será a próxima.

Estou na escada, apoiada no corrimão. Nós três fomos as últimas a pegar comida e quase não havia sobrado nada de bom: apenas as pontas de um pão, já pegajosas e mofadas. Byatt parecia prestes a chorar quando percebeu que isso foi tudo o que eu trouxe de volta — nenhuma de nós comeu nada de almoço, não depois de Reese ter conseguido aquela laranja, e de forma justa —, mas, por sorte, Carson, da Equipe do Barco, me deu uma sopa com o prazo de validade expirado. Então esperamos o abridor de latas vir em nossa direção para que possamos comer e, enquanto aguardamos, Reese está no chão, tentando dormir, enquanto Byatt olha para cima, onde é possível ver apenas a porta que bloqueia a escada para a enfermaria do terceiro andar.

Ali costumava ser a área dos cômodos dos empregados quando a casa foi construída. Seis quartos num corredor estreito, com um terraço acima e o salão principal com pé-direito duplo abaixo. O acesso só é possível pela escada no mezanino do segundo andar, que fica trancada atrás de uma porta basculante baixa.

Não gosto de olhar para lá, não gosto de pensar nas meninas mais doentes isoladas ali, não gosto que não exista espaço para todo mundo. E não gosto do fato de toda porta do andar superior ser trancada por fora. De ser possível manter uma pessoa presa ali dentro, se alguém quisesse.

Em vez disso, olho para o outro lado do salão principal, para as paredes de vidro do refeitório. Longas mesas vazias desmontadas, prontas para serem usadas para acender lareiras, os talheres foram jogados no mar para manter as facas longe de nós. Era meu cômodo favorito da casa. Não em meu primeiro dia, quando eu não tinha ainda um lugar para me sentar. Mas todos os dias depois, quando eu chegava para o café da manhã e via Byatt guardando um lugar para mim. Ela ocupava um quarto individual em nosso primeiro ano e gostava de acordar cedo para andar pela escola. Eu a encontrava no refeitório, e ela me esperava com torradas. Antes de Raxter, eu usava manteiga na torrada, mas Byatt me mostrou que geleia é melhor.

O olhar de Cat encontra o meu do outro lado do salão, e ela ergue o abridor de latas. Eu me afasto do corrimão e sigo em sua direção, desviando de um quarteto de meninas sentadas no chão, que formam um quadrado, descansando a cabeça sobre a barriga uma da outra enquanto uma delas tenta fazer as outras rirem.

— Vi que conseguiu fazer com que Carson cedesse — comenta Cat quando me aproximo. Ela tem cabelo preto, muito liso e muito bonito, e olhos escuros e cuidadosos. Seu caso foi um dos piores de Tox. Semanas na enfermaria, mãos atadas para impedir que agarrasse sua pele, que fervia e borbulhava. Cat ainda tem as cicatrizes, marcas brancas por todo o corpo, e bolhas novas que afloram e sangram a cada estação.

Desvio o olhar de uma bolha nova em seu pescoço e sorrio.

— Não precisou de muito. — Ela me dá o abridor de latas, e eu o guardo no cós da calça, sob minha camisa, para que ninguém o roube no caminho de volta para as escadas. — Vocês estão bem? Suficientemente aquecidas? — Ela está usando apenas o forro de lã destacável do casaco de sua amiga Lindsay. As duas não tiveram sorte na última escolha de roupas, e ninguém consegue guardar um cobertor por muito tempo aqui a não ser que jamais tire os olhos dele.

— Estamos bem, sim — responde Cat. — Obrigada por perguntar. E, ei, olha bem sua sopa, se certifica de que a lata não está com a tampa estufada. Já temos coisas suficientes para nos preocupar além de botulismo.

— Vou passar a informação adiante.

Cat é assim. Gentil a sua maneira. Ela é do nosso ano, e sua mãe está na Marinha, assim como meu pai. Raxter e o Campo Nash são as únicas formas de vida em um raio de quilômetros. Ao longo dos anos, estiveram tão próximos que Raxter oferece a bolsa de estudos para meninas filhas de oficiais da Marinha. É a única razão pela qual estou aqui. A única razão pela qual Cat está aqui. Nós pegávamos o ônibus para o aeroporto juntas no final de cada trimestre; ela a caminho da base de San Diego, e eu para a base de Norfolk. Ela nunca guardava lugar para mim, mas eu me sentava com timidez ao lado dela, e Cat sorria e me deixava dormir em seu ombro.

Estou prestes a me sentar ao lado de Byatt novamente quando ocorre uma comoção diante da porta da frente, onde as meninas de Landry estão agrupadas. Poderíamos dividir o grupo todo em umas onze ou doze partes — algumas maiores, outras menores —, e o maior grupo se concentra em torno de Landry, dois anos acima de mim e de uma família tradicional de Boston, mais importante até mesmo que a de Byatt. Ela nunca foi muito com a nossa cara, não desde que reclamou por não haver meninos na ilha, e Reese lançou o olhar mais indiferente que já vi e retrucou:

— Mas tem muitas meninas.

Isso fez com que alguma coisa saltasse em meu peito, algo que ainda posso sentir à noite quando a trança de Reese lança um brilho ondulado no teto. Um chamado. Um desejo.

Mas ela está muito longe. Sempre esteve longe demais.

Alguém grita, e nós vemos o grupo mudar de posição, formando um círculo, aglomerando-se bem perto de um corpo estendido no chão. Eu me curvo para tentar ver alguma coisa. Cabelo castanho brilhoso, um corpo frágil e magro.

— Acho que é a Emmy — digo. — Acho que chegou a vez dela.

Emmy estava no sexto ano quando a Tox começou, e uma a uma as meninas da turma entraram de cabeça na puberdade, com suas primeiras erupções surgindo e explodindo como fogos de artifício. Agora finalmente chegou a sua vez.

Ouvimos seus soluços, o corpo trêmulo e agitado. Eu me pergunto o que ela vai adquirir, se é que terá alguma coisa de fato. Guelras como Mona, bolhas como Cat, talvez ossos como os de Byatt ou a mão como a de Reese, mas às vezes a Tox não nos dá alguma coisa — apenas tira mais e mais. Nos esgota e nos faz definhar.

Por fim, silêncio, e o grupo ao redor de Emmy começa a se dispersar. Ela parece bem para uma primeira erupção. Suas pernas bambeiam quando ela fica de pé e, mesmo de longe, posso ver as veias salientes e escuras em seu pescoço, como se fossem hematomas.

Há uma leva modesta de aplausos conforme Emmy bate a poeira da calça jeans. Julia, uma das meninas da Equipe do Barco, tira um pedaço de seu pão velho e o joga para Emmy. Alguém vai deixar um presente debaixo de seu travesseiro à noite. Talvez um par de grampos de cabelo, ou uma página de uma das revistas que ainda circulam na escola.

Landry a abraça, e Emmy está radiante, orgulhosa por ter passado tão bem por aquilo. A ficha vai cair mais tarde, eu acho, quando a adrenalina passar, quando Landry não estiver lá para ver. A verdadeira dor. A mudança.

— Ainda fico chateada — comento. — Ninguém me deu nada na minha vez.

Byatt ri, movendo rapidamente as mãos para abrir a lata de sopa, então ela me dá a tampa.

— Pronto. Meu presente para você.

Lambo a camada da gororoba de vegetais, ignorando a acidez efervescente. Byatt toma um gole da lata. Depois de tomar um terço, vai passar a sopa para mim. Reese sempre é a última. É impossível fazê-la comer se não for assim.

— Quando acha que vão divulgar a lista para a nova Equipe do Barco? — indaga Byatt, bem alto. Ela pergunta para mim, mas está fazendo isso por Reese; Reese, que está tentando entrar na Equipe do Barco praticamente desde o começo.

A mãe dela foi embora antes de eu começar a estudar em Raxter, mas conheci o pai dela, o Sr. Harker. Ele era, ao mesmo tempo, o jardineiro, o responsável pela manutenção e o faz-tudo. Vivia numa casa fora da área escolar, na ponta da ilha. Pelo menos até a chegada da Tox e da quarentena, e foi quando a Marinha o enviou para morar conosco. Ele não mora mais aqui. Foi para a floresta quando a Tox começou a atingi-lo, e Reese vem tentando encontrar com ele desde então.

A Equipe do Barco é a única saída. A única maneira de passar pela cerca. Normalmente, são as mesmas três garotas até uma delas morrer, mas, há alguns dias, a terceira menina, Taylor, disse que aquela seria sua última missão, depois ela não iria mais. Taylor é uma das mais velhas aqui. Estava sempre ajudando, acalmava todo mundo e suturava as feridas de todas. Não conseguimos entender o que exatamente a fez parar.

Existe um boato de que teve algo a ver com sua namorada, Mary, que ficou indomável no último verão. Um dia Mary estava lá e, no outro, havia desaparecido — apenas a Tox tinha permanecido em seu corpo, e já não havia brilho algum nos olhos. Taylor estava com ela naquele dia. Teve que lutar com a garota, e por fim colocar uma bala em sua cabeça. Todas acham que por isso ela saiu da Equipe do Barco. Mas, quando Lindsay lhe perguntou no dia anterior, Taylor a esbofeteou, e ninguém mais mencionou o assunto desde então.

Isso não nos impediu de continuar imaginando o motivo. Taylor diz que está bem, que está tudo normal, mas largar a Equipe do Barco não é normal. Especialmente para ela. Welch e a Diretora terão que anunciar um novo nome em breve, alguém para ocupar seu lugar.

— Talvez amanhã — respondo. — Posso perguntar.

Reese abre os olhos, senta ereta. Seus dedos prateados se contraem.

— Não pergunte. Só vai irritar Welch.

— Beleza — digo. — Mas não se preocupa. Você vai conseguir.

— Veremos — responde ela.

Essas não são as coisas mais agradáveis que já dissemos uma para a outra, mas estão perto disso.

Naquela mesma noite, Byatt termina de suturar meu olho, e depois não consigo dormir. Olho para a parte de baixo do beliche de Reese, para onde Byatt gravou suas iniciais repetidas vezes. *BW. BW. BW.* Ela faz isso em tudo quanto é lugar. Na cama, em sua mesa durante todas as aulas que tínhamos, nas árvores do bosque perto da água. Marcando Raxter como se fosse dela, e às vezes acho que, se ela pedisse, eu a deixaria fazer o mesmo comigo.

Um silêncio contínuo até que, perto da meia-noite, dois tiros o quebram. Fico tensa. Espero. Mas mal passa um segundo antes dos gritos da Equipe das Armas ecoarem:

— Tudo limpo!

Acima de mim, Reese ronca no beliche. Byatt e eu dividimos a cama de baixo, tão próximas que posso ouvir os dentes dela rangendo enquanto sonha. A calefação foi desligada há um tempo, e nós dormimos o mais perto que conseguimos, com nossos casacos, com tudo. Posso pôr a mão no bolso e sentir a bala lá, o revestimento liso.

Aprendemos a respeito de munição depois de Welch nomear as primeiras meninas da Equipe das Armas. As primeiras meninas viram algo do telhado e, embora não tenham conseguido concordar sobre o que era — uma disse que era nebuloso e reluzente, e seu movimento, devagar e calculado, quase como o de uma pessoa, e outra comentou que era grande demais para isso —, o que as assustou bastante, a ponto de reunirem todas as meninas da Equipe das Armas no menor cômodo do segundo andar para nos ensinar como abrir uma bala. Como ignorar o tremor em nosso estômago e como engolir a pólvora como veneno, para o caso de algum dia precisarmos morrer.

Algumas noites acabo pensando sobre o que podia ser, o que elas podem ter visto, e sentir a bala em minha mão ajuda — saber que estou a salvo de seja lá o que tenham visto e do que quer que tenham medo. Mas, nessa noite, Mona é tudo que consigo ver — Mona com a arma nas mãos e Mona parecendo que queria apontá-la para a própria cabeça.

Eu jamais tinha segurado uma arma antes de Raxter. Às vezes aparecia uma lá em casa — a pistola da Marinha do meu pai —, mas ela ficava trancada. Byatt nunca nem tinha visto uma ao vivo.

— Sou de Boston — explicou ela quando Reese e eu rimos. — Não temos armas como vocês as têm aqui.

Lembro disso porque ela quase nunca mencionava sua casa. Jamais dava um jeito de tocar no assunto em uma conversa qualquer, como eu sempre me pegava fazendo com Norfolk. Acho que ela não sentia falta de lá. Raxter não permitia que tivéssemos celulares, então, se quiséssemos ligar para casa, tínhamos de entrar numa fila para usar o telefone fixo na sala da Diretora durante o intervalo à tarde. Nunca vi Byatt lá. Nem uma vez.

Eu me viro para olhar para ela, esticada a meu lado e já cochilando. Eu teria sentido saudades de casa se fosse de uma família como a dela, sangue azul e cheia da grana. Mas essa é a diferença entre nós. Byatt nunca quis nada que não tivesse.

— Para de ficar me encarando — resmunga ela, me cutucando nas costelas.

— Foi mal.

— Tão bizarra. — Mesmo assim, Byatt engancha o dedo mindinho no meu e adormece novamente.

Devo ter adormecido depois disso, porque, por um tempo, não há nada e, de repente, estou piscando, depois escuto um ranger das tábuas do chão, e Byatt não está mais na cama comigo. Ela está no vão da porta, fechando-a atrás de si ao entrar no quarto.

Não deveríamos sair do nosso quarto durante a noite, nem mesmo para ir ao banheiro no fim do corredor. A escuridão é muito pesada, o toque de recolher de Welch, bem rigoroso. Eu me apoio em um dos cotovelos, levantando um pouco, mas estou coberta pelas sombras, então ela não consegue me ver. Em vez disso, Byatt para ao pé da cama e então sobe a escada até Reese.

Uma delas solta um suspiro, e há um farfalhar conforme as duas se acomodam, e então o tom branco-amarelado da trança de Reese pende de sua cama e balança gentilmente acima de mim. O reflexo se movimenta como uma pluma, cobrindo o teto com padrões desbotados de luz.

— Hetty está dormindo? — pergunta Reese. Não sei por quê, mas passo a respirar mais devagar, me certifico de que não vão saber que estou ouvindo.

— Aham.

— O que foi?

— Nada — responde Byatt.

— Você saiu.

— Aham.

A dor daquilo contorce meu estômago. Por que ela não me levaria junto? E por que é Reese quem fica sabendo? Byatt não deveria encontrar coisas em Reese que ela não consegue achar em mim.

Uma delas se mexe, provavelmente Byatt aconchegando-se em Reese. Byatt gosta de dormir perto. Vivo acordando com seus dedos presos nos bolsos do meu jeans.

— Aonde você foi? — sussurra Reese.

— Dar uma volta.

Mas reconheço uma mentira. Sem chances de ela ter arriscado sair escondida só para esticar as pernas. Já fazemos isso o suficiente todo dia pela manhã. Não, há um segredo escondido em sua voz e, normalmente, ela os divide comigo. Qual a diferença dessa vez?

Reese não responde, e Byatt continua:

— Welch me pegou no caminho de volta.

— Merda.

— Está tranquilo. Eu só estava lá embaixo, no salão.

— O que você disse?

— Falei que estava pegando uma garrafa de água porque estou com dor de cabeça.

A mão prateada de Reese puxa a trança de meu campo de visão. Posso imaginar o brilho fechado dos olhos dela, o maxilar firme. Ou talvez ela seja mais fácil no escuro. Talvez se abra totalmente quando pensa que ninguém pode vê-la.

Conheci Reese no dia que cheguei em Raxter. Eu tinha 13 anos, mas não 13 anos de verdade, não 13 anos com peitos e quadris e respostas inflamadas. Eu já tinha conhecido Byatt na balsa do continente para a ilha, e tinha sido rápido e incrível. Ela sabia quem ela era e quem eu deveria ser, e ela se encaixava perfeitamente em todos os lugares dentro de mim que eu não conseguia preencher. Reese era diferente.

Ela estava sentada na escada do salão principal, com o uniforme grande demais, as meias até os joelhos sobrando nos tornozelos. Não sei se já tinham medo dela ou se era outra coisa, se talvez o fato de ela ser filha do faz-tudo significava alguma coisa para elas e não para mim, mas as outras meninas do nosso ano estavam aglomeradas perto da lareira, o mais longe possível dela.

Byatt e eu passamos por Reese quando fomos nos juntar às outras meninas, e a maneira como ela olhou para mim naquele momento, já com raiva, já fervilhando — é minha lembrança mais vívida.

Por um tempo depois disso, não havia absolutamente nada entre nós três. Apenas aulas juntas e um aceno aqui e ali nos corredores a caminho do banho. Mas aí Byatt e eu precisávamos de uma terceira pessoa para o trabalho em grupo de francês, e Reese era a primeira da turma — tinha se esforçado e passado Byatt em alguns testes anteriores —, então a escolhemos.

Foi tudo de que preciso. Reese a nosso lado no jantar, perto de nós nas reuniões, e, quando eu lembrava como ela havia olhado para mim naquele primeiro dia, quando notava a maneira como meu estômago ficava apertado toda vez que ela dizia meu nome, não importava. Ainda não importa. Isso é o mais perto que vou chegar de Reese — uma cama acima de mim, sua voz suave na escuridão conforme ela fala com outra pessoa.

— Você acha — diz ela depois de um tempo — que está piorando?

Praticamente posso ouvir Byatt encolher os ombros.

— Provavelmente.

— Provavelmente?

— Quer dizer, não sei — comenta Byatt. — Claro. Mas não para todo mundo. — Houve um segundo de silêncio, então sua voz retornou, tão baixa que preciso me esforçar para ouvir. — Escuta, se você souber de alguma coisa...

Ouço o raspar das botas de Reese no momento em que ela vira de lado.

— Desce — pede ela. — Está me sufocando.

Às vezes me pergunto se ela era diferente antes de sua mãe partir. Se era mais fácil de se aproximar. Mas não consigo imaginar Reese assim.

Eu me mexo ao sentir Byatt deitar em nossa cama, mas finjo não acordar, apenas me viro para ficar de costas para ela. Acho que ela me observa durante um instante, mas adormece logo em seguida. Só faço o mesmo quando a luz do dia está começando a aparecer no céu.

CAPÍTULO 3

O amanhecer chega rápido e frio. Uma nova camada de geada nas janelas. O gelo se juntando aos montes nos parapeitos. Byatt e eu saímos da cama e tentamos deixar Reese dormindo enquanto seguimos para nossa caminhada.

As caminhadas eram só de Byatt no começo. Ela, sozinha, fazendo circuitos lentos no jardim. As outras meninas costumavam cochichar sobre isso. Saudades de casa, diziam elas, solitária, e era só pena e riso. Mas eu sabia que isso lhe dava um brilho, fazia dela alguém de quem se aproximar. Ao fim do nosso segundo mês ali, eu andava atrás dela com esperança de que esse efeito cessasse em mim também.

O salão principal está vazio quando passamos diante dele, exceto pela menina que vigia as portas da frente. A escola tem a forma de um colchete, uma ala recém-construída saindo de cada extremidade da casa antiga. No segundo andar estão os dormitórios e um punhado de escritórios, e aqui, no térreo, ficam as salas de aula, o salão e a sala da Direção no canto do colchete. A Diretora provavelmente está lá dentro, inclusive calculando suprimentos, conferindo números.

Estico o braço quando passamos pelo mural e bato no bilhete sobre a cura, bem na parte timbrada. É lá que dá mais sorte, e dá para ver como a cor está desgastada onde uma centena de meninas tocou umas cem vezes. Sorrio, penso em Byatt e eu em alguma cidade banhada de sol em algum lugar, livres da Tox.

— Oi — diz Byatt para a menina da porta, uma das mais novas que restou, de 13 anos. — Tudo certo?

— Aham. — A garota puxa a porta sem que Byatt peça. As pessoas são assim com ela, não importa como ela seja com os outros.

A porta mal abre um centímetro, é pesada demais para a menina mover sozinha. Fazemos com que comecem ainda bem pequenas na Equipe de Vigia — se acontecer alguma coisa mais séria, as meninas da Equipe das Armas vão dar um jeito, mas a responsabilidade de cuidar da porta disciplina as meninas mais novas de maneira correta. Assumo a situação e coloco as mãos sobre as dela. Puxo a porta e sinto ceder sob a ferrugem, mais renovada e mais grossa a cada estação. Esse será nosso segundo inverno com a Tox, meu terceiro em Raxter no total. Quantos mais terei aqui?

— Obrigada. — Dou uma batidinha com o braço no ombro da menina para que ela não perceba que não lembro seu nome. — Até mais tarde.

Na varanda, espero enquanto Byatt abotoa o casaco. A grama está morta faz tempo, e ali, sobre a geada que a cobre, há uma trilha de pegadas. Será que algumas podem ter sido deixadas por Byatt durante a noite?

— Então — falo. — Está frio aqui.

Ela não responde. Está mexendo inquieta no botão superior do casaco, escondido sob seu queixo, enquanto seguimos para o caminho de pedras que dá no portão.

Tento novamente, torcendo para não ter que forçar muito a barra. Ela bem que podia simplesmente me contar aonde foi.

— Dormiu bem?
— Sim.
— Eu estava inquieta?
— Não mais que o normal.
Espero, lhe dou mais uma chance de falar, mas ela não diz nada.
— Porque acordei bem no meio da noite e você não estava lá.
Byatt vira para esquerda no trajeto. É o percurso que sempre fazemos.
— É?
— É.
A princípio, acho que ela não vai explicar, porque Byatt não costuma me dar explicações sempre, ainda que eu lhe dê, mas então ela para, olha fundo em meus olhos e diz:
— Você falou enquanto dormia.
É algo tão distante do que espero ouvir que fico boquiaberta.
— Falei?
— Aham. — Há uma espécie de dor delicada em sua expressão, como se ela não tivesse certeza de que quer me deixar ver aquilo. — Não sei com o que estava sonhando, mas você disse... uma coisa.
Não disse. Sei que não disse, mas não entendo a situação o suficiente para negar.
— O que eu disse?
Ela faz uma cara feia, balança a cabeça.
— Não foi uma coisa que gostaria de ouvir de novo. Vamos deixar de lado.
Por um momento, eu me sinto exatamente como Byatt quer. Ansiosa e culpada demais para continuar insistindo. Mas isso não é verdade. Eu estava acordada e a vi.
— Ah — digo. — Tem certeza?
É o mais próximo que consigo chegar de confrontá-la. Se eu colocar muita pressão, ela vai acabar perdendo o controle. Já a vi

fazer isso centenas de vezes, com professoras quando uma de nós esqueceu o dever de casa, com passeios escolares quando Welch a pegou forjando a assinatura da minha mãe. Byatt mente muito bem. Mas, normalmente, ela está mentindo por mim.

— Sim — responde ela, estremecendo na medida certa. — Tudo bem, tá? Eu só subi e fui deitar com Reese.

Essa parte, enfim, é verdade. Mas que segredos são esses a serem guardados em Raxter? Todas nós temos os mesmos horrores em nosso corpo, as mesmas dores, as mesmas vontades.

— Desculpa — digo. Não há nada a fazer a não ser entrar no jogo.

— O que quer que tenha sido. Você sabe que é minha melhor amiga.

Byatt se anima imediatamente e joga os braços ao redor dos meus ombros para me puxar para perto. Nós voltamos a andar, com os passos sincronizados.

— Sim — afirma ela —, sei que sou.

A casa paira acima de nós, e as vozes de algumas meninas vazam pelas janelas rachadas conforme elas começam a acordar. Discussões sobre roupas e camas, e algumas mais sérias, mas, em grande parte, as mesmas conversas de todos os dias. As mesmas revistas sendo passadas de novo e de novo, testes sendo feitos e refeitos, as mesmas memórias sendo contadas como histórias até pertencerem a todas. Lembranças com os pais partidas ao meio para serem compartilhadas, primeiros beijos trocados como presentes.

Nunca tive nada a acrescentar; não conseguia materializar o suficiente do meu pai, não conseguia suportar a ideia da minha mãe totalmente sozinha em nossa casa na base. E já desejei meninos, e já desejei meninas, mas jamais o bastante para sentir falta de alguém, jamais o bastante para retirá-los do álbum da minha antiga vida e trazê-los para a atual.

Às vezes, se eu fechar os olhos, esqueço o que mudou. E Raxter não é mais uma onda de pólvora e fome. É um buraco profundo de tédio e ociosidade.

Chegamos à cerca — a casa atrás de nós e a floresta adiante, com seus ramos perenes e a estrada que corta por ela, mais desgastada e estreita a cada ano. Alguns metros depois da cerca, consigo ver o que os tiros devem ter atingido à noite: um veado, morto há horas, com a carne muito contaminada para ser comido. Vermes entram por sua boca aberta, e o sangue já endureceu em seu pelo.

Além do veado, há outras coisas lá fora. É algo que todas sabemos, mas não falamos a respeito. Se você estiver do lado de fora na hora certa, às vezes é possível sentir a terra tremer, como minha casa na base fazia sempre que um avião voava muito perto. No começo da Tox, costumávamos folhear os livros didáticos de ciências e olhar as listas da flora e fauna para imaginar o que estaria lá. Mas então tivemos que queimar os livros para nos aquecer, e imaginar deixou de ser divertido.

— Vamos — diz Byatt.

Não olhamos para o terraço, onde duas meninas estão mirando rifles sobre nossa cabeça. Em vez disso, passamos os dedos pelas barras da cerca e a seguimos até a água. Lá ondulações de rochas empilhadas formam piscinas com os jatos do mar, formas que só vão congelar quando o inverno pesado chegar. Camadas acinzentadas, algas de um verde intenso, e o mar batendo ao longe, escuro e agitado.

Subo numa pedra pontiaguda e me inclino, apoiada nas palmas das mãos, para olhar a maior piscina. Nenhum peixe — eles quase não se aproximam mais da ilha desde que as coisas mudaram —, mas dessa vez vejo algo. Pequeno, não pode ser maior do que meu punho, e de um azul vibrante e inquieto. Um caranguejo.

— Ei — digo, e Byatt escala a pedra também, equilibrando-se perto de mim. — Olha.

Eles apareceram alguns anos antes de mim. Um sinal dos tempos, foi o que disse nossa professora de biologia quando nos trouxe para observá-los no outono do meu primeiro ano do ensino médio, e aprendemos sobre mudanças climáticas. Antigamente, eles nunca iam ao norte de Cape Cod, mas, à medida que o mundo se transforma, a água também sofre mudanças. Chamamos esses caranguejos de Raxter Azuis; aqui eles crescem diferentes.

O Sr. Harker nos ajudou a capturar alguns, e os levamos para a sala de aula, nos revezando para segurar o bisturi. Havia um cheiro forte de sal no ar, e duas meninas quase desmaiaram quando quebramos a casca dos caranguejos e a levantamos como uma tampa. Viram, indicou nossa professora. Como eles têm tanto guelras quanto pulmões, para respirar dentro e fora da água. Viram como um corpo muda para nos dar a melhor chance possível.

Observamos o caranguejo por um tempo, enquanto ele atravessa o chão da piscina de maré. Então Byatt se inclina para a frente e quase me derruba na água.

— Cuidado — falo, mas ela não escuta. Seu braço está esticado, os dedos dentro da água. Algo fino e longo dispara para baixo de um montinho de pedras.

— Quero ver de novo — explica Byatt, fazendo círculos na água, puxando o caranguejo com a correnteza.

— Não faz isso — peço. — É horrível. E, se você continuar com a mão aí, vai acabar com os dedos congelados.

Mas ela não escuta. Rápida como uma das garças que costumava viver aqui, a mão dela dispara para o fundo, ondulações batendo em seu cotovelo. Quando a levanta novamente, está com o caranguejo preso entre dois dedos, pendurado por uma das garras. Ele a belisca, mas Byatt o fixa no chão.

Mantendo-o parado com uma das mãos, ela tateia com a outra, procurando uma das pedras soltas na margem da piscina. Pegando-a com firmeza, Byatt bate a pedra no caranguejo. Ele se contorce, com os membros estremecendo freneticamente.

— Minha nossa, Byatt.

Ela observa o bicho destroçado. Começando pelas extremidades das garras, a casca azul escurece e se torna preta, como se tivesse sido mergulhada em nanquim. Foi essa visão que deixou as meninas na aula de biologia sem chão, e também tontas e sem ar.

— Para que fazer isso? — pergunto, desviando o olhar. Se já tivéssemos tomado o café da manhã, talvez eu estivesse vomitando tudo nesse instante.

— Porque — começa Byatt, pegando o caranguejo que ainda se move, embora só um pouco, e o jogando de volta na água. — É assim que sabemos se são verdadeiros Raxter Azuis.

— Não pode simplesmente pegar uma flor?

A flor da íris sofre o mesmo processo: fica preta quando está morrendo. Isso acontece desde antes da Tox, e agora o mesmo ocorre conosco. Os dedos de todas as meninas de Raxter ficam pretos até as juntas à medida que a Tox as leva.

— Não é a mesma coisa — responde Byatt.

Então ela se levanta, me deixa para trás e segue em direção à última rocha, com passos firmes, as botas úmidas conforme a maré bate. Uma vez ela me contou que isso era o que mais gostava em Raxter: a forma como a orla muda. A areia caindo e escorregando para baixo, e Byatt ali, com seus olhos fechados e o queixo erguido.

— Consegue lembrar? — falo de repente, com a brisa de inverno puxando minha voz. — Como era... antes?

Ela olha para mim por cima do ombro, e me pergunto se Byatt está pensando no mesmo que eu. Coisas como olhar da varanda enquanto a turma do terceiro ano se reunia na praia com seus vestidos de formatura brancos, entrelaçar os dedos durante as assembleias e apertar com força para segurar o riso. Estar no refeitório, com os últimos raios de sol passando pelas janelas em forma de painéis, enquanto cantávamos um hino desafinado antes de nos sentar para comer.

— Sim — afirma ela. — Claro.

— E sente saudade?

Por um segundo, acho que ela não vai me responder, então sua boca se expande, e Byatt sorri.

— Isso importa?

— Acho que não. — Acima de nós as nuvens se mexem, deixando escapar um pouco de calor. — Vamos para dentro.

Encontramos Reese na entrada da cozinha, esperando enquanto duas meninas lavam o cabelo na pia com um balde de água da chuva. De poucos em poucos dias, Byatt e eu compartilhamos uma lavagem; de tão curto, meu cabelo não precisa de muito mais do que uma esfregada nas raízes. Já a trança de Reese espalha a água como se fossem estrelas, é lindo e difícil de olhar, e ela fica com a pia inteira.

— Elas estão demorando uma eternidade — comenta Reese quando nos aproximamos. Ela segura a trança com força em sua mão prateada, e posso ver como as outras meninas estão tensas, posso ver como observam a porta como se fossem sair correndo por ali.

— Foi mal — diz uma delas. — Estamos quase acabando.

— Bem, andem logo.

Elas se entreolham e então torcem o cabelo, passando apressadas por nós. A segunda delas ainda está com espuma do xampu brilhando nas têmporas.

— Obrigada — fala Reese, como se tivesse lhes dado uma escolha.

Byatt e eu ficamos na porta enquanto Reese desfaz sua trança e mergulha a cabeça no balde de água. Ela demora alguns minutos. Quando acaba, suas mangas estão encharcadas, e o cabelo de Reese ainda está pingando ao seguir conosco à procura de um sofá vazio no salão principal para nos acomodar enquanto esperamos. Se as equipes vão mudar, Welch irá avisar cedo, assim que as mais novas terminarem o café da manhã.

Eu me afundo contra o braço de um sofá e ponho as pernas sobre o colo de Byatt. Ao lado dela, Reese está inclinada para a frente, refazendo a trança, com a cabeça molhada abaixada.

Ela não parece nervosa. Há apenas algo tenso dentro dela. Sempre está lá, mas alguns dias se torna mais visível, e hoje é um desses dias. Não falamos nada quando Reese começa a cutucar o estofamento com sua mão prateada.

Eu nunca quis tanto alguma coisa como Reese quer a Equipe do Barco. Ainda consigo vê-la no portão no dia em que o Sr. Harker foi embora, tentando alcançá-lo. Ainda posso ouvi-la gritando enquanto Taylor a afastava. É claro que ela quer sair, passar da cerca e ir além da curva na estrada. Para ver se ainda resta algo dele.

Não poderíamos levar Reese para fora escondida, não sem quebrar a quarentena, como diz a carta. E é muito perigoso, de todo modo, para uma menina sozinha, mas Byatt e eu fizemos o que podíamos. Nós a levamos para o terraço na cobertura, só para ver se conseguíamos encontrar o contorno de sua antiga casa entre as árvores. Isso só a deixou mais irritada.

— Eu não sei — disse ela enquanto entrávamos. — Apenas, foda-se. — E então Reese ficou dois dias sem falar conosco.

A porta da sala da Diretora foi aberta, e Welch sai para o corredor com uma folha de papel nas mãos. Reese fica de pé.

— Senhoritas — fala Welch —, por favor, deem uma olhada no cronograma revisado. Algumas de vocês mudarão de turno. — Ela substitui o papel, prendendo-o próximo à carta acima da lareira. — Meninas na Equipe do Barco me procurem quando puderem. Estarei na despensa sul.

Estou certa de que Reese vá correr para lá assim que Welch se for, mas ela parece hesitante ao se aproximar, as pernas movendo-se mecanicamente. Algumas meninas ainda conversam no salão, porém ninguém mais se aproximou para verificar, e é assim que sei que elas estão assistindo.

Reese chega ao quadro. Fico tensa, esperando um sorrisinho que indique que ela conseguiu o que queria. Mas ele não acontece.

Dando a volta, Reese retorna ao sofá com algumas passadas, e então sua mão prateada se fecha em torno do meu tornozelo. Jesus, como é fria. Ela dá um puxão, com força, e estou no chão.

— Reese — digo, uma onda de choque perpassando meu corpo.

Começo a me sentar, mas ela já está se movendo. Reese monta em mim, com seus joelhos prendendo meus braços, a base da palma da mão empurrando meu queixo, expondo meu pescoço.

Tento dizer alguma coisa, e meus pés se debatem, tento girar o quadril, talvez isso ajude, só preciso respirar, apenas uma vez, mas ela pressiona com mais força, acertando um soco de prata em meu peito.

— O que houve? — Posso ouvir Byatt gritando mais e mais alto. — Reese, pare. O que houve? O que foi?

Reese vira a cabeça apenas uma fração, e consigo livrar um de meus braços. Alcanço as costas dela, pego a trança e puxo sua cabeça para trás. Ela geme, e sinto um corte e uma queimação do lado cego do meu rosto. Ela apoia o antebraço na minha garganta. Aproxima-se.

Tento empurrá-la, mas Reese é forte, como se fosse algo além de si mesma, e lá está Byatt atrás dela, gritando e gritando. Um último respiro irregular antes de o mundo escurecer, e eu pronunciar o nome dela.

Reese se afasta, cambaleando para ficar de pé.

— Meu Deus — dispara Byatt, com o rosto pálido.

Não consigo me mover, a dor emanando do meu peito. Já brigamos antes, mas só por comida. Sempre acaba ali. Nós respeitamos esse limite.

Reese pisca, pigarreia.

— Ela está bem — diz Reese, rouca. — Ela vai ficar bem.

Ela deve sair em seguida, porque Byatt se ajoelha a meu lado, e é ela quem me ajuda a levantar assim que consigo sentir meus pés novamente.

Quase não verifico o cronograma. Quase subo direto para descansar. Mas, quando passamos perto do papel, eu semicerro os olhos e procuro rapidamente os novos pares da Equipe das Armas e as novas escalas de guarda, então encontro meu nome. Lá está. Eis a razão. Eu sou a nova menina da Equipe do Barco.

Estou sorrindo. Não queria, mas estou, e há cochichos atrás de mim. Preciso parar, neste instante, ou Reese vai ficar sabendo e vai me odiar ainda mais.

Byatt põe uma das mãos em meu ombro.

— Você deveria procurar Reese. Conversar com ela.

— Não acho que seja uma boa ideia.

— Olha, sei que isso que ela fez não foi certo — continua Byatt, afastando carinhosamente meu cabelo do rosto. — Mas ela...

— Preciso me apresentar — interrompo. — Para Welch. — Não consigo disfarçar a alegria em minha voz. Eu não queria, sei que não deveria ter sido escolhida, mas estou orgulhosa agora que consegui a vaga. Minha mira é boa. Sou responsável. Sei por que meu nome está naquela lista.

— Tudo bem — diz Byatt.

Ela se afasta, cruza os braços, e posso ver que tem mais alguma coisa que gostaria de dizer. Em vez disso, Byatt olha para mim uma última vez antes de seguir para a escada.

Ao meu redor, as outras meninas esperam, me observando com uma nova atenção agora que sou da Equipe do Barco. Elas esperam que eu lhes mostre, que eu diga o que devem fazer, e é um peso maior do que achei que fosse ter que carregar. Mas preciso lembrar que, para todas as regras abolidas, novas surgiram, mais fortes e rígidas do que qualquer coisa que tivemos antes. Ninguém pode transpor a cerca — essa é a primeira regra, a mais importante, e agora sou uma das meninas com permissão para quebrá-la.

Dou um sorriso que espero que seja maduro e responsável para a garota mais próxima, depois saio apressada do salão, ainda sentindo os olhares. Welch pediu que a procurasse, então faço isso. Sigo pelo corredor sul até a despensa e a encontro fazendo o inventário.

— Hetty, ótimo — diz ela. Parece cansada. Por um segundo, fico grata. A Tox não a machuca tanto quanto a nós, mas pelo menos entre as erupções, podemos contar com um momento ou outro de paz. — Venha e me ajude um minuto.

Ela larga uma pilha de cobertores em meus braços, e a escuto contar em voz baixa. Encosto minha testa neles, me certificando de que estou respirando devagar. Acho que os pontos do meu olho abriram.

— Provavelmente vamos sair de novo amanhã ou depois de amanhã — comenta Welch, pegando os cobertores de volta. — A remessa de ontem foi pequena, então, com sorte, eles irão complementá-la.

O melhor que podemos esperar é comida extra e talvez um ou dois cobertores. No começo, havia mais. Solução para lentes de contato, assim Kara não precisava usar seus óculos. Insulina para Olivia, e o contraceptivo de Welch, para controlar seus hormônios. Mas essas coisas deixaram de ser enviadas depois de mais ou menos um mês, e mesmo a Diretora não conseguiu reavê-las. Kara ficou sem suas lentes, Welch sem a pílula, e Olivia morreu.

— Então onde encontro vocês? — pergunto. E o que levo? É...

— Eu irei buscar você. — Welch me inspeciona. — Certifique-se de descansar bem. E tente evitar situações como aquela confusão no salão principal, se possível.

— Diga isso para Reese — murmuro.

— Ah, desculpa — escuto atrás de mim. Eu me viro e vejo Taylor na entrada, mudando o peso do corpo de um pé para o outro. Meu primeiro pensamento é que ela está ali para dificultar minha vida por eu ter ficado com a vaga dela na Equipe do Barco, embora tenha sido ela quem desistiu da posição, mas seu foco está em Welch.

— Não queria interromper — continua Taylor. — Welch, podemos conversar mais tarde?

As duas trocam um olhar, rápido, efêmero, que desaparece antes que eu possa compreender.

— Claro — responde Welch, com leveza.

Taylor volta para o corredor. Eu encaro suas costas, tentando ver seja lá o que a Tox fez com ela. Ninguém sabe ao certo quais feridas as erupções deixaram nela, nem mesmo as meninas do mesmo ano que ela. Quaisquer que sejam as mudanças, devem ficar escondidas sob as roupas.

— Lembre-se, Hetty — diz Welch depois de terminar de contar os cobertores, e eu me volto novamente para ela. — Descanso e hidratação, e nada de encrenca. Agora vá.

Saio para o corredor bem a tempo de ver Taylor entrando na cozinha. Welch não quis me contar o que encontrar além da cerca, mas talvez Taylor me fale.

Eu a sigo, entro furtivamente na cozinha e a vejo ajoelhada perto da antiga geladeira, com um braço enfiado atrás dela.

— Hum — digo, e ela dá um pulo, com a mão livre disparando para o cinto, onde costumava guardar uma faca durante seus dias na Equipe do Barco.

— Minha nossa, Hetty. Faz algum barulho, né?

— Desculpa. — Eu me aproximo. — O que está fazendo?

Ainda curvada e tensa, Taylor dá uma olhada por sobre meu ombro, e então abre um sorrisinho. Observo-a relaxar. Apoiada nos calcanhares, ela puxa de trás da geladeira uma embalagem plástica com biscoitos.

— Quer fazer um lanchinho?

Esconder comida é estritamente proibido. Algumas meninas tentaram no começo, e não foram as professoras que a confrontaram, mas o restante de nós. A Equipe do Barco as levou para fora para uma conversa e as deixou sangrando no pátio. Mas Taylor... ela ganhou o direito a algumas liberdades. Não consigo imaginar alguém a punindo.

— Claro — digo, me sentando a seu lado no ladrilho xadrez. Ela me dá um biscoito. Posso sentir que me observa enquanto dou uma mordida. — Obrigada.

— Coloquei esse biscoito aqui no verão passado. Imaginei que uma de vocês teria encontrado a embalagem a essa altura.

— Ninguém costuma olhar aí atrás — comento. — Muitas teias de aranha. E, tipo, ratos ou coisas assim.

Taylor solta um som de escárnio.

— Quando foi a última vez que você viu um rato por aqui? — Ela engole um biscoito em duas mordidas e limpa os farelos da boca. — E aí? Pergunta o que você quer saber.

— Quê?

— Seu nome aparece na lista da Equipe do Barco e você está aqui conversando comigo por acaso? Então tá, Hetty.

Pego outro biscoito, mas minha boca está seca, e acabo apenas segurando-o em minha mão úmida.

— Acho que quero saber para o que devo estar preparada. Tipo, fala sério, vamos lá pegar as coisas e depois voltamos? Não pode ser tão fácil assim.

Taylor ri, e é o tipo de coisa que você escuta e ri com ela porque, se não fizer isso, talvez ela chore.

— Eles usam o farol no Campo Nash para nos avisar que estão vindo. Código Morse ou uma merda assim. Sei lá. Mas Welch precisa ir até seu quarto acordar você quando eles dão o sinal. Ela gosta de sair cedo para que vocês retornem antes do pôr do sol. Seria legal se eles simplesmente pudessem deixar as coisas aqui, nos pouparia uma viagem.

Nunca pensei que isso pudesse ser uma possibilidade.

— Por que não fazem isso?

Taylor dá mais uma mordida esfarelando o biscoito.

— Eles dizem que há risco de contaminação — explica ela, com a boca cheia. — Na verdade, só acho que não conseguem passar pelas pedras na ponta da ilha. Não é como se fosse a Marinha ou algo assim. Não é como se a Marinha fosse boa nessa coisa toda de navegar.

É chocante ouvir esse processo reverenciado descrito em palavras amargas. Mas ela também teve muito mais contato com tudo isso do que eu.

— Lá fora é... — Preciso parar, encontrar as palavras certas. — Lá fora é tão grande quanto parece?

— Grande?

Penso nos arredores, na forma como os pinheiros ficaram mais altos, como não parecem em nada com o que vejo da cobertura. Na floresta, a Tox é ainda mais selvagem. Não há meninas para a doença destruir, então ela dominou todo o resto. Lá fora, ela floresce e se espalha com uma espécie de alegria. Descontrolada, perversa, livre.

— É — afirmo. — Isso.

Taylor se inclina para a frente.

— Você lembra como foi? Aquele primeiro dia?

Um ano e meio atrás, no sol de início de primavera. Eu estava no bosque de pinheiros quando aconteceu, no emaranhado de troncos e galhos, com Reese e Byatt me observando enquanto eu andava no galho mais baixo o mais longe que conseguia. E então eu caí, o que não era surpresa; estávamos cobertas de feridas cicatrizando e de cortes naquela época. Algumas de nós por fazer uma curva rápida demais, outras por costurar bainhas muito curtas, algumas por pressionar coisas afiadas em nosso corpo só para saber como era a sensação. Foi o que veio depois.

Eu me levantei, rindo, mas então o sangue começou a pingar do meu olho direito. Devagar a princípio e, depois, mais e mais rápido, escorrendo pela bochecha e se acumulando na minha boca. Quente como se estivesse prestes a ferver, comecei a chorar porque não conseguia enxergar.

Byatt soltou um palavrão e agarrou meu cotovelo. Reese pegou o outro, e elas correram comigo para a casa. Mantive os olhos fechados. Eu podia ouvir outras meninas, conversando e rindo e, então, ficando em silêncio ao passarmos. Byatt posicionou seu corpo próximo ao meu. Ela foi a única coisa que me manteve em pé.

No salão principal, Byatt sentou comigo nas escadas enquanto Reese correu para chamar a enfermeira. Não sei por quanto tempo esperamos. Byatt segurou minha mão entre as dela e me apoiei em seu ombro, sangrando em sua camisa. Quando Reese voltou, Welch estava com ela, e as duas pressionaram uma gaze em meu olho direito até que secasse. Até que pudessem ver a pele das pálpebras se juntando.

A enfermeira tinha ido embora. Três outras meninas estavam doentes. Era o começo de tudo.

Eles puseram a ilha em quarentena na manhã seguinte. Helicópteros militares sobrevoavam. Durante dias médicos com trajes de proteção circulavam pela casa, testes e mais testes e nada de respostas, apenas uma doença espalhando-se por cada uma de nós.

— Sim — respondo. Preciso limpar a garganta. — Eu lembro.

— Ainda é assim lá fora — comenta Taylor. — Aqui na casa é tudo fácil, mas lá fora é como nos primeiros dias. Como se não soubéssemos de porra nenhuma.

Talvez ela me conte a verdade. Talvez eu mereça, agora que pertenço à Equipe do Barco.

— Foi por isso que você saiu?

É a pergunta errada, e o rosto de Taylor muda no segundo que a faço. Os olhos ficam frios, a boca vira uma linha reta. Ela fica de pé.

— De nada pelo biscoito. Ponha de volta quando terminar de comer.

Reese não nos encontra para o jantar. Ela voltou antes do toque de recolher, isso é tudo que Welch conta quando perguntamos. Não a vemos quando busco nossas porções de comida na cozinha, nem quando Lauren e Ali começam a brigar por causa de um pacote novo de elásticos de cabelo e Julia precisa separar as duas. Isso também é trabalho meu agora, lembro a mim mesma. Sou da Equipe do Barco — sou essa menina.

O beliche dela está vazio quando chegamos ao quarto, e acho que vejo um lampejo de sua mão prateada de soslaio, afastando-se no corredor. Então me forço a desviar o olhar.

— Eu que deveria estar com raiva — falo para Byatt enquanto nos acomodamos na cama. — Ela me estrangulou, não o contrário.

— Você pegou algo que era dela — retruca Byatt. — É assim que ela vê a situação.

Prendo a respiração e ergo o queixo para impedir que a ardência em meu olho se transforme em lágrimas. Ela não pode achar de verdade que fiz isso para machucá-la. Mas Reese é assim: sempre se protegendo de alguma ameaça que não consigo ver.

— Eu não pedi isso.

— Acho que isso não importa para ela.

Nós nos acomodamos por um instante, eu contra a parede, e Byatt deitada de costas, ocupando a maior parte da cama. Dormimos assim desde o começo da Tox; primeiro, era para ficarmos aquecidas, e, depois, só porque nos acostumamos.

— Você poderia recusar a vaga — sugere ela após nos ajeitarmos.

— Eu poderia — falo, bruscamente —, se ela tivesse pedido.
— Mas a raiva não dura. Eu suspiro, fecho os olhos. — Só não sei como agir, com ela.

Byatt faz um barulhinho.

— Ainda bem que estou aqui, né?

— Não faz ideia. — Alguns dias são tranquilos. Outros quase me devastam. O vazio no horizonte, e a fome em meu corpo, e como vamos sobreviver a isso se não conseguimos sobreviver uma à outra? — Nós vamos conseguir. Me diga que vamos conseguir.

— A cura está próxima — assegura Byatt. — Nós vamos sobreviver. Prometo.

CAPÍTULO 4

Taylor estava certa. Quando Welch me acorda, ainda não havia amanhecido. Meu olho está remelento de sono, o que me deixa cega, então demoro um segundo para discernir.

— O que está acontecendo? — pergunto.

Ela me sacode novamente.

— Lá embaixo, o mais rápido possível. Estamos de saída.

A porta se fecha atrás dela. Reese ainda está dormindo no beliche de cima, mas Byatt fica de lado e se apoia nos cotovelos.

— Você vai? — indaga ela, com a voz grave e rouca.

— Sim.

— OK. Tome cuidado.

É uma ordem, e sorrio um pouco caso ela consiga ver.

— Vou tentar.

Welch está esperando com Carson e Julia quando chego ao armário do lado de fora da cozinha. Carson perdeu três unhas das mãos depois de uma erupção que a fez arranhar a porta da enfermaria, e a pele marrom de Julia está coberta de hematomas que crescem todos os dias. Ninguém sabe como surgem, só que a cor deles jamais empalidece.

Julia e Carson não são as primeiras meninas da Equipe do Barco. Taylor, cuja vaga ocupei, era a última do grupo original. Ela foi escolhida com Emily e Christine, gêmeas de alguma escola próxima de Washington que estavam em Raxter fazendo intercâmbio. As duas iam ficar apenas um semestre. Elas escolheram o errado. Cerca de três meses após o início da Tox, elas voltaram da floresta com seus nomes arrancados da cabeça. A Tox apagou quem eram, apagou tudo exceto como segurar uma faca. Isso fez uma apunhalar a outra no salão principal durante o jantar, fez com que elas se observassem sangrar até a morte.

Carson sorri para mim quando me aproximo. Ela está vestindo um segundo casaco, pesado e forrado com flanela, e seu cabelo foi preso e escondido sob o capuz. Julia se encontra perto dela, virada para o armário, pegando coisas para si mesma e, imagino, para mim.

— Toma. — Ela enfia um monte de roupas em meus braços e se senta, tirando as botas para colocar mais meias. — Põe isso.

O casaco é algo entre preto e azul-marinho, com grandes fivelas de metal na frente, como em uma espécie de baú antigo. Veste relativamente bem e, com a gola levantada, não vou sentir o vento no pescoço. Há também um gorro vermelho, daqueles com abas sobre as orelhas, mas não acho que vai caber. Então olho para cima, na direção de Welch: ela está usando um cachecol vermelho. Assim como Carson. Julia — agora de pé e franzindo a testa com impaciência — veste um colete vermelho de material fofo por cima do casaco.

— A cor é fácil de ver — explica Welch. Ela está mexendo em um walkie-talkie preso em seu cinto, um que a conectará ao rádio da Diretora. — Para que possamos nos achar caso seja necessário.

Julia bufa.

— E todo o resto pode nos achar também. Vamos, Hetty, coloque isso. Temos que ir.

Não deveria, mas fico surpresa quando Welch coloca uma faca bowie em minha mão e me mostra como transpassar no cós da minha calça jeans, exatamente como Julia e Carson fazem com as delas. A faca é tudo que ganho nesse momento, mas, assim como Welch, Julia tem uma arma. Não um rifle como o que usamos na cobertura, mas uma pistolinha simpática que ela parece conhecer bem.

— Pronta? — pergunta Welch, acenando para mim. — Atrás de Julia. Fique perto.

Saímos pela porta da frente e seguimos a trilha. Eu me viro só para ver a casa, para me lembrar dela, e é como se eu tivesse 13 anos de novo, saindo da van e andando pelo caminho com Byatt a meio passo atrás de mim. As portas imensas, a varanda, e tudo dando a sensação de que está prestes a se transformar.

No portão, paramos e esperamos enquanto Welch o abre. É de ferro forjado, com as barras próximas o bastante para que seja impossível atravessá-las, mesmo que se contraia a barriga, e existe desde que a escola foi construída, há centenas de anos. Feito para separar os jardins bem-cuidados da mata selvagem, para impedir os animais de chegarem até a lixeira. E também, imagino, para manter as meninas do lado de dentro, no espaço da escola. Como se houvesse algum outro lugar nessa ilha para onde ir.

Desde a Tox, porém, as mudas de árvores cresceram, avançando além da cerca, como se estivessem vindo atrás de nós. Alguns pinheiros, cujas agulhas secas cobrem o chão congelado, e outras inigualavelmente imensas e retorcidas. Elas crescem grudadas com o ferro, e seus galhos alcançam e avançam sobre a cerca e descem carregados de frutos da cor de sangue. Ninguém se atreve a comer. Quando eles se abrem, é possível ver o interior preto e nojento.

Há apenas um lugar onde as árvores se distanciam da cerca: no lado norte da ilha, exatamente no penhasco de 6 metros da costa. Nos demais lugares, nós podamos o que conseguimos e reforçamos a cerca com tudo que tínhamos disponível, tudo que não nos faria falta.

A floresta é muito perigosa — eu poderia jurar que ela nos quer para si —, e quando os animais surgem, eles vêm com tudo. Os coiotes são maiores que lobos. As raposas que caçam em alcateias parecem impiedosas. Às vezes rápidas demais até para as meninas da Equipe das Armas, por isso cobrimos a cerca com cacos de vidro e tampas das latas de sopa. Tapamos os buracos da cerca com os murais tirados das salas de aula.

Não deixamos nenhuma menina de vigia na cerca. É perto demais da floresta, muito tentador para qualquer animal, e também não é necessário. Em vez disso, o portão é aberto com facilidade e trancado ao sair. A única maneira de entrar novamente é com a chave de ferro, sempre pendurada no cinto de Welch.

Abrimos o portão e atravessamos o espaço estreito. Quando Welch o fecha novamente, dá para ouvir o barulho da tranca — parece tão fraca, como se eu pudesse quebrá-la só com o pensamento. Será que isso é tudo o que nos protege?

— Prontas? — diz Welch.

Ela não espera para se certificar. Então começamos a caminhar.

A estrada é de terra, com raízes e ervas daninhas entrando nos buracos que o pai de Reese, o Sr. Harker, havia preenchido com pedras. Passei um ano e meio observando do telhado, mas esqueci como era a sensação daquele trecho sob meus pés, congelado, quebrando feito açúcar. Minha respiração condensando, um estalo no ar, e era outono uma semana atrás, mas hoje já é inverno.

Acima, os pinheiros se encontram em direção ao céu. Mais altos do que deveriam ser, com os troncos mais largos, os galhos dividindo-se em mil ramificações e a copa filtrando o pouco sol que penetra, tornando a luz turva e pegajosa. Tudo parece esquecido, como se fôssemos as primeiras pessoas aqui em um século. Sem marcas de pneus na estrada, nenhum sinal de que o local um dia foi algo além do que é agora.

Não deveríamos estar aqui. Esse lugar não é mais nosso.

Acho que nunca me dei conta de como somos barulhentas na casa, mas percebo isso após alguns minutos na estrada. Está tão silencioso que dá para ouvir a floresta; é possível ouvir o mato crescendo e se movendo e ouvir várias coisas crescendo e se movendo no interior da mata. Veados que eram pequenos antes da Tox agora estão tão grandes que poderiam nos alimentar por semanas se a carne não estivesse podre e morrendo. Coiotes, e já ouvi lobos, embora jamais os tenha visto. Outras coisas também que nunca se mostram. A Tox não aconteceu apenas conosco. Atingiu tudo.

Camadas grossas de musgo no chão, videiras espiralando para cima. Aqui e ali, canteiros de flores crescendo com vigor, mesmo no frio. É a flor da íris, as pétalas índigo cobertas de geada, um botão ao centro rodeado de pétalas drapeadas. Elas crescem por toda a ilha durante o ano inteiro, e costumávamos manter um vaso delas em praticamente todo cômodo da casa. A Íris de Raxter, especiais devido à maneira como suas pétalas escurecem quando são colhidas. Como os Raxter Azuis. E agora, como nós.

Antes da quarentena, não era assim. Os animais pareciam quase domesticados, mesmo que tivéssemos palestras sobre como armazenar comida corretamente a fim de proteger os alimentos dos predadores. E a sensação na floresta era diferente, parecia que ela era nossa. Pinheiros cresciam enfileirados, mas o solo era fino e os troncos pareciam agulhas, de modo que, se você ficasse de pé no lugar certo, basicamente dava para ver de uma extremidade da ilha à outra. Era impossível esquecer o mar; o ar sempre estava cheio de maresia. Com tudo tão denso agora, há apenas um leve aroma de vez em quando.

A floresta foi dominada primeiro. É o que eu acho, pelo menos. Mesmo antes da selvageria chegar dentro de nós, ela estava se infiltrando na terra. As árvores vinham se tornando mais altas, com as mudas brotando mais rápido do que deveriam. Mas tudo bem;

não era nada que chamasse atenção, até eu olhar pela janela e já não ver mais a Raxter que eu conhecia. Naquela manhã, duas meninas arrancaram o cabelo uma da outra durante o café da manhã com uma ferocidade animalesca e, à tarde, a Tox tinha nos tomado.

Essa parte da estrada é uma reta; há pegadas ao longo dela, marcas de um ano e meio de missões das meninas da Equipe do Barco. Não há nada em nenhum dos lados. Nenhum sinal das trilhazinhas que costumávamos correr por entre as árvores. Nenhum sinal de vida humana. Tudo que encontro são talhos longos e violentos nos troncos das árvores. Garras, talvez, ou dentes.

Eu esperava algo diferente. Observo as árvores dominarem a cerca, a escuridão pesada e penetrante entre elas. Sei o que a Tox faz. Mas acreditava que algo da minha antiga vida ainda estaria aqui. Achava que algo de nós teria sobrevivido.

— Vamos — diz Welch, e percebo que diminuí o passo. O grupo está alguns metros adiante. — Temos de continuar.

Eu me pergunto o que teria sobrado da casa de Reese. Estaria escondida em algum lugar à direita, enfiada entre os juncos. Jamais decorei o caminho, sempre deixei que Reese guiasse. Ela resistiu muito até nos convidar e, mesmo depois disso, nunca pareceu que deveríamos estar ali. Reese e o pai rindo e conversando enquanto Byatt mexia em sua comida, e eu sem saber o que fazer, apenas sorrindo o tempo todo.

Em algum lugar atrás de nós, escutamos um barulho seguido de uma espécie de balido, alto e rápido. Não consigo impedir o palavrão que sai de minha boca. Welch se joga na árvore mais próxima, me puxando junto para deitar entre as raízes. Do outro lado da estrada, Carson e Julia se escondem no mato, agachadas, com as cabeças próximas e curvadas.

— O quê...

— Shhh — sussurra Welch. — Não se mexa.

Na cobertura era diferente; apenas galhos e a mira do meu rifle. Mas posso sentir a tremedeira no chão. Passos pesados e agitados. Engulo em seco, o medo fazendo meu corpo estremecer. Mordo o lábio para ficar quieta.

Ao lado de Welch, nas raízes dos pinheiros que se espalham ao redor, tenho um vislumbre de algo. Uma massa volumosa escura, à primeira vista. Então vejo algo emergir diante de nós. O pelo agitando-se como grama longa. Grande demais para um coiote, escuro demais para um lince. Um urso-negro.

Sei o que devo fazer caso nos veja. Com o urso-pardo é diferente, mas com o urso-negro é preciso fazer barulho e o encarar. Não correr. Lutar. Foi o sermão que recebemos após o Sr. Harker ver um urso-negro mexendo em seu lixo. Eles são mais ágeis do que parecem, explicou ele, e podem ver um lampejo de cor no mato.

Eu tiro meu gorro vermelho e o escondo sob meu casaco, o suor congelando em meu couro cabeludo. Conto as batidas do meu coração, acelerado. Tento não respirar alto demais.

A meu lado, Welch sorri, ligeiramente, como se não pudesse evitar. Ficamos ali não sei por quanto tempo. Esperamos até os passos sumirem, as árvores acalmarem e o barulho desaparecer. Então Welch se levanta, me puxando com ela.

— Foi embora — afirma ela. — Pode pôr seu gorro de novo.

Welch chama Carson e Julia. Ambas vêm correndo pelos galhos com uma expressão animada, como se vissem esse tipo de coisa o tempo todo.

— Está se divertindo? — pergunta Julia, e acho que ela está falando sério.

A dimensão de Raxter é de cerca de 8 quilômetros, mais ou menos, num formato de projétil, cuja ponta fica para o oeste. Mas como estamos caminhando devagar, demoramos para chegar ao outro lado. Dá para notar conforme nos aproximamos; todas as árvores se afastam do litoral, como se o temessem. Em algum lugar mais adiante, protegido pelo último trecho de floresta, está o centro de visitantes. Foi construído antes da escola e costumava ser a sede de uma empresa local de pesca até as lagostas desaparecerem e o local ser convertido. Antes da Tox, estava sempre vazio e fechado, exceto durante o verão. E, mesmo então, o movimento consistia apenas no Sr. Harker, sentado atrás do balcão ouvindo o jogo do Red Sox enquanto turistas passavam de balsa por lá, indo para outras cidades, outras ilhas.

Por fim, a floresta começa a ficar menos espessa, e posso ver adiante o trecho aberto do pântano salgado. À distância, talvez a uns 800 metros, o mar está cinza e agitado; o horizonte vazio como sempre.

— Ah — solto sem conseguir me conter.

Welch franze a testa para mim.

— O quê?

— Achei que eles estariam nos esperando.

Ninguém responde. Engulo minha decepção e me junto a elas numa fila. Fico entre Carson e Julia, e Welch nos conduz para fora da cobertura das árvores. Logo sinto o vento cortante, tão forte que quase me derruba. Enfio meu gorro no bolso do casaco e me aproximo mais de Julia, esperando que ela me proteja do pior.

A estrada aqui é limpa e cercada, de ambos os lados, por juncos e poças lamacentas. À direita, posso ver o que restou do calçadão que ia do cais ao centro de visitantes, serpenteando pelo pântano e pela floresta, repleto de placas com informações que, pelo visto, desapareceram. Quero perguntar o que houve com elas. Mas a resposta seria a mesma: a Tox.

Seguimos pelo trajeto. Uma caminhada lenta até chegarmos ao início do cais, onde há uma fita vermelha antiga e rasgada solta ao vento. No começo, todos disseram que estavam planejando uma parede, de verdade, com metal e plástico para que víssemos através dela, mas isso foi o máximo que fizeram. Uma fita e uma placa com os dizeres: "Espere até a área ser liberada".

Paramos, enquanto Welch derruba sua bolsa no chão para procurar algo. Ela puxa um par de binóculos e observa o horizonte.

— O que devemos fazer agora? — pergunto, batendo um pé no outro para afastar o frio.

— Normalmente — começa Carson —, temos que esperar um tempinho. Mas...

E, então, um pássaro gorjeia. Eu me viro, verificando as árvores, com minha percepção de profundidade diminuindo enquanto meu olho luta para se adaptar.

— Que diabos foi isso?

Os pássaros pararam de cantar assim que adoecemos, ficaram quietos como se jamais tivessem existido. Com o passar dos dias, os vimos seguindo para longe — garças, gaivotas e estorninhos voando eternamente para o sul. Fazia tanto tempo que eu não os ouvia que havia me esquecido do som deles.

— Ah, que bom — diz Welch. — Estão quase aqui.

Quando estou me perguntando por que o pássaro não parece estranho para mais ninguém, um barulho, um tipo de buzina de nevoeiro, soa da direção do mar. Dou um pulo, meu coração fica mais acelerado, e a respiração parece entrecortada em meus pulmões.

— Cadê? — questiono.

O dia está claro, há sol em algum lugar atrás do céu cinzento. Dá para ver o litoral daqui, uma mancha do outro lado das ondas. E, entre os dois, nenhum barco, nenhum navio.

— Apenas espere.

— Mas não vejo nada.

Outra buzina, e as outras parecem prontas, como se fosse para ser assim, e então, saindo do cinza, como se estivesse cortando uma neblina intensa, a proa de um navio.

É um barco rebocador com a frente gasta e um casco desbotado. Grande demais para se aproximar do nosso lado da ilha, mas o cais é sob medida, avançando sobre águas profundas. O rebocador se aproxima e reconheço a marca de identificação, o número branco e as listras amarelas e azuis. Já vi alguns assim em Norfolk. Significa que é da Marinha, do Campo Nash.

A corrente provocada pelo barco chega à margem bem no momento em que ele faz a curva. Semicerrando os olhos, consigo ver duas pessoas, maiores do que deveriam ser com trajes de cor forte, andando no convés. O rebocador manobra, o motor cada vez mais alto, chegando ao ponto de Carson ter que tapar o ouvido. Há um grande guindaste laranja próximo à popa — posso discerni-lo agora —, que se levanta e avança, enquanto o observamos erguer uma base do convés, para cima e então sobre a água, até chegar à ponta do cais.

O guindaste descarrega, e a base cai com tudo. As tábuas do cais estremecem sob nossos pés. Dou um passo adiante, mas Julia estende os braços diante do meu peito.

— Eles têm que nos liberar — explica ela.

O gancho solta e o guindaste começa a retrair. Duas pessoas estão simplesmente em pé ali no convés, olhando para nós. Enquanto espero que uma delas acene ou algo assim, a buzina dispara, e está tão perto e é tão intensa que apenas ficamos paradas, boquiabertas, deixando tudo nos dominar.

Por fim, o som para, e inspiro ofegante o ar fresco.

— Agora podemos ir — informa Julia.

A água bate contra os apoios conforme a correnteza deixada pelo barco aumenta, e o rebocador volta a se mover rapidamente.

Duas gaivotas pousam de forma barulhenta na grade do cais. Elas nos observam e aos suprimentos deixados ali. Estão prontas para caçar, pegar o que conseguirem. Devem ter seguido o barco desde o continente.

Ao nos aproximarmos, percebo que é uma remessa grande. E quero dizer realmente grande, maior do que elas normalmente carregam para a escola. A base está cheia de caixas de madeira, todas fechadas com pregos, e, sobre elas, há cinco ou seis sacolas, as que a Equipe do Barco sempre leva para a gente.

— O que é tudo isso? — pergunto. Conheço muito bem o buraco nas costelas de Byatt. Ela precisa dessa comida. Todas nós precisamos.

— É algo para ficar entre nós — responde Welch. — É isso que é.

— Está tudo bem — agora é Carson, e me esforço para desviar meu olho da pilha de caixas. — É muita coisa para absorver, eu sei.

— É tudo comida? Isso poderia nos alimentar por uma semana.

— Mais tempo, provavelmente — comenta Julia, secamente.

As três me observam, esperando algo, mas não sei o quê.

— É sempre assim? — Talvez seja a primeira vez, talvez elas estejam tão surpresas quanto eu, mas Welch assente calmamente. — Não estou entendendo. Para onde vai tudo isso? Por que não levam para a casa?

Welch dá um passo em minha direção, seu corpo entre mim e a comida. Julia e Carson se posicionam ao lado dela, com o rosto sério, exceto pelo franzido de ansiedade brotando na testa de Carson.

— Ouça com muita atenção — diz Welch. — Escolhi você por um motivo. Esse trabalho é sobre proteger aquelas meninas que estão na casa. Mesmo quando for difícil. Mesmo quando não aparentar ser o que você espera.

Balanço a cabeça e dou um passo para trás. Isso não está certo. Não consigo entender o que está acontecendo.

— Do que você está falando?

— Uma parte da comida está ruim — explica Welch. — Eles mandam muita coisa, mas talvez apenas metade não esteja estragada. Há todo tipo de porcaria aí dentro. Produto fora da validade. Pesticidas.

— Pesticidas? — repito, incrédula, mas Julia e Carson estão concordando, com uma expressão sombria igual à de Welch. — Estamos passando fome por causa de pesticidas?

— O sistema imunológico de vocês já está comprometido o suficiente. Não tenho certeza de que podem se dar ao luxo de correr riscos com o que comem.

— Então, em vez disso, mal comemos?

— Sim — afirma Welch, com a voz impassível e o olhar pensativo e frio. — Já disse, Hetty: escolhi você porque achei que aguentaria. Admito que às vezes estou errada com relação às pessoas. E, se for o caso, podemos dar um jeito nisso, sem problemas. — Ela se move um pouco, e a observo apoiar uma de suas mãos na coronha do revólver enfiado no cós de seu jeans.

Consigo ver a cena. Um tiro bem entre meus olhos, e Welch assistindo enquanto meu corpo é levado pelo mar. Seria bem fácil explicar o sumiço de alguém da Equipe do Barco na escola.

— Mas odeio estar errada — continua ela. — E não acho que eu esteja. Acredito que você consegue dar conta disso, Hetty. Estou certa?

A princípio, não consigo responder. Todas já brigamos umas com as outras por migalhas ridículas de comida e, o tempo inteiro, havia muito mais. O que faz Welch achar que tem o direito de esconder isso de nós?

Mas é minha vida em jogo se eu resolver discutir. Welch não terá nenhum problema em me matar. Ela não vai perder um segundo de sono. Após um ano e meio da Tox, todas nós aprendemos a fazer o que precisamos. E, sinceramente, não posso fingir que o fato de terem me escolhido não significa alguma coisa. Eu, e não Reese.

— Então, Hetty?

O que quer que esteja errado aqui — e alguma coisa está, tenho certeza —, não é nada que eu possa resolver nesse momento. Endireito meu corpo e encaro Welch. Não sei mentir como Byatt, mas posso tentar.

— Sim — respondo —, você está certa.

Welch aperta meu ombro, com um sorriso largo e genuíno.

— Sabia que tínhamos feito uma boa escolha.

— Muito bem — diz Julia, e Carson se aproxima para me dar um beijo na bochecha com seus lábios rachados.

Recuo, surpresa; Carson está gelada, e seus lábios parecem ainda mais frios do que o ar à nossa volta.

— Bom ter você na equipe — comenta ela.

As duas sorriem aliviadas, como se estivessem preparadas para retornar sem mim.

E é claro que estavam.

Welch joga o braço em volta de mim.

— Obviamente, não contamos para as meninas — reforça ela, me levando até as caixas —, mas, só para você saber, também tentamos não preocupar a Diretora com isso.

— Não preocupar a Diretora? — Não consigo deixar de soar surpresa. Por mais estranho que isso tudo seja, é ainda mais estranho que Welch e a Diretora possam esconder coisas uma da outra.

— Ela já tem muito do que cuidar. Não há necessidade de importuná-la com detalhes sobre a entrega de comida. — Welch sorri. — É mais fácil nós mesmas lidarmos com isso. Você sabe como ela gosta de controlar cada detalhe.

— Claro — digo. Parece ser a resposta certa, e ela deixou bem claro o que está disposta a sacrificar para guardar esse segredo.

— Ótimo. — Welch me solta. — Vamos começar. É muito para entender, então que tal você só observar dessa vez? Vai pegar o jeito conforme formos fazendo.

Carson começa a passar as sacolas para Julia, que solta as amarras e derruba o conteúdo no chão.

Vegetais, frutas e até mesmo um pacote de bacon. Tudo embalado como se tivesse vindo direto do mercado. Mas, quando olho mais de perto, algumas caixas foram abertas, algumas embalagens rasgadas e seladas novamente usando a fita adesiva com o símbolo do Campo Nash: uma bússola e um globo e uma faixa com um texto pequeno demais para ser lido.

Meu estômago ronca quando Welch pega um pacote de cenouras e o aproxima de seu nariz.

— Não serve — diz ela, e o joga no mar. Preciso me segurar para não mergulhar e ir atrás do pacote.

O bacon vai em seguida, e então um saco de uvas, e depois alguns pimentões, até duas sacolas ficarem vazias e as ondas ao redor do cais cheias de comida.

— Vamos lá — diz Welch. Ela está na terceira sacola. Dentro, há embalagens com água, as etiquetas nas garrafas novas e brilhando com a mesma marca de sempre. Isso é tudo que bebemos hoje em dia; a escola costumava ter um poço, mas depois da Tox, a Marinha mandou que parássemos de usá-lo, disse que poderia estar contaminado.

Carson começa a contar as embalagens de água. Ao lado dela, Julia está separando os fósforos e os sabonetes em pilhas. Posso ver as embalagens de xampu pulando da bolsa, lustrosas e claras e totalmente desnecessárias.

Elas levam um tempo, mas enfim terminam de esvaziar as sacolas e de guardar o que querem, comidas ainda nas embalagens normais, biscoitos e carne-seca e até mesmo um saco de bagels duros como pedra, e é então que Julia pega sua faca para abrir a primeira caixa. Pedaços de papel saem voando, espalhando-se pela superfície da água como cinzas.

Há quatro caixas no total. Uma está cheia de suprimentos médicos, sacos para materiais de risco biológico, aquelas máscaras que médicos usam sobre a boca, e nós jogamos fora mais ou menos metade dessas coisas e pegamos o resto. A segunda está cheia até a borda com munição, e a terceira tem duas pistolas, cuidadosamente embaladas com espuma. Welch pega as armas e as guarda em sua bolsa, distribuindo algumas das caixas de balas entre nós.

E, então, abrimos a última caixa. Está cheia de papel e palha, em grande parte, mas, lá no meio, há uma barra de chocolate, chocolate de verdade, e amargo, o tipo bom. Nós nos aglomeramos ao redor de Welch à medida que ela a retira da caixa.

— Isso é...? — eu digo, mas não consigo terminar porque Welch começa a rasgar o papel, e dá para sentir o cheiro do chocolate, e eu tinha esquecido como era, a forma como o açúcar se espalha no ar como ervas crescendo, e, antes que eu me dê conta, minha mão está esticada.

Carson ri.

— Calma, vai receber uma parte.

— Já receberam isso antes? — pergunto, e Julia assente com a cabeça. Sei que deveria estar com raiva. Mas inveja é tudo que consigo sentir.

Welch quebra os dois primeiros quadrados, um som pesado, verdadeiro, que está de fato ali, e é a melhor coisa que já ouvi na vida.

— Eles sempre enviam uma barra.

— Bem, nem sempre — comenta Welch. Os dois pedaços retirados em seguida vão para as mãos de Julia. — Mas com bastante frequência.

Então chega minha vez, e já está derretendo em minha pele, e enfio o pedaço na boca tão rápido que acho que vou engasgar, mas quem se importa, sinceramente, quem realmente se importa, porque é tão, tão bom.

Quando terminamos, e é depois de um tempo, porque fico lambendo os dedos, tentando saborear cada último pedacinho de chocolate, pegamos as sacolas e as carregamos de volta para a estrada. A base que veio do rebocador está vazia. Welch empurrou as caixas para dentro da água também, e, quando perguntei o motivo, ela disse que era porque, se deixássemos qualquer coisa ali, eles enviariam menos da próxima vez. Nós deixamos tudo vazio, embora estejamos levando apenas um terço de tudo, talvez.

Sei que é a mesma estrada que pegamos para vir, mas, quanto mais nos afastamos do cais, mais diferente parece. Pode ser que seja a luz, que está mais amarelada a essa hora do que de manhã, mas pode não ser, pode ser outra coisa. As gaivotas se foram, e estão rondando acima, com gritos agitados e agudos. Estou puxando as abas de meu gorro com mais firmeza sobre minhas orelhas quando Welch para, tão repentinamente que Carson tropeça nela.

— Desculpa — diz ela, mas Welch não a escuta.

— O que foi?

Welch se vira para nos encarar, algo repuxando os cantos de sua boca.

— Alguma coisa está vindo. — As gaivotas se foram, deixando um silêncio frágil no ar. — Separem-se — ordena ela. — Pares. Fiquem fora da estrada e me encontrem no portão. Hetty, você fica comigo.

Julia e Carson trocam um olhar e desaparecem no mato, até eu não ver mais o vermelho de suas roupas.

Welch nos guia para o interior da floresta com o passo apressado, cascas de árvore agarrando em nossas roupas à medida que serpenteamos entre os pinheiros. Atrás de nós, a escuridão aumenta, e cada som é um animal rondando nas árvores. Avançamos mais e mais para dentro, a sacola em minhas mãos começando a escorregar pelas palmas úmidas.

— Welch — falo, mas ela não responde, apenas põe a mão para trás para agarrar meu casaco e me puxar para a frente.

A nossa esquerda, um estalar no mato. Welch para de repente. Imóvel, com o braço diante do meu corpo. Os pinheiros nos cercam, espalhados em fileiras partidas, cortando o horizonte em lascas. Não consigo ver nada se mexendo. Talvez tenhamos escutado mal, penso, talvez estejamos livres para retornar para casa. Mas volto a ouvir o som, e pego um piscar de algo. Movimento. Olhos amarelos vidrados antes de desaparecerem.

— O que foi isso? — sussurro. Meu coração palpita no peito, e posso sentir meus pulmões comprimirem com o pânico.

— Não tenho certeza. — Ela mexe no cós da calça para pegar a pistola e segurando a arma na lateral do corpo, com o dedo no gatilho. — Não vi...

Algo a interrompe, um ronco baixo atrás de nós. Um rosnado, e um galho sendo quebrado. Eu me viro.

É um lince — pelo cinza, corpo longo e agachado. As orelhas pontiagudas estão para baixo, e os dentes cintilam conforme ele grunhe. Talvez a uns 10 metros de nós e aproximando-se com passos lentos, espreitando, com a geada estalando sob suas patas.

Antes da Tox, eles eram pequenos e medrosos. Era possível assustá-los com um tiro. Esse está bem longe disso. Posso ver os músculos sob o pelo, seus ombros imensos quase na altura de minha cintura.

— Fique atrás de mim — sussurra Welch. — Devagar.

Mal consigo respirar, meu olho fixo no lince, mas vou para trás de Welch, sentindo o chão com as botas antes de cada passo. O felino solta outro rosnado e leva o peito ao chão. Está mais próximo agora, e vejo manchas escuras em suas costas, sangue seco incrustado de onde pedaços de pele caíram. Há bolhas na parte interna de suas patas dianteiras, bile manchando o pelo branco de seu pescoço.

Um passo para a frente, então outro, a cauda balançando para os lados. Welch me empurra para trás, e meu pé prende em uma raiz. Eu tropeço, xingando. O animal sibila e salta, liberando um som estridente.

Welch dá um tiro para o alto, o estrondo explodindo em minha cabeça, e o lince volta para trás com outro grunhido, circundando-nos com a cauda batendo.

— No meu sinal — diz Welch —, corra para casa. Alcanço você se eu conseguir.

Virando, virando, a arma tremendo na mão de Welch, e já não sei mais por onde viemos, para que lado eu deveria ir. Mas não importa. Meu batimento acelerado me diz: corra, corra, corra.

— Preparada? — pergunta Welch. O lince ainda rosna, estalando a mandíbula enquanto ela sustenta a arma, mirando exatamente entre os olhos do animal.

Não, penso. Mas é tarde demais. Um aperto no gatilho, e um grito do bicho quando a bala o atinge na lateral. Welch me empurra para correr.

— Vá! — grita ela. — Agora!

Sua voz é abafada pelo zumbido em meus ouvidos, mas meu corpo escuta. Apoio a sacola no ombro e saio correndo, com os pés batendo na terra enquanto respiro com dificuldade o ar frio, me jogando para a frente, me esforçando ao máximo. Mais um tiro atrás de mim. Não me viro.

Serpenteio pelos pinheiros, que passam como borrões em meu movimento. O medo cai como um véu, e tudo parece outra coisa, uma ameaça, uma ferida. Uma trilha se abre à minha frente. Sigo por ela, com os pelos dos braços eriçados. Estou exposta demais aqui, vulnerável demais, mas lembro que essa é uma das trilhas do Sr. Harker, no lado sul da ilha. Pelo menos estou indo na direção certa.

Meus pulmões queimam, um começo de cãibra toma minha perna, e a sacola bate dolorosamente contra meu quadril. Adiante, vejo pés de abeto, com os galhos baixos e próximos ao chão. Se eu entrar ali no meio, estarei escondida de qualquer coisa que esteja me seguindo, e posso esperar por Welch.

Abro caminho pelo emaranhado de galhos com os ombros e me vejo num abrigo pequeno e protegido, um cheiro de planta e temperos no ar, o mundo inteiro retalhado pelas linhas finas daquela folhagem de agulha. Do lado de fora, a floresta parece calma, nada se move. Nenhum lampejo de vermelho da roupa de Welch. Procuro meu gorro na mochila e o equilibro em um dos galhos, de modo que Welch o veja caso passe ali.

Se ela não aparecer em alguns minutos, falo para mim mesma, vou continuar seguindo. Mas só de pensar em sair pelo mato novamente, meu estômago já fica embrulhado. Eu nunca ficava aqui fora sozinha antes da Tox. Sempre tinha uma turma de meninas comigo em um passeio pela natureza para a aula de biologia, ou eu estava com Reese e Byatt, indo jantar na casa de Reese. E naquela época não era como é agora. As árvores não cresciam tão próximas. Havia mais ar para respirar.

Eu me agacho próxima à base de um dos abetos e junto algumas das agulhas secas em uma pilha, para poder me sentar mais afastada da terra congelada. Mas há algo escondido ali, debaixo das árvores, alguma coisa dura e oca.

Afasto as folhas secas, ignorando os besouros que se espalham como uma cascata de miçangas pretas e brilhantes. Um cheiro azedo e podre incomoda meu nariz quanto mais removo folhas mortas, até que fica claro o que está escondido embaixo: um cooler de plástico, de um tom forte de azul e com alça e tudo, como se alguém o tivesse deixado ali depois de um piquenique.

Olho sobre meu ombro antes de abrir o cooler com minhas unhas sujas e dar uma bisbilhotada lá dentro. Provavelmente é apenas uma caixa antiga de equipamento do Sr. Harker, mas vale a pena conferir.

Estou esperando encontrar iscas mofadas, um bando de anzóis e linha de pescar, mas não é nada disso. O lado de fora do cooler está coberto de sujeira, no entanto, dentro está limpo, como se tivesse sido lavado. E, lá no fundo, dentro de um saco plástico transparente lacrado com fita vermelha, há um frasco de sangue, identificado como "Potencial RAX009" em uma etiqueta escrita à mão, numa letra que quase reconheço.

— Hetty? — A voz de Welch surge entre as árvores, urgente e controlada.

Fecho o cooler e jogo as folhas novamente sobre ele. O que quer que seja aquilo, acho que não era para eu ter visto.

— Está aí? — chama Welch outra vez. Então me levanto e ponho a sacola no ombro novamente.

— Aqui — falo, pegando meu gorro nos galhos e saindo do meio dos pés de abeto.

Ela vem apressada pelas árvores, fazendo barulho com suas passadas frenéticas. Há sangue em sua bochecha, um rasgo no casaco, e o cabelo está soltando da trança. Em um segundo, está diante de mim, me pegando pelos ombros e me sacudindo.

— Que merda foi essa, Hetty? — questiona ela, e não é a Sra. Welch de sempre, me dando um esporro por ter perdido o toque de recolher. É apenas mais uma garota deixada em frangalhos pela Tox, preocupada e cansada. — Era para você ter continuado.

— Desculpa — digo. — Eu só... fiquei preocupada com você. — Eu estava com medo de ficar sozinha, essa é a verdade, mas não vou falar isso. — E o lince?

— Está morto — responde ela. — Mas, Hetty, te dei uma ordem. Da próxima vez, tem que seguir, OK?

Concordo rapidamente com a cabeça.

— Farei isso.

Ela olha por cima do meu ombro, com os olhos demorando-se nos abetos, e eu mudo um pouco de posição. Quero perguntar se ela sabe sobre o cooler, se sabe o que RAX009 significa, mas me lembro da forma como ela me olhou na doca. Da forma como sabemos de coisas sobre as quais não devemos falar. Será isso outro teste? Será que manter esse segredo faz parte do meu trabalho também?

Welch franze a testa.

— Você está bem?

Melhor prevenir do que remediar.

— Sim — respondo, forçando um sorriso. — Vamos para casa.

Nós voltamos para a estrada e seguimos rapidamente na direção da casa. Um começo de trilha aqui, um trecho aberto de grama ali, escombros espalhados como lápides. Pisco com força, sentindo a cegueira em meu olho direito.

O suor está congelando com o passar do dia naquele fim de outono, e estou tremendo quando, enfim, nos aproximamos do portão, no final da tarde. Tinha me esquecido de como era ver o cume branco aparecer acima das árvores. Lá do terraço, na cobertura, as meninas da Equipe das Armas são duas silhuetas. Fico me perguntando o que pareço para elas.

Há um coiote morto perto do portão, com moscas voando ao redor da cara ensanguentada. Julia e Carson estão esperando logo depois, sentadas com as costas na grade. Ambas se levantam quando nos aproximamos, dando a volta na carcaça.

— Lembre-se — diz Welch, em tom baixo e perto de meu ouvido. — Sorria bastante. Faz parte do nosso trabalho mostrar para as meninas lá dentro que está tudo bem.

Meus pulmões ainda estão cansados da corrida, minhas mãos pesadas por causa da comida que jogamos fora, mas endireito meu corpo e me esforço ao máximo para afastar tudo isso. Esses segredos são meus agora e devem ficar guardados. Elas me escolheram porque acharam que eu daria conta, então vou conseguir.

Welch destranca o portão, e nós entramos em fila, seguindo para a porta da frente da casa. Ponho minha sacola no chão, fazendo questão de desviar o olhar das meninas que se reúnem agitadas ao redor para conseguir espiar o que tem ali dentro. Lá está Byatt, esperando no fim das escadas. E inclinando a cabeça e não falando nada.

— Cadê a Reese? — pergunto quando chego perto o bastante.

— Não a vi o dia inteiro. — Byatt se estica em minha direção. Quero me encostar nela, deixar que ela me abrace, mas não deveria deixar ninguém ver aquilo. — Tudo certo?

— Cansada.

Atrás de mim, ouço passos comedidos, e, quando me viro, é a Diretora. A preocupação faz com que seu rosto pareça quase maternal.

— Você está bem? — pergunta ela.

Eu faço que sim, ignorando a pressão crescente em meu peito.

— Estou bem. É só muito para absorver.

— Por que não vai lá para cima? — A Diretora põe uma das mãos sobre meu ombro, com os dedos tremendo como se a Tox estivesse viva dentro deles. — Um pouco de descanso vai fazer bem.

— Ela está certa — comenta Byatt. — Vamos.

— Mas a comida... — Descansar é tudo o que quero, mas eu deveria esperar até as meninas pegarem suas partes, para depois ajudar a levar o que tiver sobrado para a despensa. É meu trabalho.

Welch aparece do meu lado e me afasta calmamente do grupo.

— Nós cuidamos disso — diz ela. — Vá dormir.

Não tenho forças para discutir.

— OK. — Levo minha mão até a faca bowie para entregá-la de volta para ela, mas Welch balança a cabeça.

— Você a mereceu — observa ela.

Uma faca no cinto, como Julia, como Carson. Pelo visto, é oficial.

Deixo Byatt me conduzir escada acima e, depois de um ou dois degraus, fecho o olho. Atrás de nós, posso ouvir as meninas disputando pela comida, se atracando, e penso no mar perto do cais, em tudo que jogamos fora. No chocolate que comi sem pensar nem por um segundo em todo mundo preso aqui.

Finalmente, nosso quarto. Subo no beliche e me deito de lado. Byatt senta na beirada do colchão, meu corpo curvando-se em torno do dela.

— Quer um pouco de água, talvez? — indaga ela.

— Estou bem, mesmo.

— O que aconteceu lá fora, Hetty?

E eu quero — ah, como eu quero —, porque, se alguém sabe o que dizer, é Byatt. Mas engulo em seco e me encolho um pouco mais. Está tudo bem, escuto Welch dizer.

— Nada.

Ela fica em silêncio por um momento, então se apoia em mim, com as saliências de sua segunda coluna pressionando com força meu quadril.

As linhas do rosto de Byatt estão iluminadas pelos últimos raios de sol. Nariz inclinado e um pescoço comprido tão familiares que eu poderia desenhá-los de olhos fechados, o cabelo castanho volumoso descendo por seus ombros. O meu costumava ser longo como o dela, até Byatt cortá-lo para mim durante a primavera do nono ano. Estávamos as duas na varanda, ela calada e metódica, aparando as pontas para que ficasse na altura de meu maxilar. Ela ainda corta, a cada poucos meses, rasgando e desfiando as pontas com a lâmina cega de qualquer que seja a faca que ela conseguiu pegar emprestada com as meninas da Equipe do Barco.

Eu a cutuco um pouco, e ela olha para baixo, me encarando.

— Você está bem? — pergunto.

Esqueço, às vezes. Esqueço que ela é como todas nós. Mas ela apenas sorri com ternura.

— Durma um pouco. Estarei aqui.

E eu fiz o que fiz, e vi o que vi, mas Byatt está aqui, então adormeço como se fosse a coisa mais fácil do mundo.

CAPÍTULO 5

Reese não aparece no café da manhã. Faz quase dois dias desde a última vez que a vi, desde que ganhei a vaga na Equipe do Barco, mas Byatt diz que a viu pela escola, e à noite enfurnada no que costumava ser um dos escritórios dos professores.

Byatt e eu nos sentamos próximas à lareira, dividindo um dos sofás com Cat e Lindsay. Elas começaram no mesmo ano que nós, e eu nunca falava muito com as duas fora das aulas. Depois da Tox, passamos a nos aproximar, trocando comida e cobertores. Todo mundo agora precisa de mais ajuda do que antes.

Normalmente, sou eu quem vai pegar comida, mas ainda me sinto enjoada quando penso no dia anterior, nas porções que jogamos na água, então Byatt foi buscar no meu lugar, e conseguiu ganhar um saco de croutons na disputa. Ela enche a mão e inclina o pacote em minha direção.

— Você tem que comer alguma coisa — insiste.

— Mais tarde.

Não consigo. Eu sei, eu sei que jogamos a comida fora por um motivo, mas isso não faz com que seja mais fácil ver Byatt contar cada mordida dada.

— Hetty, posso falar com você um instante?

É Welch. Eu me viro no sofá para encará-la. Sua boca está reta, uma linha fina e firme, mas ela parece meio nervosa, como ficava antes da Tox quando nos pegava depois do toque de recolher.

— Claro — respondo, me levantando e indo atrás dela.

— Vou guardar um pouco de comida para você — comenta Byatt. — Querendo ou não.

Aceno por cima do ombro.

— Obrigada, mãe.

Welch me leva até a entrada do corredor. Perto assim, posso ver marcas de preocupação em sua testa, e seus olhos brilham, como se ela estivesse febril.

— O que foi? — pergunto.

— Byatt está certa. Você deveria comer alguma coisa.

— Não estou com fome. — Não posso. Não posso pegar mais do que já peguei.

Welch suspira.

— Hetty. — E ela soa séria. — Preciso que se esforce um pouco mais, por favor.

— O quê? — Só o fato de eu estar no salão principal já é mais do que aguento.

— Falei para você que fazia parte do seu trabalho mostrar a todas aqui que está tudo bem. Mas, em vez disso, está sentada lá parecendo, sinceramente, que está prestes a vomitar.

— Estou tentando, OK? — digo, com a frustração tomando minha voz.

— Não o bastante. — Ela olha por cima de meu ombro, para onde sei que Byatt está sentada. — Normalmente vocês estão em três. Cadê a Reese?

— Não tem nada a ver com isso.

Welch esboça ironia.

— Tudo tem a ver com isso. Depois daquela cena que ela fez quando você conseguiu a vaga da Equipe do Barco, o foco está todo em vocês duas. — Ela chega mais perto. — As meninas estão observando você, Hetty. Então, não importa o que tenha sido essa briguinha, preciso que dê um jeito. Façam as pazes. Faça qualquer coisa para que vocês três voltem ao normal. Normal, Hetty.

— É a Reese. Ficar mal-humorada é normal para ela.

— Não estou pedindo — fala Welch, com firmeza. Seu maxilar contraído, seus olhos reluzindo.

— Beleza. — Levanto as mãos como se me rendesse. — OK. Vou falar com ela.

— Não vá contar nada que não deveria.

Não costumo contar nada para Reese, nem num dia bom.

— Não vou.

Welch sorri, ou algo perto disso, e apoia a mão em meu ombro.

— Obrigada — diz ela. — Ainda hoje seria bom.

Ela se afasta alguns passos antes de a pergunta escapulir de mim:

— Não te incomoda? Mentir para todo mundo?

Por um segundo, Welch não responde, mas então ela se volta para mim. Posso ver em seu rosto, o quanto quer fazer a coisa certa, dizer algo adulto.

— Sim, me incomoda. — E ela dá de ombros. — E daí?

E daí será que isso não quer dizer alguma coisa?, quero gritar. *E daí será que isso não importa?*

— E daí nada, acho.

Ela assente.

— Hoje, Hetty.

Quando volto para Byatt, percebo que nos observava. Unhas recém-roídas, testa ainda franzida.

— Preciso falar com Reese — comento. — Aguarde cinco minutos e venha atrás da gente, caso ela tente me matar de novo.

— Ela só asfixiou você — lembra Byatt, mas concorda com a cabeça, enroscando o dedo numa alça da minha calça para me impedir de passar. — Cuidado, tá?

Sorrio. Sempre tenho cuidado com Reese, mesmo que ela raramente tenha comigo.

— Pode deixar.

As coisas eram mais fáceis com Reese quando seu pai estava aqui. Logo que instituíram a quarentena, deixaram o Sr. Harker ultrapassar a cerca, colocando-o na ala junto às professoras, e todas nós fingimos que não era a coisa mais estranha, além de tudo que estava acontecendo, o fato de ter um homem na casa com a gente.

Ele ficou aqui por mais ou menos um mês. Nós acompanhávamos esse tipo de coisa naquela época, mas agora parece ter sido há tanto tempo que mal me lembro. Só restam alguns flashes. Reese e o pai tomando o café da manhã no refeitório, quando ainda não havíamos destruído os móveis para queimá-los. Reese e o pai colocando o gerador dos fundos para funcionar. Os dois na varanda, apontando constelações no céu, e Reese rindo de um jeito que nunca fez com Byatt e comigo.

E outras coisas mais. Como ele começou a mudar — devagar, a princípio, apenas uma vontade nas mãos de arranhar e destroçar. A Tox, embora ainda não a chamássemos assim. Tudo que sabíamos de fato era que um dia o Sr. Harker parecia seguro e no seguinte, não. Um dia ele era ele mesmo e no seguinte estava vomitando uma gosma preta, granulosa como terra, e nos fitando com o olhar vazio.

Reese ignorou a situação, fingiu que estava tudo bem, arrumou briga com Byatt, aos berros, e então, no dia seguinte, o Sr. Harker foi embora. Ele deixou um recado no casaco de Reese enquanto ela dormia, dizendo que tinha que ir. Dizendo que era mais seguro para todos assim.

Ela correu para a cerca naquela manhã, eu me lembro disso. Cortou as palmas das mãos em várias partes, agarrando-a, tentando atravessar. Mas Taylor a segurou, e Byatt e eu... nós duas assistimos enquanto Reese desmoronava. Quando ela se recompôs, algo havia sumido.

Nunca foi assim comigo. Despedidas em aeroportos e ver os jornais, mas meu pai sempre voltava.

Encontro Reese no bosque de pinheiros, perto da água, no mesmo lugar onde estávamos sentadas no primeiro dia da Tox. Ela está ali, naquele mesmo galho baixo da mesma árvore, e a única coisa diferente entre aquele dia e esse é o brilho de sua mão prateada enquanto ela treme em seu casaco fino.

Eu me aproximo devagar, chegando pela frente, para que Reese possa me ver, o que é sempre mais seguro. Nesses quase dois dias desde a última vez em que a vi, olheiras profundas surgiram em seu rosto. Ela parece estar com fome, acho. E com frio. Mas nunca foi ela quem precisou de nós. Sempre foi o contrário.

— Oi — começo. Ela não levanta o olhar, e eu mordo meu lábio para me impedir de falar algo que não deveria. Lembre do que Welch falou, digo para mim mesma. Lembre que isso é importante.

— Sobre a Equipe do Barco. — Eu me encosto no tronco, deixando bastante espaço entre nós duas. — Não sabia que eu entraria. Achei que seria você.

— Eu também — retruca ela, com a voz grave e rouca, como se a garganta dela é que tivesse sido esmagada, e não a minha. E quero gritar, quero arrancar um pedido de desculpas dela. Mas então Reese olha para mim, franzindo a testa. — Você está bem?

É alguma coisa. Talvez o máximo que posso esperar.

— Sim. De verdade, sim.

— Tem certeza? — Ela tenta sorrir. — Porque parece péssima. Tipo, é uma cara meio Beth de *Mulherzinhas*.

— Ah, não — falo, sem muita emoção. — Acha que talvez eu esteja doente?

— Em Raxter? — Reese levanta as sobrancelhas, com o rosto fingindo surpresa. — Nunca.

Ficamos em silêncio, acho que ambas chocadas por termos conseguido fazer pelo menos uma piada boba. Byatt precisa chegar, e logo, antes que estraguemos isso.

Eu me viro para espiar por entre as árvores e, quando olho para a frente de novo, Reese está balançando o pé. Parece até tímida. Mas ela não é do tipo tímido. Mesmo quando se assumiu para mim, parecia armada. "Sapatão", disse ela na ocasião, como se estivesse me desafiando a discordar.

— Você foi com a Equipe do Barco ontem — comenta ela agora. E espera.

— Aham.

— Como é?

— É diferente. — Mal consigo dizer as palavras.

— Diferente como?

— Hum. — Eu me lembro de Welch, de meu trabalho. Está tudo certo. — Tem mais árvores — falo, como uma idiota.

— Escuta, Hetty, preciso saber. Simplesmente preciso. Você viu ele? Viu meu pai? Minha casa? Qualquer coisa?

Balanço a cabeça negativamente.

— Sinto muito, Reese. — Ela desvia o olhar, mas não antes de eu notar as lágrimas que tenta segurar. Pigarreio, sem jeito, desejando mais do que qualquer coisa que eu pudesse desaparecer. — Onde está Byatt? Ela ia vir encontrar a gente.

Reese não responde, então começo a andar na direção da casa. Mas estou apenas alguns metros fora do bosque quando Cat chega correndo, respirando com dificuldade. Tento não olhar para as bolhas espalhadas pela linha de seu cabelo, cada uma aberta e sangrando.

— Ei — diz ela. — É melhor você ir para dentro.

Pavor, sorrateiro e cruel. Engulo em seco.

— Por quê?

— É sua menina. Está tendo uma erupção.

A princípio, não sinto nada. Apenas um formigamento nos dedos, uma dor maçante atrás de meu olho cego. E então uma tontura, e oscilo quando meus joelhos cedem.

— Não — falo. — Não, eu estava com ela agora pouco.

— Foi mal — responde Cat. — Vim o mais rápido que pude.

É impossível. Eu estava com Byatt há dez minutos, e ela parecia bem. Ela tem que estar bem.

Eu me viro à procura de Reese, mas ela já pulou do galho indo até a saída do bosque; está logo atrás de mim, com a boca contraída numa linha fina. Sem dizer nada, corremos para a casa, mais e mais rápido, até eu entrar em disparada no salão principal.

Está praticamente vazio a essa hora do dia, com apenas algumas meninas aglomeradas perto da lareira. Nada de Byatt. Eu deveria ter perguntado para Cat onde ela estava, deveria, deveria.

— Calma — diz Reese, baixinho, e eu estico o braço, procuro sua mão e a aperto com força.

Eu estava presente durante todas as crises: a erupção que roubou a voz de Byatt durante quase uma semana, aquela que abriu um corte em suas costas e a deixou com uma segunda coluna. Preciso estar presente nessa.

Um ganido de estremecer invade o salão. O medo me arrebata, frio e claro, e me afasto de Reese. Isso veio dos fundos da casa, do fim da ala sul, na direção da cozinha.

Abro espaço, acotovelando o grupo na lareira, e acelero pelo corredor, passando rapidamente por salas de aula e de professores. Todas vazias, e nada de Byatt, nada de Byatt, nada de Byatt. Até que, por fim, lá está ela. Jogada no chão da cozinha, com o cabelo escuro cobrindo o rosto.

Por favor. Isso não pode estar acontecendo.

Caio de joelhos ao lado dela. Duas linhas de sangue idênticas escorrem de suas narinas, manchando seus dentes enquanto ela arqueja. Acho que está chorando, mas é difícil dizer. Uma das mãos segura um pacote de biscoitos, e a outra agarra a garganta.

— O que houve? — pergunto, com as palavras atropelando-se freneticamente. — Onde está doendo? O que foi?

Ela mexe a boca, dizendo algo sem som, e parece ser meu nome, mas então os olhos dela viram para o alto. Ela convulsiona, os músculos contraindo com força conforme seu corpo se curva, como se uma onda o tomasse.

Acho que estou gritando, mas soa como nada. Mãos em meus ombros me puxam para trás. Eu as empurro para longe e tento sentir o pulso de Byatt em seu pescoço.

— Oi — digo quando ela abre os olhos, ambos vermelhos. — Sou eu. Você está bem.

— Mandei alguém buscar Welch — comenta Reese, parecendo calma, ponderada. Mas eu a conheço, sei que isso significa que ela está em pânico. Ela se posiciona do outro lado do corpo de Byatt, só que Reese não olha para ela. Reese olha para mim. — Aguenta firme, OK?

Da última vez havia tanto sangue. Uma poça debaixo dela, encharcando os buracos entre as tábuas no chão. Dessa vez, apenas o nariz está sangrando, manchando sua boca, pingando no chão. Puxo as mangas dela para cima, procurando marcas ou feridas, qualquer coisa.

— Preciso da sua ajuda — peço, ajoelhada e a observando de cima. Vê la assim acaba comigo. — Tem que me dizer qual o problema.

Ela levanta o braço, com a mão tremendo, e engancha o dedo na gola de minha camisa. Eu me curvo e chego tão perto que posso sentir a saliva dela grudar em minha bochecha.

— Hetty — diz ela. — Hetty, por favor.

E é a pior coisa que já ouvi. Sua voz soa como metal contra metal, como um milhão de pessoas ao mesmo tempo, um grito e um sussurro e tudo entre os dois, e dói, uma dor de verdade que chega até meus ossos. Como se estivessem partindo, como se fossem de vidro.

Eu me encolho e ponho as mãos sobre minhas orelhas. Aquela sensação parece durar uma eternidade, até que, enfim, a agitação deixa meu corpo e posso voltar a pensar.

— Merda — solta Reese, baixo e sem força, como se a tivesse atingido também. — O que foi isso?

Eu a ignoro e engatinho mais uma vez até Byatt, que está praticamente hiperventilando, tentando se sentar. Ela parece assustada. Um ano e meio da Tox. Nunca a vi assustada até hoje.

— Você está bem — falo, indo até ela. Mas Byatt balança a cabeça e pressiona a mão em minha bochecha. Como se perguntasse: *E você?*

Posso ouvir vozes se aproximando no corredor. Welch e algumas outras, provavelmente Julia e Carson. É isso que a Equipe do Barco faz. Limpa a bagunça, leva embora. Só que agora Byatt é a bagunça, e não vou deixar que a levem para longe de mim.

— Estou bem — respondo quando Byatt puxa o lóbulo da minha orelha para chamar minha atenção novamente. — Welch está vindo, OK? Ela vai cuidar de você.

Byatt inspira, pronta para falar, mas Reese chega em um segundo e põe a mão com firmeza sobre sua boca.

— Não fale — diz Reese. — Vai doer.

Welch entra apressada no cômodo, com Julia e Carson alguns passos atrás. Elas observam Byatt, a mão de Julia muito próxima à faca em seu cinto, mas então Welch se volta para mim.

— Ela pode andar?

Sei o que Byatt diria, que ela está logo ali, que pode responder por si mesma, mas nunca mais quero sentir o que senti quando ela falou.

— Acho que sim.

Welch assente para Julia e Carson.

— Levem Byatt para cima.

Eu me ponho de pé, cambaleando um pouco.

— Vou ajudar.

— De jeito nenhum — dispara Welch, balançando a cabeça.

— É uma função da Equipe do Barco. Eu sou da Equipe do Barco.

— Não nesse caso.

Julia e Carson se aproximam, suas botas fazendo barulho na cerâmica xadrez. Elas evitam meu olhar e se agacham, uma de cada lado de Byatt, pegando-a pelos cotovelos para ajudá-la a se levantar.

Ela não se opõe. Acho que sabe que não há sentido. Apenas olha para mim quando as meninas passam com ela. Então, no último segundo, Byatt estica o braço e enfia algo em minha mão.

O pacote de biscoito. Agora esmigalhado. Ela deve ter encontrado o esconderijo de Taylor.

Eu os aperto contra meu peito, tentando não chorar. Ela queria que eu comesse. Disse que eu não deveria passar fome.

— Vai ter que devolver isso — avisa Welch, e eu me viro para encará-la. Ela não pode estar falando sério.

— Como?

Ela indica o biscoito com a cabeça.

— Comida é comida.

Mal sei o que dizer. Mas nem preciso.

— Não, obrigada — responde Reese. — Acho que vamos ficar com isso.

Ela olha para mim, e meu coração parece grande demais para meu peito. Então essa é a sensação de ter Reese defendendo você.

Welch olha para nós duas e dá de ombros. Ninguém está ali para vê-la ceder, e ela ainda tem um fraco por nós, quando pode se dar ao luxo de demonstrar.

Ela está quase fora do cômodo quando minha pergunta escapa:

— Byatt vai ficar bem? — Minha voz está prestes a falhar, e, se eu me importasse, poderia ser vergonhoso. — Ela vai descer logo?

Welch para. Sem se virar. Há apenas o contorno de seus ombros contra a escuridão, e então ela sai. Ela me deixa na cozinha com a visão embaçada. E, mesmo ainda sentindo suas mãos em meu pescoço, Reese é tudo que eu quero.

— Aposto que não é nada — digo, hesitante, como se fosse fazer mais sentido em voz alta.

— Isso mesmo — concorda Reese.

Ela me observa do beliche. Estou no de baixo, deitada de costas e com os braços cruzados. Achei que Reese fosse se manter distante, como tem feito desde que ocupei a vaga na Equipe do Barco, mas me seguiu até o andar de cima como se nada daquilo tivesse acontecido. E tentei dormir, nós duas tentamos, mas soltei um suspiro no meio da noite, e Reese se inclinou na lateral da cama e disse:

— Tenho certeza de que ela vai ficar bem.

Mas nós duas sabemos que só as meninas mais doentes são levadas para a enfermaria. E a maioria não volta.

Eu me fecho mais em meu casaco.

— Estou preocupada.

— Eu sei.

— Ela é tudo que eu tenho.

Um segundo de silêncio, e percebo como isso deve soar para Reese. Reese, que está bem ali.

— Desculpa — peço.

— Tudo bem.

Sei que esse é o momento de me retratar, falar que não quis dizer isso. Mas a verdade é que nunca penso em Reese como minha. Como se uma pessoa igual a ela pudesse pertencer a alguém como eu, ou a qualquer um, na verdade.

— Mas, sério — repete Reese. — Byatt vai ficar bem.

— Você não pode prometer isso.

Ela franze a testa e se acomoda na cama, de forma que não posso mais vê-la.

— Não estou prometendo.

— OK — respondo, e a ouço tentando achar uma posição confortável.

— Lembra quando fomos àquele museu? — comenta ela, devagar. — Aquele em Portland.

Byatt e eu costumávamos agir assim no início da Tox. Trocar histórias, deitadas no beliche de baixo, e Reese no de cima, sem dizer nada, porém ouvindo. Agora percebo que ela ouvia.

— Ah, sim — respondo. — Me lembro disso.

— Eu nunca tinha ido a Portland.

— Você nunca tinha ido a lugar nenhum — observo, dando uma risada.

— E nós almoçamos na praça de alimentação, com as máquinas de refrigerante. Misturávamos todos eles no mesmo copo.

— Foi um passeio divertido — comento.

— O que mais gosto foi quando você passou mal no planetário.

É quase o que Byatt diria. Reese está se esforçando, mas ela não consegue, porque ninguém é Byatt além de Byatt, nem mesmo a menina nessas lembranças. Há esse lado dela, uma parte que ninguém pode tocar, nem eu, nem Reese, nem qualquer outra pessoa. Só pertence a ela, e eu nem sei o que é, na verdade, só sei que existe e ela levou quando foi embora.

CAPÍTULO 6

Não quero que amanheça, mas o dia chega mesmo assim. Duro e claro, o sol surgindo das nuvens. Enterro meu rosto no travesseiro, temendo a visão do vazio onde Byatt deveria estar.

O beliche de cima range, e escuto Reese sussurrar meu nome. Eu me viro, abro o olho devagar, com o lado cego pulsando de dor, como sempre acontece quando acordo. Lá está ela, na beirada da cama, olhando para baixo. Sua trança está se soltando, e mechas douradas caem sobre seus olhos. O nariz pequeno e arredondado, as maçãs do rosto coradas e pouco protuberantes.

— Oi — diz ela, e minha boca fica seca. Será que eu a estava encarando? — Sabia que você ronca?

Ah. Engulo algo com gosto de decepção.

— Eu não ronco.

— Ronca, sim. É um assobiozinho. — Reese inclina a cabeça. — Como um pássaro. Ou uma chaleira.

Minhas bochechas ficam vermelhas, e fecho o olho com força.

— Isso é ótimo. Adoro que façam bullying comigo assim que acordo.

Ela ri. Olho para cima bem a tempo de ver o cabelo cheio de brilho, a cabeça jogada para trás, a garganta exposta à luz do sol. Reese acordou de bom humor. Não entendo por quê. Ela não lembra o que houve com Byatt? Não se importa?

Reese pode não se importar, mas eu me importo. E não vou deixar isso de lado até saber que Byatt está bem.

— Aonde está indo? — pergunta ela quando me levanto.

— Para a enfermaria. — Eu me curvo para amarrar minhas botas. Dormimos calçadas para impedir que fique frio demais, mas sempre solto os cadarços antes de deitar. — Vou visitar Byatt. Você vem?

— Não — responde ela, com o queixo apoiado na beirada do beliche —, considerando que a Diretora nunca vai deixar você subir lá.

Talvez não deixe, mas sou da Equipe do Barco agora e tenho a faca no cinto para provar. Se existir a possibilidade de abrirem uma exceção, a Diretora fará isso para mim.

— Ela é minha melhor amiga — argumento. — Vale a pena tentar.

Reese fica quieta por um momento e, quando olho para cima, ela está me observando com uma expressão que não sei bem definir. Não é de raiva, isso eu conheço bem nela, mas algo mais suave.

— Não sei, Hetty — comenta Reese. — É amizade mesmo o que existe entre você e Byatt?

Já me perguntei isso. É claro. E amo Byatt mais do que qualquer coisa, mais do que eu mesma, mais do que a vida que eu tinha antes de Raxter. Mas sei como meu coração se aquece quando olho para ela. Um sentimento calmo e constante, sem qualquer faísca.

— Sim — afirmo. — Ela é minha irmã, Reese. Uma parte de mim.

Reese franze a testa e se senta com as pernas na beirada do beliche.

— Escuta, sei que não é da minha conta...

— Mas, pelo visto, você sente necessidade de comentar mesmo assim.

— Porque me afeta — explica Reese, e sou surpreendida pelo tom afiado de sua voz, pela rispidez em seus lábios. — Gosto de Byatt, OK? Mas não quero que você aja comigo como age com ela.

— Não quer que sejamos amigas?

Reese solta um suspiro como se eu tivesse dito algo errado, como se houvesse mais alguma coisa que eu deveria entender.

— Não — responde ela, francamente —, não quero.

Não posso fingir que isso não me deixa meio sem chão.

— Bem, isso... — começo, mas não há nada mais a ser dito, apenas um vazio, e não fico tão surpresa quanto eu gostaria. — OK — concluo, enfim, e me levanto para sair.

Consigo ouvir Reese dizendo meu nome, mas não dou ouvidos, apenas abro a porta com força e começo a andar rápido pelo corredor.

Isso não deveria importar. Tenho Byatt com quem me preocupar e, além do mais, desisti de Reese há anos. Muito introvertida, relembro a mim mesma, muito fria. Só está comigo porque não tem mais ninguém.

O corredor dá no mezanino do segundo andar, e ouço as conversas das meninas reunidas no salão principal, suas vozes baixas e sonolentas. Algumas vão voltar para cama depois do café da manhã. Às vezes isso é tudo que temos para fazer.

Mas a porta da enfermaria fica do outro lado do mezanino, e Byatt está em algum lugar lá em cima. Estou me perguntando se consigo girar a tranca com a ponta de minha faca da Equipe do Barco quando a porta se abre, e ali está a Diretora, descendo os últimos degraus da escada frágil e estreita.

— Com licença — disparo, correndo até ela. A Diretora levanta os olhos da prancheta que está carregando. Assim que me vê, bate a porta atrás de si. — Byatt está bem? Como ela tem passado?

— Acredito que talvez haja outra maneira de você começar essa conversa — sugere a Diretora. Ela está vestida com a mesma roupa de sempre, blusa e calça social; suas botas pesadas de escalada são a única concessão ao que aconteceu em sua escola. No bolso da calça, posso ver a ponta de um lenço manchado de sangue, o que ela usa quando as feridas da boca estouram. — "Bom dia", por exemplo.

Paro, respiro fundo e luto contra o impulso de empurrá-la para eu passar.

— Bom dia, Diretora.

Ela sorri alegremente.

— Bom dia para você também. Como se sente hoje?

Isso é uma tortura, na verdade.

— Tô bem — respondo, entre dentes, e ela levanta uma sobrancelha. — *Estou* bem. Desculpa. Eu estou bem.

— Fico feliz. — A Diretora dá uma espiada em sua prancheta e então, ao perceber que não fui embora, pigarreia. — Posso ajudar em algo?

— Byatt está lá em cima — explico, como se ela não soubesse. — Posso vê-la?

— Infelizmente, não, senhorita Chapin.

— Não vou nem entrar no quarto dela — imploro. — Vou só falar com ela através da porta ou algo assim. — Não me importo de não poder ver. Só preciso saber se ela está bem. Se ainda é ela mesma.

Mas a Diretora balança a cabeça, me dando aquele sorriso que adultos sempre guardam na manga, o que diz que eles sentem pena de você de uma forma que você ainda não pode compreender.

— Por que não desce para tomar café?

Isso não é justo. Aqui é minha casa tanto quanto dela. Eu deveria poder ir aonde quero.

— Vai levar só um segundo — argumento.

— Você sabe quais são as regras. — Ela tranca a porta que dá para as escadas da enfermaria com uma das chaves da argola que traz no cinto. Eu cerro os punhos para não arrancar as chaves dela.

Qual o sentido disso tudo? Todas nós estamos doentes, não é como se o fato de ver Byatt fosse deixar uma de nós duas pior. — Sinto muito. Sei que deve sentir falta da sua amiga.

Minha amiga. Minha irmã, foi o que eu disse para Reese. Deveria tê-la chamado de meu colete salva-vidas.

— Sim — rebato. — Eu sinto.

Está claro que a Diretora não vai mudar de ideia, e estou prestes a dar meia-volta e ir embora, para pensar em outro plano, quando ela pressiona o dorso da mão em minha testa da forma como minha mãe fazia para ver se eu estava febril. Dou um passo para trás, surpresa. Ela apenas solta um som de desaprovação e repete o gesto.

— Como está se sentindo? — pergunta a Diretora. — Não parece quente.

Demoro um instante para lembrar, mas ela está falando de quando voltei do turno com a Equipe do Barco. Foi dois dias atrás, mas parece ter sido há séculos.

— Estou bem — retruco, me afastando desconfortavelmente. A Diretora não costuma demonstrar que se importa.

Antes da Tox, era diferente. Eu me lembro de quando a conheci. Como eu estava nervosa por vir de Norfolk até Raxter sozinha. Treze anos e sem ninguém, e eu sentia saudades de minha mãe, então quando a Diretora me viu ficando chorosa durante o tour da escola, ela me disse que sua porta estava sempre aberta caso eu precisasse conversar com alguém, ou mesmo de um pouco de espaço, longe das outras meninas.

— Bem — diz ela, retirando um fiapo da gola de meu casaco —, fico feliz de saber que se sente melhor. Tenho certeza de que sua amiga, a senhorita Winsor, seguirá o mesmo caminho. E, nesse meio-tempo, ela tem sorte de ter você preocupando-se em saber onde ela está.

A frase passa por mim como corrente elétrica.

— *Onde* ela está? — Como se ela tivesse sumido, como se não estivesse mais lá. Eu ouvi direito, sei que ouvi.

Por um momento, sua expressão congela, então ela sorri de forma tensa.

— *Como* ela está — corrige ela. — Agora, por que não desce para tomar café? Deve estar com fome.

Demoro mais uns segundos, o suficiente para ver os nós dos dedos da Diretora ficarem brancos onde ela segura a prancheta, e é o suficiente. Eu me afasto, lanço meu melhor sorriso e sigo para o salão principal. Vejo as meninas, pontinhos aglomerados, dando mordidas pequenas e controladas num pedaço de pão mofado e quebrando bordas de biscoitos velhos.

Aquilo me atinge novamente. Tudo que aconteceu, tudo que vi e os segredos que guardei. Outro grupo está fazendo racionamento de comida e passando fome no café da manhã, e eu tive o que elas precisavam bem a meu alcance.

Não consigo ficar ali. Não agora.

Abro espaço entre as meninas, seguindo para as portas duplas da entrada principal, e saio. Meu casaco é fino demais para me proteger do frio, mas é melhor ali do que no salão principal. Pelo menos assim ninguém se torna um lembrete do que fiz.

Passo o resto do dia perto da água, no ponto onde as pedras são descoloridas e lisas. Conto os dedos conforme perco a sensação neles, deixo o sol fraco se espalhar por minha pele entorpecida. Quando volto para o quarto à noite, Reese está esparramada no beliche de cima. Dormindo, ou fingindo. Essa distância entre nós está se tornando muito familiar. Mas, pelo menos dessa vez, ela não está me evitando. Pelo menos agora ela está aqui.

Não sei se Byatt um dia estará de volta. E não posso deixar isso cair no esquecimento.

Espero até que a lua esteja alta no céu. Meu colchão faz barulho quando saio da cama, e prendo a respiração até me certificar de que Reese não ouviu nada. Não vem som de seu beliche. Caminho em direção à porta, e Reese permanece imóvel, seu cabelo reluzindo enquanto saio.

O corredor está vazio; apenas alguns fragmentos de conversa vindo dos dormitórios quebram o silêncio. As meninas mais novas estão cochichando sobre alguma coisa, há risadas aqui, um pedido de silêncio lá, mas ninguém ouve nada quando passo na ponta dos pés e então me agacho onde o corredor se abre, levando ao mezanino.

Ali está a porta para a escada da enfermaria, trancada como sempre. Sem a chave, não tem como eu passar. Nesse caso, a melhor maneira de chegar aos quartos da enfermaria é pelo telhado. Há uma inclinação do segundo andar para a cobertura, com janelas dando para o exterior. Se eu chegar lá em cima, posso esgueirar-me pela parte de trás e entrar por uma das janelas sem que a Equipe das Armas ou a Diretora me surpreenda.

Conto até dez. Dou passos suaves para que as tábuas do chão não ranjam.

Nunca me importei com a escuridão antes de Raxter. Nunca tive que lidar com isso, na verdade, especialmente na base naval, com a iluminação constante de holofotes. Aqui, a sensação é diferente, como se a escuridão estivesse viva.

Aperto o casaco contra o corpo com força e continuo a seguir. Cruzo o mezanino aberto, passo pelo topo da escada e chego à entrada da ala norte. Durante meu percurso, não há ninguém ali. Apenas quartos vazios. Um punhado de escritórios de professores, papéis queimados há tempos. Estrados de camas sem nada nos dormitórios dos professores. Cadeiras quebradas para serem usadas em fogueiras. Ao fundo está a sala da Equipe das Armas, com o letreiro de admissões ainda na porta. A janela está aberta, e o vento frio de outubro entra por ela. Minha saída.

É fácil me elevar como eu fazia todos os dias na Equipe das Armas. É estranho sem Byatt atrás de mim para ajeitar meus calcanhares, mas logo estou agachada no plano inclinado do telhado, tocando nas telhas molhadas de gelo derretido. No terraço acima de mim, posso ver a silhueta de duas meninas com armas apontadas. Estão olhando para a frente, para a floresta, enquanto conversam baixinho. Que bom. Desde que eu seja silenciosa, não vão notar.

Engatinho para a frente, em direção à janela mais próxima. Através dela posso ver um dos quartos da enfermaria, apenas uma cama e um colchão cobertos por sombras, e a porta fechada para o corredor. Nada de Byatt, mas também nada da Diretora. Encaixo meu ombro sob a moldura da janela e começo a fazer força para cima.

A madeira está empenada depois de um ano e meio sem manutenção, e preciso interromper em meios aos empurrões para me certificar de que as meninas na Equipe das Armas não me ouviram. Meus pés deslizam nas telhas malcuidadas e, abaixo de mim, a noite engole a terra, mas não olho. Um, dois, três, e a janela treme e corre para cima, abrindo uns 30 centímetros, talvez.

Não entro. Espero, agachada no peitoril, e observo conforme a vela da Diretora ilumina a faixa sob a porta e depois desaparece. Ela desce para o segundo andar, seus passos fazendo barulho na escada. E, então, silêncio.

Coloco a cabeça para dentro primeiro e me esforço para ficar de pé. Há seis quartos no terceiro andar, três de frente e três nos fundos. Estou no mais próximo da escada. Mais cinco para verificar antes de ser pega.

Vou até a porta, testo a tranca. Está destrancada. Essas portas têm ferrolhos do lado de fora, heranças do passado distante da casa, que começaram a ser usadas depois que ficamos doentes — mas, sem ninguém ali, a Diretora não deve se incomodar em trancar. Eu abro com ambas as mãos.

No corredor estreito, paro novamente para ouvir. A casa nunca é silenciosa, por ser antiga também, e ainda mais hoje em dia que tudo mudou, mas não ouço a Diretora nem Welch em lugar nenhum. Não escuto Byatt também, mas digo para mim mesma que ela provavelmente só está dormindo.

Tento a porta em frente. Destrancada também, e o quarto vazio como o outro.

Tudo bem. Faltam mais quatro cômodos. Mais quatro lugares onde ela poderia estar.

Mas o terceiro está vazio, assim como o quarto, então, quando enfim chego ao quinto, já respiro com dificuldade. Posso ouvir as batidas de meu coração, e ela não está ali, não está, não está.

Sexta porta. Abro por completo. A cama vazia, o colchão inclinado e o quarto mergulhado no luar. E lá, em meio a marcas de arranhão no chão, linha e agulha. De Byatt. As que ela sempre levava no bolso, as que usava para me dar pontos.

Ela se foi.

Sinto um pavor gelado se alastrando, mas eu o afasto. Alguma coisa aconteceu, mas o que quer que seja, ela sobreviveu, como a todo o resto. Está viva em algum lugar. Eu deveria verificar os escritórios dos professores no segundo andar e todas as salas de aula e, quem sabe, talvez a despensa grande, só para ter...

Um barulho nas escadas. Alguém está vindo.

Congelo, então pego a linha e a agulha e corro para o primeiro cômodo. A janela aberta ainda está à espera, lufadas de vento entram por ela. Não tenho tempo, não posso escalar e sair sem fazer muito barulho, e há uma luz, a vela da Diretora, mais e mais perto — aqui. Ela para em frente à porta do quarto em que estou.

Não posso me mexer. Não posso respirar. Se a Diretora entrar, se eu for pega, não sei o que ela fará.

E então ouço algo que não escuto há um ano e meio, não desde que o Sr. Harker foi embora. O barulho de estática, o filtrar e sibilar de um walkie-talkie, depois uma voz. A voz de homem. É como um balde de água fria, e um arrepio toma conta de mim.

— Raxter, chamando, câmbio.

Um bipe, e então uma pausa na estática.

— Aqui é Raxter, câmbio.

Eu me mexo de forma abrupta, surpresa, e por pouco não bato a cabeça na armação da janela. É Welch, não a Diretora, como eu esperava. Welch não vem muito aqui, se é que veio alguma vez.

— Solicitando relatório de condição — informa o homem. — Câmbio.

Deve ser alguém da base costeira, a Marinha ou o CDC. Eles são as únicas pessoas no mundo que sabem o que está acontecendo aqui. Nem mesmo nossos pais conhecem toda a verdade. Influenza, acho que foi o que disseram para eles. Eu me pergunto se nossos pais sabiam que era mentira.

— Tudo certo. A substituição chegou em segurança? Câmbio.

Silêncio, e então o homem responde:

— Confirmo recebimento. Câmbio.

Recebimento? E substituição de quê? Nada sai da ilha, nem mesmo corpos. Quando uma de nós morre, a cremamos nos fundos, o mais longe da casa e da cerca que conseguimos. Um quadrado inteiro de terra queimada, o cheiro insuportável, ossos e entranhas enterrados sob pedras amontoadas.

— Tem mais uma coisa — fala Welch, soando quase relutante.

— Temos que fazer um retorno. Câmbio.

Os suprimentos, essa é a primeira coisa que penso, mas já fizemos isso. Ela está tentando dizer outra coisa.

Não há resposta por um bom tempo. Welch começa a andar de um lado para o outro, e monitoro seu movimento à medida que a luz constante sob a porta muda de posição. Ela não vai entrar aqui, digo para mim mesma. Estou segura, estou segura, estou segura. Finalmente, o rádio faz um barulho e volta à vida.

— A essa hora amanhã — avisa o homem. — Ela pode ser deixada na casa Harker. Câmbio.

Ela. Não o corpo, mas *ela*, e é Byatt. Tem que ser. E eles estão falando sobre ela como se ainda fosse alguém. Sinto meu coração se encher de alívio. Mas, se Byatt não está aqui, onde Welch a está mantendo? E para quê?

Welch para de andar.

— Confirmado, câmbio.

— Câmbio e desligo.

O ambiente fica em silêncio. Um momento depois, a luz sob a porta desaparece, e escuto os passos de Welch se afastando no corredor. Saio com cuidado pela janela e a fecho. Fico apoiada de quatro e bem, bem devagar engatinho pelo telhado. As meninas da Equipe das Armas ainda estão de olho nas árvores, não me veem abaixar na beirada e entrar pela janela do segundo andar.

Cruzo furtivamente o corredor e o mezanino. Confiro a posição da lua, guardo em minha mente — a essa hora amanhã, foi isso que o homem no walkie-talkie disse — e volto para o quarto, para minha cama. Para Reese, sentada em seu beliche me esperando, porque é claro que ela sabe que eu saí.

— Alguma coisa aconteceu — começo. — Ela não está na enfermaria.

Reese franze a testa, e já vejo tudo, a incredulidade crescente.

— Do que você está falando?

— E havia esse homem... no rádio. — Estou praticamente sem fôlego, tropeçando nas palavras para pôr tudo para fora.

— Calma. Conta do início.

Conto tudo, sobre os quartos vazios, sobre a linha e a agulha. Sobre Welch, o walkie-talkie e a voz do homem no outro lado, sobre os planos que eles fizeram para levar Byatt até a casa Harker.

— Não tenho ideia de onde Welch poderia estar mantendo Byatt — concluo, me encostando na escada do beliche. Posso sentir uma tremedeira tomando meus músculos. — Ela tem que estar escondendo Byatt em algum lugar se elas só vão embora amanhã.

As salas de aula no térreo não são privadas o bastante, e não há mais nenhuma construção externa, fora o estábulo. Apenas uma casa de ferramentas, mas nós a destruímos para queimar a madeira.

— O que você acha? — pergunto, olhando para Reese.

A princípio, ela não diz nada. O cabelo ilumina seus olhos arregalados. E então ela solta um suspiro trêmulo.

— Minha casa — repete Reese. Seu rosto está contraído de um jeito estranho, como se tentasse não rir, ou talvez chorar. — Tem certeza de que ele disse minha casa?

É claro que o foco dela é esse. Acho que não posso culpá-la.

— Tenho certeza — afirmo. — Sério, Reese, temos que encontrar Byatt. Ela ainda está aqui em algum lugar.

— Tenho certeza de que está — comenta Reese. Palavras simples e tranquilas, o rosto deliberadamente inexpressivo, o que significa que ela está guardando algo para si.

— Mas o quê? — indago. — Byatt está aqui em algum lugar, mas o quê?

Eu deveria ter esperado isso. Mesmo assim, é um choque quando Reese diz:

— Ela está viva ou morta?

Uma onda de raiva quente, intensa e destruidora me invade, porque tenho afastado esse pensamento desde a enfermaria, mas é claro que ela não podia me deixar fazer isso, certo?

— Que tipo de pergunta é essa?

— Uma pergunta importante — retruca ela. — Você não é idiota, Hetty. Sabe o que normalmente acontece com meninas como nós.

— Nada disso é o que normalmente acontece. — Respiro fundo, cerrando os punhos. Não deixe isso afetar você. Ela está viva, ela está viva, ela está viva. — Meninas não costumam desaparecer assim. Tudo isso deve significar alguma coisa.

— Sim — concorda Reese. — Acho que significa que ela já está morta.

Eu me afasto do beliche e ignoro o pânico crescente em meu estômago. Reese está errada, e Byatt está bem.

— Então por que não a cremamos? Ela está viva. Preciso encontrar Byatt. Só sei que preciso.

— E então o quê? Não podemos ajudar Byatt.

Ela está certa, é claro. Mas não importa.

— Nós podemos estar ao lado dela — argumento. — É tudo que podemos. E não vou desistir. Posso não saber onde ela está agora, mas sei onde estará amanhã à noite. Vou atrás dela.

— Não pode fazer isso. — Reese fala baixo, a voz urgente conforme ela chega mais perto. — Sabe que não pode. É uma quebra de quarentena.

— E daí? — digo. — Sou da Equipe do Barco. A Equipe do Barco pode ir além do portão.

Ela revira os olhos.

— Tem permissão para buscar suprimentos, e não para sair escondida atrás de uma amiga.

Faço um gesto com a mão, dispensando o comentário. Sempre nos disseram que a quarentena é a coisa mais importante, mas, se tiver que escolher entre isso e Byatt, então não há dúvidas.

— E mesmo se você saísse — continua Reese —, como retornaria pelo portão? — Ela puxa a trança com seus dedos prateados, as pontas duplas começando a ficar mais desgastadas. — Tem a tranca, e...

— Posso escalar o portão — digo, agitada. — Dou um jeito. Não estou preocupada com isso.

— Eu estou — retruca ela, mas sem olhar para mim, com a expressão franca e incerta. Então sinto um puxão em meu peito, aquele chamado que tento ignorar desde que nos conhecemos.

— Vem comigo — falo. — Vamos juntas.

É quase como um passe de mágica. Um segundo ela está ali comigo, a cabeça próxima à minha, e então ela adota aquela postura que conheço tão bem. Braços cruzados, maxilar contraído, um olhar sem emoção.

— Não — diz ela. — Faça o que quiser, mas não vou com você.

Pela primeira vez, não estou disposta a deixar de lado. Isso é importante demais.

— Por que não?

Reese solta um som exasperado.

— Hetty...

Qualquer resquício de paciência se foi. Seguro a beira do beliche com tanta força que sinto uma farpa entrar com tudo na palma da mão.

— Qual seu problema? Byatt é nossa amiga. Não quer que ela fique bem?

— Não tem nada a ver com querer — responde ela.

Ainda assim, as palavras saem de mim, mais alto do que deveriam, com mais raiva do que eu esperava:

— Porque sei que não se importa. — Com um toque amargo em minha voz, continuo: — Sei que isso torna você uma pessoa melhor do que eu, mas simplesmente não consigo ignorar o mundo inteiro como você.

— Eu não me importo? Você está...

E então Reese para de falar como se isso a machucasse. Por um segundo, posso ver tudo expresso em seu rosto. O desejo e a resignação e a traição, a dor de ver a ilha que ela ama roubar as pessoas que ela finge não amar.

— Ah — digo. Minha voz grave está presa na garganta. Passei todos os dias desde que a conheci dizendo para mim mesma a coisa errada. Repetindo insistentemente que ela era fria, quando talvez Reese fosse fervorosa o tempo inteiro. — Desculpa. Poxa, Reese, me desculpa.

Tanto seu pai quanto a mãe foram embora, e talvez por isso ela seja assim. Esse foi o destroço que ficou para trás. Eu deveria ter reparado a intensidade do seu amor, percebido que ela ama tanto quanto eu. Só que acho que isso a paralisa, enquanto me movimenta.

— Eu queria conseguir — comenta ela, sem olhar para mim. — Queria conseguir ser como você. Mas não posso sair atrás dela quando não pude ir em busca dele. Achava que a Equipe do Barco era a única forma de ultrapassar o limite do portão, mas aqui está você, pronta para derrubar a cerca com as próprias mãos. — Reese solta um suspiro trêmulo, então diz com a voz baixa: — Por que não pude fazer isso pelo meu pai?

Pela primeira vez, acho que sei o que falar. É o que as pessoas costumavam me dizer quando eu era criança, quando meu pai estava em alguma missão militar.

— Você é a filha dele — falo. — Não é você quem tem que proteger seu pai.

Ela não responde. Mesmo assim, sei que está me ouvindo.

— Mas ela é nossa menina. — Observo o rosto de Reese e sei que ela está comigo. Sei disso. — Deveríamos proteger Byatt. Assim como ela faria por nós duas. — Respiro fundo. — Assim como eu faria por você.

Há um lampejo de surpresa no rosto dela, que acende em meu corpo uma faísca de vergonha em resposta. Isso é novidade para ela?

Mas então ela estende a mão, e sinto algo em meu peito quando a palma dela desliza na minha.

— Sim — concorda ela. — OK.

Não há mais nada a ser feito essa noite, e a adrenalina está se esvaindo, me deixando pronta para capotar. Sorrio e me desvencilho, abaixando para entrar em meu beliche.

Deito de costas, ainda deixando espaço ao lado para Byatt, como sempre. Acima de mim, posso ouvir Reese tirando seu casaco para usá-lo de cobertor. Está silencioso demais, e, por mais que as coisas tenham sido fáceis com ela, desejo mais do que nunca que o chão me engula, para que não tenhamos que nos ouvir fingindo dormir.

— Ei — solta Reese, de repente. — Não era meu pai, era? No rádio?

— Hum. — Não sei como desapontá-la.

— Deixa para lá. — Ela parece reticente, sem graça, e posso imaginá-la balançando a cabeça. — Eu só... Pensei que, se um dos meus pais fosse voltar, seria ele.

Um farfalhar e um rangido na madeira do beliche enquanto ela se acomoda, terminando a conversa. Fico surpresa por ela sequer ter iniciado o assunto.

Mas ela é diferente sem Byatt aqui. Ou talvez nós duas sejamos. Cerro meus punhos, tentando criar coragem. Há algo que me pergunto desde que a conheci, mas, quando Reese não quer falar, não há nada que a faça mudar de ideia.

— Você não tem que me contar — começo. Minha voz está trêmula. Mesmo assim, continuo: — Mas, Reese, para onde sua mãe foi?

Não consigo vê-la, então, em vez disso, observo os padrões de luz que sua trança lança no teto, traçando seu brilho suave e de contornos incertos.

— É complicado — responde ela, enfim. — Ou talvez eu só queira que seja.

— Não entendi.

— Da última vez que tive notícias, ela ainda estava no Maine. Talvez em Portland.

— O quê? — Isso fica a uns 300 quilômetros daqui. Sempre presumi que sua mãe tinha ido para longe, ou mesmo que Reese não sabia onde ela estava.

— Pois é — diz Reese. Ela não parece triste. Nem com raiva. Nem nada. — Ela não queria deixar o Maine. Ela só queria me deixar.

Não sei o que poderia aliviar essa dor. Mas ela está conversando comigo. Isso tem que servir para alguma coisa.

— Sinto muito — digo. — Sabe que poderia ter me contado isso antes.

— Algumas coisas não pertencem a outras pessoas — argumenta, cansada e ficando mais distante. — Algumas coisas são apenas minhas.

Como se isso não bastasse para me certificar de como somos diferentes. Reese sempre se manteve tão afastada, e tudo que eu queria era ser uma parte de alguém. Ter vindo para Raxter... foi como se, até antes de eu chegar aqui, eu não tivesse encontrado meu lugar. Como se não soubesse quem eu era até Byatt me dizer.

E sei o que Reese diria. Sei que isso não é saudável, que não deveria ser assim. Mas o mundo inteiro está desmoronando ao nosso redor todos os dias, e temos problemas mais graves, não?

Reese não é Byatt, não mesmo, mas gosto dela. Gosto de como ela fala sem falar. E gosto até mesmo do fato de ela nem sempre gostar de mim.

BYATT

CAPÍTULO 7

Tentando piscar mas o que
    Devagar espesso como minha língua quente e seca
aqui uma fresta de algo aqui o mundo surgindo de novo diante de minhas pálpebras   aqui estou   estou estou
    Acordada.

    Calor passando por minha cabeça como uma corrente. Luz perfurando meus olhos até eu estar numa cama num quarto. E não dói, mas sinto meu corpo todo de uma só vez.

    O quarto é grande. Construído para algo diferente. Piso de linóleo descascado. Cortina fechada pela metade a meu redor e, pela abertura, um mural na parede, pendurado no canto, e três outras camas, todas vazias. Eu me estico para tocar na cortina, para puxá-la, para

    Não consigo me mexer. Mãos amarradas, presas nos punhos, agulha intravenosa furando a pele.

    Em algum lugar uma porta se abrindo   passos pesados, abafados   um traje, plástico e azul-claro, posso vê-lo pela cortina conforme se aproxima. Empurrando para entrar e balançando um braço para evitar que a cortina agarre e diz

    Se sentindo bem?

———

Ele é um menino, diz ele.

Seu nome é Dietrich.

Ele está apenas brincando. Não sabe por que falou isso.

Seu nome é Teddy e ele tem 19 anos. É apenas um marinheiro e esse é seu primeiro dia. Ele estava no Campo Nash uma semana antes de o mandarem para cá, e ele ainda não tem certeza de por que fizeram isso, considerando que sua função é carregar equipamentos e olhar pela janela. Ele sente muito, está tagarelando, mas é só porque ele não sabe o que os médicos do CDC estão falando na maior parte do tempo, e medicina é algo confuso, e ele está realmente nervoso.

Olhe com atenção, tente se lembrar de como meninos são. Vejo apenas olhos acima da máscara cirúrgica, o resto do corpo pouco claro através do traje de plástico. O cabelo castanho como o meu, a pele dourada mas perdendo o bronzeado, como se sentisse falta do sol.

Teddy me faz perguntas. Teddy me pergunta que dia é hoje. Ele me pergunta quando é meu aniversário, meu último nome, o preço do leite. Não respondo   quero mas as palavras não se juntam em minha língua.

Batatinha quando nasce espalha a rama pelo chão, diz ele. Menininha menininha   Vamos lá você sabe essa.

Menininha quando dorme digo mas é tudo   não posso   e meu deus esqueci   esqueci como dói   como um choque como bile queimando minha garganta como um calafrio nos ossos   tremendo e gritando e se eu não parar vou simplesmente me partir ao meio e   o l h o s molhados   embrulho no estômago

Quieta diz Teddy por favor fique quieta   isso machuca nós dois

Diz que está tudo bem. Inclina um copo de água em meus lábios, pinga, pinga e engole. Tranca a porta ao sair.

Sozinha, acordada, inteira aqui em meu corpo. Ninguém por perto, apenas o chiar de um ventilador em algum lugar além de minha cortina. Puxo e puxo, mas as amarras em meus punhos não cedem nada.

Acho que fui um problema minha vida inteira. Aqui estou eu onde problemas vão. Primeiro Raxter e agora aqui, e sempre estive vindo para cá, não é mesmo, não é mesmo. Inteligente demais e entediada demais e algo faltando, ou talvez algo muito presente.

A ideia foi de minha mãe, e meu pai apenas assentiu e foi se sentar em outro cômodo. Silêncio aquele verão inteiro até os dois me colocarem num carro indo para Raxter. Ninguém lá vai saber, disse para mim mesma. Ninguém vai saber o que você faz quando está entediada. O que faz apenas porque pode.

Teddy retorna com o nascer do sol, diz que eles estão arrumando uma solução. Quieta por enquanto, fala ele, e não me importo. Eu me lembro da dor. E ele surge com um bando de formulários, solta meus pulsos, move o suporte intravenoso e me ajuda a escrever as respostas.

Byatt
Byatt Winsor
16 quase 17
14 de janeiro
Nenhuma alergia
Elizabeth e Christopher Winsor
Beacon Hill
Qual rua?
West Cedar
Casa?
Número 6

Está ficando ansiosa, diz Teddy. Não fique ansiosa.
Quase esqueci, escrevo.
Mas não esqueceu.

Acordada antes da hora   soro ainda cheio
uma confusão que não consigo desfazer   e quando fecho
os olhos estou de volta à floresta   naquela noite   naquela
noite que vim para cá
    Frio úmido   flores da íris sendo esmagadas sob minhas botas e Welch me segurando com força   é melhor assim
diz ela por suas amigas   como se fosse uma escolha que
fiz   mas não foi não fiz e   me tirou
da enfermaria caminhou comigo escada abaixo   nenhuma
guarda nenhum nada   Hetty dormindo em algum lugar
Hetty sozinha
    Ela precisa de mim falei e Welch   disse que não
disse que ela precisa que você faça isso
    Pelo portão em direção às árvores   sons no mato
animais movendo os olhos como tochas   a respiração de
Welch quente próxima a minha orelha   pessoas
esperando
    Eles me levaram mesmo eu tendo lutado   mesmo
eu tendo corrido   um dardo em minha coxa e uma
confusão nebulosa em meus pensamentos e Welch se inclinando
sobre mim
    Desculpa disse ela e acho   a pior parte é que acho que
ela estava sendo sincera

Há algo azul lá fora no cômodo maior, e eu percebo, meus olhos deixam de ficar embaçados, o mundo firme e real ao redor. Mal tenho tempo de olhar qualquer coisa, mal tenho tempo de verificar meu soro e ver que está vazio antes de as cortinas deslizarem, um farfalhar de plástico se movendo, e então é uma pessoa, uma mulher em um traje como o de Teddy, de pé na ponta da cama, segurando um roupa de hospital estampada.

— Olá — diz ela. Parece estar sorrindo. — Hora de trocar de roupa.

Ela solta cada faixa que me prende e me ajuda a levantar. Minhas pernas estão moles e tremem, então ela tira minha roupa, seus dedos pesados abrindo devagar os botões de minha camisa e os cadarços de minha bota. Por um segundo, estou trêmula só de calcinha e sutiã, e a vejo me encarando, observando minhas costas onde aquela coluna extra brota de minha pele, e então a vestimenta hospitalar desliza por minha cabeça. Não consigo nem erguer meus braços para passá-los nas aberturas. Ela faz isso por mim.

O traje dela é espesso como o de Teddy. Emborrachado e rígido. Devem ter medo de mim, do que eu tenho. Mas a proteção só vai até o pescoço, e posso ver sua pulsação. Contar as batidas do coração: um, dois. E me sinto melhor assim.

— Está bom desse jeito? — pergunta a mulher enquanto me amarra novamente. — Confortável?

Abro a boca, mas ela põe um dedo enluvado sobre meus lábios antes que eu possa dizer algo.

— Vamos nos limitar a assentir por enquanto. Teddy me contou que tivemos alguns problemas com a fala. — A mulher abre a cortina um pouco mais para mostrar uma pia no balcão contra a parede. Não parece bem com um hospital. Há algo triste e comum sobre o lugar. Como uma cozinha num cômodo aos fundos de uma igreja, ou uma sala de descanso num prédio comercial.

A mulher enche um copo plástico com água e o segura em minha boca até que eu tome um gole.

— Vamos pegar alguma coisa para que você possa escrever — diz ela. — Enquanto isso, provavelmente é melhor deixar você descansar. Já passou por muita coisa.

Continuo bebendo até o copo ficar vazio. Ela o joga na lixeira próxima ao pé da cama e se aproxima.

— Sou a Dra. Paretta — explica ela, inclinando-se sobre meu braço direito. — Devo chamá-la de Byatt? Ou existe algum outro nome que prefira? Um apelido, talvez?

Balanço a cabeça.

— Byatt então. OK, talvez você sinta uma picada.

Não vejo exatamente o que ela faz. Há muitas dobras em seu traje. Mas, quando se afasta, está com um tubo de sangue. Ela o ergue contra a luz. Semicerra os olhos, como se pudesse dizer o que está acontecendo ali dentro, então pega um cooler vermelho pequeno ao pé da cama e encaixa esse frasco de sangue lá, ao lado de outro. "Potencial RAX", acho que é o que diz na etiqueta, mas ela fecha o cooler antes que eu consiga ler o restante.

— Mais uma coisa antes que eu me esqueça, e então vou deixar você dormir. — Ela segura minha mão entre as dela, enrola meus dedos e dobra meu punho de modo que consigo sentir a lateral da cama. Há um botão, redondo e saliente.

— Esse é seu botão de chamada. Caso a dor fique muito insuportável, ou caso precise de alguma coisa. Consegue senti-lo?

Faço que sim com a cabeça, e ela volta a ficar com as costas retas. Espera mais um ou dois segundos. Então:

— Lembra meu nome?

Meus lábios se partem.

— Paretta.

Eu queria falar o nome, falar alguma coisa, ter minha voz de novo, e não achei que fosse doer tanto. Apenas uma palavra não poderia doer tanto. Mas dói, como se algo estivesse tentando arrancar minha coluna pela garganta.

— Bem — diz Paretta, parecendo ofegante. — Não iremos fazer isso de novo.

CAPÍTULO 8

Apago, então volto. Deitada de costas, o mundo passando por mim enquanto quatro figuras em trajes de proteção levam minha maca para uma sala escura. Puxo minhas mãos mais uma vez, mas as amarras continuam firmes, e o náilon esfola minha pele.

— Bom dia — fala uma das figuras para mim. Quase não a reconheço, mas ali, os olhos, além do rabo de cavalo ondulado e castanho. Paretta.

Pé-direito alto, nenhuma janela. Uma sala de cirurgia, com um quê de improviso. A mesa no centro está envolta em papel; a iluminação é forte e constante. Eles alinham a maca ao lado dela e começam a soltar as faixas. Eu poderia lutar, sei disso, mas a porta está fechada e trancada, e não sei, de verdade, pelo que sequer estaria lutando.

Depois de soltarem as amarras, mal tenho um segundo antes de me pegarem com força e me erguerem. Eles me levam até a mesa e esticam meus braços, prendendo-os novamente. Estremeço conforme a crista saliente de ossos em minhas costas, minha segunda coluna, é esmagada desconfortavelmente na mesa. Um dos médicos amarra uma braçadeira de pressão sanguínea em meu braço esquerdo e, enquanto comprime, outro médico põe um tubo de oxigênio sob meu nariz e o ajusta. Depois disso, chegam os sensores, na testa e no peito. Observo quando a tela começa a mostrar pedaços de mim, tentando gravar o ritmo e as ondas de meu coração.

— Está tudo bem — diz alguém, e é Paretta, curvando-se sobre mim. Ela afasta o cabelo de meu rosto. — Você está aqui para nos ajudar a entender o que está acontecendo e para descobrir como consertar isso.

Os outros três médicos se afastam devagar, até que não os vejo mais. Sou só eu e Paretta.

— Nós temos trabalhado com algumas de suas amigas — explica ela. — E achamos que estamos quase num ponto em que podemos avançar de verdade. Mas preciso de sua ajuda. Pode fazer isso por mim, Byatt?

Minhas amigas? Houve outras meninas aqui? Abro a boca para perguntar, para dizer alguma coisa, mas Paretta põe a mão sobre meus lábios.

— Lembra? — comenta ela. — Fique quieta. Isso vai acabar antes que se dê conta.

Depois de um instante, ela me solta, pega uma bandeja com rodinhas que está por ali e a traz para perto. Prata sobre prata. Um buquê de bisturis enrolados em plástico. Começo a me debater, a visão das lâminas acendendo um medo profundo. Algo se contorce em meu estômago. Preciso de todas as minhas forças para não gritar.

Mas ela não pega os bisturis. Sua mão para em outra coisa, algo pequeno e inofensivo ao lado de uma garrafa de água. Uma pílula amarela e redonda numa capa transparente.

— É só isso — comenta ela, deixando a pílula escorregar para a palma da mão. — Nada com que se preocupar.

Vejo claramente a indicação "RAX009" na capa descartada antes de Paretta segurar meu maxilar e abri-lo. Em seguida, a pílula é colocada em minha boca, dissolvendo-se amarga e devagar.

009. A nona versão dessa pílula, talvez. Ou a nona menina presa nessa mesa de cirurgia.

Engulo, engasgando quando sinto o gosto no fundo de minha garganta. Paretta me observa com atenção antes de pegar a garrafa de água, da mesma marca que recebemos em Raxter. Ela desenrosca a tampa, levanta minha cabeça e derrama um pouco em minha boca. Há um aglomerado de pó preso em minha língua, e demora um pouco para soltá-lo.

Eu esperava que algo fosse acontecer imediatamente, que os ossos em minhas costas derretessem, que minha voz voltasse a ser o que era. Mas um minuto, então outro, e outro. Paretta desaparece. Ergo meu pescoço e a vejo aproximar-se aos outros médicos apoiados na parede. Estão esperando. Assim como eu.

Mais tempo se passa, e eu caio no sono, indo e vindo. Estou tão cansada. Meu corpo inteiro dói, a segunda coluna sensível e machucada. Talvez isso tudo não seja tão ruim se estou tendo a chance de descansar.

E então. Uma faísca. Conheço essa sensação.

Logo antes de uma erupção, há um momento. Difícil de descrever, difícil de fixar, mas, para mim, quase faz valer a pena. A dor e a perda, é tudo um preço justo por isso. Essa força, esse poder, essa vontade de partir para cima.

Fico esperando que a sensação vá embora, como costumo fazer, e que se transforme numa dor ofuscante. Em vez disso, ela cresce, reverberando por meu corpo, dilacerando minhas entranhas, e sinto meus punhos se fechando, as unhas se enterrando na pele. O monitor cardíaco começa a ficar louco, o cômodo cheio de bipes e alarmes.

— O que está acontecendo?

— Veja a leitura do monitor.

Os médicos correm para pegar dados, suas silhuetas como borrões em minha volta. Fecho os olhos. Esse corpo é meu. Vai fazer o que eu pedir.

Acalme-se, penso. Segure isso dentro de si.

Só que uma parte de mim não quer fazer isso. Posso ouvi-la, ríspida e baixa, me dizendo para soltar. Me dizendo que isso sempre esteve dentro de mim e que esses médicos estão tentando tirá-lo de meu corpo.

Minhas costas se curvam, e meus olhos se abrem de repente. Eu me debato contra as amarras, jogo meu peso de um lado para o outro. Paretta está ao pé da maca, dizendo meu nome, mas foi ela quem fez isso comigo. Então eu grito.

Sangue escorre de meu nariz, uma agonia lancinante em minhas costas. Paretta põe as mãos sobre as orelhas e cai para trás. Então grito de novo, e puxo as faixas de contenção com tudo que tenho. Ainda sinto a força vibrando por meu corpo, ainda o dom que a Tox me deu. Uma das amarras se solta.

Mexo na outra fivela e salto da mesa, mas os outros médicos estão lá. Eles seguram meus braços e me arrastam. Eu chuto e faço rasgos na parte da frente do traje de proteção deles.

— Byatt! — berra Paretta. — Byatt, precisa se acalmar!

E, de repente, não quero fugir, não quero ficar livre. Quero machucá-la.

Consigo dar apenas um passo antes de enfiarem uma agulha em meu pescoço e o mundo ficar escuro.

HETTY

CAPÍTULO 9

Acordo com dor de cabeça. Latejando nas têmporas e afiada atrás de meu olho cego. Dói a ponto de me fazer segurar a beirada da cama, o corpo pronto para uma erupção. Desde a primeira, todas começaram com uma dor assim, seguidas de algo pior. Na última vez, foram tramas de tecido molhado, tão espessas em minha garganta que eu não conseguia respirar, todas cheias de sangue, como se tivessem sido arrancadas das entranhas de meu estômago.

Uma dor de cabeça assim poderia querer dizer que minha próxima erupção está vindo. Ou, como tenho certeza de que Byatt diria, pode ser só uma dor de cabeça.

Acima de mim, o beliche de Reese range, e me lembro de tudo da noite anterior, de uma só vez. A voz de Welch e os planos que ela fez com o homem do walkie-talkie. A linha e a agulha, agora guardadas em segurança em meu bolso. Byatt está em algum lugar dessa casa. E, se eu não a encontrar durante o dia, vou encontrá-la esta noite. Vou passar o portão depois de meia-noite, nas últimas horas de escuridão. Reese e eu vamos seguir Welch até a casa de Reese, e Byatt estará lá. E ela estará viva.

— Essa coisa de ficar deitada em silêncio é divertida — comenta Reese, de repente, da cama de cima —, mas podemos ir comer?

Nos dias sem remessas de suprimentos, as refeições são calmas, quase bem organizadas. Tudo que é bom vai embora rápido naquela primeira correria depois da volta da Equipe do Barco. Sobra apenas o que ninguém quis. A maioria das meninas espera no salão principal, mas uma de cada pequena constelação segue pelo corredor sul em direção à cozinha — onde Welch distribui a comida e a água potável —, pronta para carregar algo de volta para suas amigas.

Essa é minha função desde o começo. Byatt disse que as pessoas se sentiriam pior por mim e me deixariam ficar com as melhores coisas. Elas têm medo de Reese, e isso funciona no dia que a Equipe do Barco retorna, mas, aqui, a pena é que dita as regras, e eu sou nossa melhor chance de vitória.

Deixo Reese no salão principal e sigo Cat pelo corredor. A sala da Diretora fica bem onde o corredor vira para a esquerda, um dos últimos lugares em que nossa entrada ainda é proibida. Só estive lá duas vezes: uma em meu primeiro dia em Raxter e de novo um semestre mais tarde, quando fui repreendida por falar durante uma assembleia.

Talvez seja onde estejam mantendo Byatt, penso. Já estou com a mão no ferrolho antes de me dar conta de que estou fazendo isso em plena luz do dia, e Cat está me esperando.

Eu me apresso para alcançá-la. Ela sorri, não pergunta como estou ou que diabos eu estava fazendo, e fico grata por isso. Depois de marcarmos presença no café da manhã, vou dar a volta na casa e espiar pelas janelas da sala da Diretora. Depois continuar procurando se não encontrar o que quero.

Juntas, Cat e eu viramos e seguimos para a cozinha, com suas claraboias e azulejos em xadrez. Da última vez que estive aqui,

Byatt estava no chão, destruída. Da última vez que estive aqui, o mundo inteiro acabou.

Chega, penso. Estou fazendo tudo que posso. Em breve a terei de volta.

Várias outras meninas já estão ali, esperando Welch chegar e destrancar a despensa onde guardamos a comida. Estou receosa de ter que ficar cara a cara com ela, mas não existe qualquer possibilidade de ela saber o que ouvi na noite anterior.

— Oi — diz Emmy, mal batendo na altura de meus ombros, com seu cabelo liso ainda com textura de bebê.

Depois de sua primeira erupção no outro dia, ela havia ficado feliz da vida, animada por ser como o resto de nós, ainda que a erupção a tenha feito tossir dentes de algum lugar bem no fundo dela, mas hoje Emmy está aparentando uma solenidade artificial. É claro que está; ela está aqui por causa de Landry, provavelmente explodindo de orgulho por representar a menina no topo do que sobrou da pirâmide social de Raxter.

— Só queria dizer — continua Emmy — que espero que você esteja bem. Depois do que aconteceu com Byatt.

— Obrigada — respondo, esperando que pare por aí. Mas ela continua falando.

— Ela está em nossas preces. — Emmy diz isso exatamente como Landry diria, o mesmo tom polido e forma suave.

— Tenho certeza de que se sente grata — digo, revirando os olhos.

Nada disso está ajudando minha dor de cabeça, reduzida agora a um zumbido constante de dor. Estou acostumada, mas isso não quer dizer que não prefira o silêncio a ter Emmy brincando de ser Landry.

Passos desviam nossa atenção para a porta e, finalmente, lá está Welch, entrando apressada na cozinha, já mexendo na argola de chaves em seu cinto. De onde ela veio? Será que estava com Byatt?

Não parece diferente de como estava ontem, não parece estar escondendo alguma coisa. Mas, depois do cais, sei que ela é melhor nisso do que eu esperava.

— Desculpe — diz Welch conforme nos aglomeramos em volta dela. Tem uma casquinha no canto de sua boca, amarelando e com o cheiro azedo. Provavelmente de uma daquelas feridas que ela e a Diretora têm. — Fui resolver um probleminha. OK, quem é a primeira hoje?

A distribuição de comida costumava começar pelas mais velhas, como é em todas as escolas, como era antes. Então percebemos que a mais velha sempre seria a mais velha. Nenhuma de nós podia ir embora. Agora fazemos um rodízio, ano a ano, dia a dia, e hoje são as mais novas primeiro, motivo pelo qual Landry enviou Emmy. Ela sempre escolhe certo, então sempre come primeiro. Cat e eu estamos próximas da metade da fila, com Julia e algumas meninas do ano de Carson atrás de nós.

Chega minha vez, e me abaixo para passar pelo vão e entrar na despensa, dando um passo para o lado para abrir espaço para Cat, que também se aproxima. Ela parece bem hoje, com a maior parte da pele cicatrizada. No primeiro ciclo, achávamos que isso queria dizer que ela estava melhor. Mas as bolhas continuam voltando, maiores e mais profundas a cada vez, com um lampejo de osso visível atrás.

A despensa fica nos fundos da cozinha. A Equipe do Barco carrega para lá tudo que as meninas não pegam imediatamente depois de cada missão, tira das sacolas e deixa nas lixeiras usadas para armazenamento. Todo dia Welch arrasta uma delas para o centro do cômodo estreito para vasculharmos. Ela conta o que pegamos e anota.

Cat tira algumas teias de seu casaco e suspira, vendo alguns torrões de açúcar espalhados pelo chão, restos do que Emmy provavelmente levou com ela.

— Vai atrair formigas.

— Temos coisas piores. — Eu me debruço sobre a lixeira, procuro bem no fundo, onde algumas meninas tentam enterrar coisas para si mesmas. Há um pacote de carne-seca, exatamente o que precisamos, mas hesito. Vi o resto da Equipe do Barco jogar fora comida suficiente para todas nós. Eu não deveria pegar nada. Não mereço.

Mas não estou aqui apenas por mim. Tem Reese também. E nós duas precisamos comer se queremos chegar à casa Harker à noite.

— Vou levar a carne-seca e aquela coisa de mostarda e mel que ninguém quer.

Cat pega uma caixa de torradas Melba e um pacote de arroz. Ela espera um instante antes de pôr furtivamente uma minicaixa de passas no bolso.

— É aniversário da Lindsay — explica ela, baixinho. — Por favor, não conte.

Olho por cima de meu ombro para onde Welch está, encostada na entrada, brincando com suas chaves. Ela não parece ter ouvido.

— Claro — retruco. É o mínimo que posso fazer depois do cais.

Mostro o que peguei para Welch ao sair, fazendo o melhor para evitar que minhas mãos tremam. Como ela pode simplesmente ficar parada ali como se não houvesse nada de errado? Como se ela não estivesse mantendo minha melhor amiga trancafiada em algum lugar? Ponho um sorriso no rosto, tentando não me perguntar o que está acontecendo com Byatt enquanto estou ali na cozinha, com traços de sangue dela ainda manchando o chão.

— OK — diz Welch, distraidamente. — Tudo certo.

Engulo a vontade de arrancar respostas dela, saio apressada da cozinha e volto para o salão principal, onde me surpreendo ao ver Reese sentada com Carson. Ela está olhando as próprias botas enquanto Carson a observa com uma expressão de desamparo que eu reconheço — o olhar de alguém quase levado à submissão pelo silêncio impassível de Reese.

— Oi — falo ao me aproximar. — Carson, que surpresa boa.

— "Surpresa" é a palavra certa — comenta Reese.

Olho para ela com a testa franzida, pois não é justo descontar em Carson, que nunca percebe que isso está acontecendo, e Reese dá de ombros.

— Bom dia — a voz de Julia surge atrás de mim.

— Ah, ótimo, mais uma — solta Reese, porém soando um pouco mais gentil e parecendo quase arrependida ao sorrir para mim.

Eu me sento ao lado dela e tento não erguer as sobrancelhas quando Julia senta à minha frente. Nós costumamos ficar basicamente com nossos círculos sociais de sempre, mas será que agora que sou da Equipe do Barco Julia e Carson fazem parte do meu? Ou será que estão aqui para se certificar de que estou mantendo todos os segredos que devo de Reese?

O silêncio enquanto comemos é sufocante. Não tenho nada a dizer e sei que Reese certamente também não, e cada minuto que passamos aqui é um minuto que não estou à procura de Byatt.

Carson se senta mais ereta, abrindo a boca para começar um novo assunto, e Reese a impede com um olhar.

— Não precisamos conversar o tempo todo, sabe.

— Desculpa — digo, lançando um olhar de soslaio irritado para Reese. Pelo menos ela tem a decência de parecer se sentir um pouco culpada. — Só estamos cansadas.

— Sem problemas — responde Julia.

Na verdade, ela parece até aliviada por não ter que tentar puxar conversa. Há um hematoma novo aparecendo embaixo da camisa, e seu rosto está exausto, como se o machucado estivesse sugando sua vida enquanto cresce. Olho quando ela cospe sangue, deixando-o ali no chão, sem se preocupar em limpar.

Não consigo terminar minha metade da carne-seca. Só o cheiro já me deixa enjoada e, se eu prestar atenção, se pensar muito nisso, posso sentir um formigamento começando atrás de meu olho cego, quebrando a fina camada de dor. Reese não diz nada, apenas pega a carne-seca de minha mão e a guarda no bolso para mais tarde.

Ela se parece com o pai dela nessa luz. Como ele era antes. O mesmo queixo bem delineado, os mesmos olhos, tudo num tom dourado.

Eu me pergunto o que ela pensa quando olha para mim. Não em meus pais, já que nunca tive uma foto deles presa na parede, como algumas das meninas.

Não penso muito neles, em meus pais. Sei que deveria. Fiz tudo certo depois da Tox, naqueles primeiros dois meses, mais ou menos. Eu entrava na fila para falar com eles pelo rádio, e tínhamos conversas curtas e pouco naturais. Mas, então, nosso acesso foi cortado, e as coisas ficaram piores, e aí não importava mais. Porque, se eu vir meus pais de novo, eles vão querer ouvir que senti falta deles, que foi a pior coisa que aconteceu. E estaria mentindo, isso se sequer conseguisse dizer uma coisa dessas.

Uma parte de mim realmente achou que seria simples. Uma porta trancada em algum lugar escondido da casa, e Byatt do outro lado.

Uma parte de mim foi realmente estúpida.

Depois do café da manhã, Reese foi comigo para o lado de fora e ficou de vigia enquanto eu espiava a sala da Diretora pela janela. Nada, apenas a ponta de sua mesa antiga e uma pilha de caixas de papelão no canto.

— Byatt não está lá — falei para Reese, e repeti o mesmo ao verificar cada sala de aula e cada escritório. Cada despensa, cada banheiro. A casa inteira destrancada como se me esperasse, como se tivesse algo para provar. Por fim, já não aguentava mais, não conseguia pensar em outra coisa exceto o latejar em minha cabeça, não conseguia sentir nada além da culpa por falhar com Byatt dessa forma.

Então Reese pegou minha mão, como fez na noite anterior, e me levou para fora de novo. O ar fresco teve um efeito revigorante, despertando o sangue em minhas veias e diminuindo a dor de cabeça até quase não haver mais nada.

— Ainda temos essa noite — lembrou ela, baixinho. — Ainda não acabou.

Estamos no lado norte da casa, andando de bobeira até a ponta. À esquerda, o penhasco afinando até o nada do nosso lado do terreno e, mais adiante, um poste de espirobol e um conjunto de balanços enferrujados, ambos caídos para um dos lados, com a grama morta ao redor deles coberta de geada. Posso sentir o frio afiado em meus pulmões, como lâminas, e meu nariz está dormente, mas não me importo. Aqui fora eu consigo respirar. Aqui fora eu me sinto viva.

O espaço é tão aberto, totalmente diferente da pressão e da aglomeração da floresta, e estou pensando nisso quando digo tão repentinamente que Reese quase tropeça:

— Deveríamos pegar uma arma.

— Para quê?

Meu corpo relembra o tremor e o medo quando corri por minha vida naquele dia que cruzei o portão.

— Confie em mim, vamos precisar.

— Claro — diz Reese, franzindo a testa —, mas não é como se pudéssemos roubar uma do armário de suprimentos sem que Welch perceba.

Um grupo de meninas passa, tagarelando e indo lavar o cabelo, ou roubar uns cobertores, ou apenas achar um lugar novo para ficarem entediadas, e nós as cumprimentamos com o movimento da cabeça e um sorriso curto. Duas delas são do ano abaixo do nosso, e as outras são Sarah e Lauren, do nosso ano. Gosto de Lauren, mas Sarah é a menina que roubou minha última saia de uniforme limpa e me fez ganhar uma advertência por violação do código de vestimenta em minha terceira semana aqui. Também não suporto a maneira como ela se gaba sobre as próprias erupções. Um coração, dois batimentos — incrível. Ela acha que isso significa que ela vai viver mais. Eu acho que só significa que ela está ainda mais fodida.

— Oi, Hetty — diz Lauren, diminuindo o passo. — Sabe se vamos ter prática de tiro ao alvo hoje?

Welch teria avisado no café da manhã, e parte de mim quer lembrá-las disso, mas sou da Equipe do Barco agora. Sou a menina que elas procuram com perguntas.

— Hoje não — respondo. — Tenham um bom dia.

— "Tenham um bom dia"? — repete Reese baixo, e sei que, se olhar para ela, verei que está segurando um sorriso.

Lauren parece meio decepcionada, mas dá de ombros.

— Obrigada. Até mais, Hetty.

— Olha só para você — comenta Reese quando elas vão embora. — Parece um político. Ou um recepcionista de shopping.

É a forma como ela me provocaria se Byatt estivesse aqui, as mesmas palavras, a mesma expressão divertida. Mas é mais leve, de algum modo. Ou, pelo menos, não me incomoda.

Estou prestes a sugerir que entremos, talvez para ficarmos de olho na despensa na esperança de Welch deixá-la sem vigia durante o dia, quando Reese puxa minha manga. Ela faz um movimento na direção do estábulo, um pouco mais além, vazio e escuro.

— Prática de tiro ao alvo — diz ela. — Aí uma arma que podemos pegar.

— Como?

Mas ela já está andando, deixando um rastro de pegadas na geada.

O estábulo está vazio a essa hora. Apenas cocheiras desocupadas, poeira flutuando e as portas de correr abertas para o mar, com o vento frio passando por elas. Sigo Reese para os fundos, atrás dos fardos de feno empilhados para servir de alvo, até um baú trancado que deveria ser usado para guardar selas e estribos. Atualmente é onde Welch guarda a arma que usamos nas aulas.

— Aqui — diz Reese, agachando-se diante do baú. Há apenas um cadeado, do tipo que tem combinação, e parece enferrujado, como se fosse fácil de quebrar. Welch perceberia se o quebrássemos, mas estou prestes a dizer que algumas coisas valem o risco quando Reese começa a girar o disco, formando um conjunto de três números: 3-17-03. O aniversário dela.

A tranca faz um clique, abrindo, e ela olha para mim com um sorriso.

— Foi meu pai quem definiu a combinação — explica. — Imaginei que Welch não tivesse trocado. — Reese levanta a tampa e retira de dentro a espingarda, em uma pilha de rédeas velhas, tateando à procura de qualquer munição sobrando. — E agora?

— Deveríamos esconder a arma em algum lugar — digo, ainda surpresa com nossa sorte, enquanto ela guarda um par de cartuchos soltos no bolso, o metal agarrando em sua pele no frio. Teremos apenas dois tiros entre nós duas. — Perto do cerca, talvez, para ser fácil de pegar na saída.

Há um bosque de abetos à esquerda do portão, onde algumas das meninas mais velhas costumavam levar o namorado do continente nos dias de visita. Meu rosto fica vermelho ao pensar em ir lá com Reese, mas devemos conseguir guardar a arma em segurança ali até a noite.

— OK — diz Reese, e me entrega a espingarda. Eu a pego, insegura, mas apenas enquanto ela gira e tira o casaco. Eu estaria tremendo de frio se fosse Reese, mas seus braços só estão um pouco arrepiados. — Põe no cós da minha calça e alinhas com as minhas costas para ficar escondida.

Vai dar certo, mas não consigo evitar uma risada nervosa. Ela olha para mim por cima do ombro.

— Que foi? Tem um jeito melhor?

Talvez seja sua disposição de fazer isso comigo, de arriscar sua vida por Byatt porque eu pedi. Talvez seja o desenho de seu maxilar ou o brilho de seu cabelo. Mas ela me deu algo, então lhe devo alguma coisa também.

— Ei — falo. — Quer aprender a atirar?

Fico esperando que Reese exploda. Em vez disso, ela soa cuidadosamente inexpressiva ao responder:

— Eu sei atirar.

— Quero dizer no seu outro lado. — Um segundo de silêncio, e sua expressão se torna algo incerto. Mas não é um não, então tento de novo: — Atiro na direita. Poderia te ensinar.

— OK — diz ela.

Nervosa. Determinada. Assim como eu.

Entrego a espingarda para ela novamente e a guio para a parte da frente do estábulo, direcionando-a para o ponto onde o chão é forrado de serragem triturada. Reese ocupa sua posição, pondo o casaco outra vez, e eu me aproximo dela.

— Mostre como você se posiciona normalmente.

Ela se irrita. Uma semana atrás, eu diria que é porque detesta que lhe digam o que fazer. E é verdade, mas também acho que Reese odeia ser vista de outra forma que não seja como alguém forte.

— Só mostre — peço, delicadamente.

Com relutância, ela acomoda a parte de trás da espingarda em seu ombro esquerdo, com o cano posicionado em sua mão direita. Reese começa a tentar enganchar os dedos da mão prateada no gatilho, mas eles são muito finos nas pontas. Não consegue segurar e apertar.

— Viu? — diz ela.

— Certo — comento —, mas tudo bem. Agora mude de posição. Ponha seu pé esquerdo para a frente e incline o quadril.

Somos ensinadas a atirar no que Welch chama de postura de lâmina, com o ombro de apoio em direção ao alvo e o ombro do gatilho para trás. Ela diz que é para ter certeza de que vamos acertar logo de primeira, só para o caso de a munição parar de vir na remessa do barco e for preciso fazer valer o que temos.

Reese se ajeita, posicionando-se com a espingarda erguida na mão prateada e deixando sua outra mão próxima ao gatilho. Ela está mantendo os ombros da forma certa, mas dá para ver que não é como ela gosta pela maneira como os quadris ainda estão travados.

— Tem que fazer um esforço — falo. — Vamos lá.

— Não consigo ver direito dessa forma.

Dou uma risada.

— Se eu consigo enxergar com um olho, você consegue com dois.

Ela está inquieta, tentando fazer com que a arma se acomode direito, mas não vai conseguir se estiver nessa posição. Eu me aproximo por trás, estico os braços e deixo minha mão pairando sobre seu quadril.

— Posso?

Ela vira a cabeça, mostrando a pele delicada de sua nuca, e minha respiração fica ofegante. Um momento atrás, não era nada, isso não era nada, apenas ela e eu do mesmo jeito que já estivemos centenas de vezes antes. Mas não é a mesma coisa. Byatt não está aqui, e não há ninguém entre nós.

— Sim — responde Reese, baixinho. — Pode.

Apoio uma mão em seu quadril, enquanto a outra desliza para a cintura. Ela está quente através do casaco, viva e aqui comigo, e se eu mesma não sentisse, não acreditaria, mas está tremendo. Reese, impassível e afiada e de aço, tremendo em minhas mãos.

— Assim — indico, girando-a para ficar paralela a mim, seu corpo aprendendo o contorno do meu. Engulo em seco. — Mas mantenha a postura.

Ela ergue a espingarda de novo e, juntas, colocamos a arma na posição, meu toque mantendo os quadris dela alinhados, minha cabeça abaixada perto da dela. Seus cílios escuros contrastam com a pele quando ela fecha um olho para arrumar a mira.

— Isso — digo, trêmula. — Perfeito.

Mantemos a posição assim, seu corpo encaixado no meu, e então ela relaxa. Só um pouco, e não tudo de uma vez, mas isso faz com que suas costas venham de encontro ao meu peito. Meu coração dispara, uma batida trêmula após a outra rugindo em meu ouvido. Nunca estive tão perto dela, nunca vi a cicatriz na lateral de seu nariz ou o ponto atrás da orelha onde seu cabelo é penteado para trás. Parece macio, como um tecido fino, e não é minha intenção, não percebo que estou me mexendo, mas levanto a mão e passo a ponta do dedo sobre a veia que está aparecendo, um azulado quase invisível.

A cabeça dela gira, e eu tiro a mão com pressa. Minha boca aberta, o pânico aumentando. Não acredito que estraguei tudo. Fui longe demais e me aproximei demais, bem quando estávamos descobrindo como ser amigas.

— Desculpa — disparo. Qualquer coisa para que voltemos a um lugar seguro. — Não devia ter feito isso.

Ela apenas me encara, com a respiração ofegante e rápida. O ar gelado em pequenas nuvens condensadas ao redor dela, a espingarda pendendo de seus dedos prateados.

— O que foi isso? — indaga Reese, por fim.

Consegui ficar três anos sem nomear isso. Mas ali está ela, Reese com seu cabelo brilhante como uma estrela e seu coração de fogo, e eu sabia como chamar isso na noite passada em nosso quarto, o rosto dela lindo e estranho no escuro. Eu sabia no dia que a conheci, quando Reese me olhou como se eu fosse algo que ela não entendia. Soube em cada minuto entre esses momentos.

— Nada — respondo com firmeza. Nada, nada mesmo. Posso fechar essa porta. Tenho muito tempo de prática. — Não precisa se preocupar.

— Não, Hetty, precisa me dizer o que foi isso. — Ela apoia a espingarda na mesa improvisada, sem desviar o olhar do meu. — Precisa me dizer, porque sinto como se estivesse perdendo a merda da cabeça.

— O que você quer dizer? — pergunto, mantendo o tom o mais calmo possível. Consigo fazer isso, consigo fingir e explicar tudo.

Ela não está caindo.

— Quero dizer que você tem estado diferente comigo — explica ela, e eu poderia jurar que Reese está corando, mas lá está aquela contração teimosa do maxilar, a determinação feroz que conheço tão bem. — Quero dizer que você tem olhado para mim como se finalmente notasse que eu estou aqui.

Como se eu finalmente a notasse? Meu Deus, ela não tem ideia. Realmente não tem ideia.

— Isso não é...

— Então — insiste ela, me ignorando —, preciso que me diga o que foi isso agora pouco. — Um passo mais para perto, o brilho suave de sua trança cobrindo minha pele. — Preciso saber se você está no mesmo lugar que eu.

Fico sem ar. Ela não pode estar falando sério, pode? Não estou acostumada com isso, com esse desabrochar apertado do meu coração. Faz tempo demais desde que tive qualquer esperança.

— E que lugar é esse?

— Aqui — diz ela, me alcançando e entrelaçando nossos dedos, me encarando o tempo todo. E Reese parece tão segura, tão confiante, mas posso senti-la tremendo, assim como eu. Como se ela tivesse passado tanto tempo quanto eu desejando isso.

E talvez tenha mesmo. Toda vez que ela me cortou, toda vez que não consegui me aproximar, tudo porque Reese me desejava, e achou que eu jamais fosse querer o mesmo. E, se tem uma coisa na qual ela é boa, é autodefesa.

Mas consigo ver a verdade agora, e sei o que fizemos uma pela outra, as concessões, os insultos que engolimos. Nenhuma das duas conseguindo se desprender, mesmo com toda a dor de não desistir.

— Sim — confirmo. — Sim, estou aqui também.

Por um instante, não nos movemos, e tudo que ouço são as batidas do meu coração, como um relógio, marcando o tempo. Até que Reese solta um suspiro trêmulo, e então começamos a rir, uma se apoiando na outra, praticamente bobas de alívio.

— OK, que bom — diz ela, seus dedos prateados traçando cuidadosamente a linha do meu maxilar. Com tanta suavidade que mal consigo sentir, mas sinto, sinto, e isso me incendeia como um fósforo no papel.

Nossas risadas diminuem à medida que o corpo dela se encaixa no meu. Reese ainda está sorrindo quando me beija.

E eu também estou.

CAPÍTULO 10

É noite, e estamos de volta ao nosso quarto. Depois de deixar o estábulo, levamos a espingarda escondida até o bosque de abetos próximo à cerca e guardamos a arma lá sob uma camada de folhas mortas. Reese a meu lado como sempre, nada diferente entre nós, a não ser o olhar dela e o calor em meu sangue.

Agora ela está esparramada em minha cama, me observando enquanto ando de um lado ao outro do quarto. Cada centímetro que o sol se põe é uma nova camada de pavor, uma mola sendo pressionada em meu estômago. Mais e mais perto, o portão se abrindo e Welch levando Byatt para a floresta.

No corredor, as outras meninas estão subindo aos poucos, voltando para o quarto a tempo da verificação de quem está na cama. Reese e eu passamos o jantar no bosque de abetos, nenhuma de nós falando, as barras de ferro da cerca parecendo maiores e maiores. Não estou com fome — fico enjoada com culpa só de pensar em comida —, mas o estômago de Reese escolhe esse momento para roncar tão alto que posso ouvir do outro lado do quarto.

Paro de andar e olho conforme ela se senta, pega a carne-seca do café da manhã no bolso e enfia a maior parte direto na boca.

Deveria ter mais comida para nós aqui, penso, tentando não me encolher. E teria, se eu não tivesse ajudado Welch no cais.

Quando ela me vê observando, engole tudo de uma vez e estica o braço com o que sobrou.

— Foi mal — diz Reese. — Você queria?

Solto uma risada bufada. Isso é ridículo. Welch tirou minha melhor amiga de mim, e ainda estou aqui guardando seu segredo.

— Preciso te contar uma coisa — falo.

E então descrevo da forma mais simples possível. As sacolas, transbordando de comida naquelas embalagens estranhas, e a maneira como Welch apoiou a mão casualmente na arma ao perguntar se ela tinha feito a escolha certa. Reese fica de queixo caído enquanto falo. Olhos escuros me encarando da cama, arregalados, incrédulos.

— Você está falando sério — comenta ela quando termino.

Assinto com a cabeça. Não contei sobre o chocolate, mas não vejo que bem faria isso. E alguma parte de mim quer guardar isso para si.

— Aham — confirmo. — E nós simplesmente jogamos fora.

Ela não diz nada, apenas olha pela janela, com os punhos cerrados, e sinto minhas entranhas se corroendo. Não posso ter estragado as coisas entre nós. Ainda não, não quando mal começou.

— Está com raiva?

Ela ri com escárnio.

— É claro que sim.

— Mas quero dizer de mim.

Então Reese olha para mim e enrosca o dedo com hesitação em uma das pregas de cinto da minha calça. Como não percebi isso? O calor no olhar dela, só meu e de mais ninguém.

— Você não teve muita escolha, né?

Não deveria, mas isso faz com que eu me sinta melhor.

Do lado de fora, consigo ouvir Julia passando pelo corredor, parando em cada quarto para verificar se todas estão presentes. Reese e eu trocamos um olhar, e quando Julia, enfim, põe a cabeça para dentro do nosso quarto, estamos lado a lado em meu beliche. Bem onde deveríamos estar, duas meninas seguindo as regras.

— Três — diz Julia, então ela dá uma tossida delicada. — Desculpa. Duas.

Olho para o chão depois que ela sai, deixo meu mundo se reduzir às lascas de escuridão entre as tábuas de madeira. Welch vai sair para a casa Harker em algumas horas, e nós também. Abrindo caminho pela floresta, quebrando a quarentena. Lutando por nossa vida e pela de Byatt também.

Posso fazer isso por ela. Preciso fazer.

Os dedos frios e em escamas de Reese se fecham em meu pulso. A escuridão fica mais profunda a nossa volta, e, quando me viro para ela, a aura de seu cabelo está deslizando sobre nossa pele, o desenho de sua trança brincando no teto.

— Você deveria descansar um pouco — diz Reese, de um jeito tão suave que mal a reconheço. — Vai precisar lá fora.

— Não posso. — Do outro lado da janela, a lua está surgindo, e tenho apenas a lembrança de como ela iluminou o céu na noite anterior para marcar as horas. Eu afasto a preocupação que me sufoca. — E se nós perdermos a hora?

— Eu fico acordada. — O colchão se move junto com ela, e Reese põe seu casaco sobre meus ombros. — Vai lá.

Se eu estiver dormindo, pelo menos não vou me preocupar com o que estamos prestes a fazer. Permito que ela me convença a deitar e fico contra a parede, de lado, deixando metade da cama livre para ela. Eles são estreitos, os beliches de Raxter, feitos para uma pessoa, mas dividi a cama com Byatt desde o primeiro dia da Tox. Estou acostumada.

Ou pensava que estava. Reese se deita a meu lado, seu ombro contra meu peito, e não é nada como era. Nada como Byatt, cujo corpo parecia quase meu. Consigo sentir cada ponto em que meu corpo encosta no de Reese. Ouço cada respiração dela como se fosse o único som do mundo.

— Tudo bem? — pergunta ela.

— Aham.

Eu me acomodo, ponho meu rosto contra o pescoço dela. Fecho o olho e espero sonhar com Reese, com essa tarde no estábulo.

Em vez disso, é Byatt quem me espera, e eu pego sua mão e a levo para a floresta. Não há iluminação, mas de algum modo consigo ver enquanto a enfio em sua mortalha.

BYATT

CAPÍTULO 11

Contei uma história quando tinha 10 anos.

Foi logo depois das férias de verão. Minha melhor amiga era uma menina chamada Tracy, cujas roupas estavam sempre recém-passadas, e quando Tracy voltou para casa, ela me contou que tinha feito uma nova amiga na colônia de férias.

Eu não tinha ido à colônia de férias. Eu não tinha feito uma nova amizade.

Então contei outra coisa para Tracy. Contei que tinha conhecido uma menina chamada Erin. Erin, que andava a cavalo e nadava o ano inteiro. Ela estuda em outra escola, falei, e mora na minha rua, a apenas algumas casas de distância.

E eu escrevi cartas e disse para Tracy que eram de Erin. E tirei uma foto com a horrorosa da minha prima e a mostrei para Tracy, falando que era Erin. Então, um dia, contei para ela que Erin não estava mais em casa. Expliquei que a mãe de Erin havia dito que ela estava doente. E, no dia seguinte, me vesti de preto e falei para Tracy que Erin estava morta.

Tracy chorou. E foi chorar para a mãe dela, assim como para nossa professora, que me levou para a sala da diretoria e me perguntou o que tinha acontecido. E contei toda a história de novo. Porque eu gostava — *gosto* — de ver o que conseguia fazer.

Pisco e minha mãe está na janela, há uma janela, e minha mãe está lá, de azul como a manhã.

— Achei que tínhamos passado dessa fase — diz ela.

Tínhamos e, às vezes, continuamos assim, mas há essa tormenta em meu coração que não consigo pôr para fora. A janela se fecha e desaparece, e minha mãe fica mais e mais alta.

— Estamos muito decepcionados — comenta ela, com sua cabeça raspando no teto. — Decepcionados, decepcionados, decepcionados.

Normalmente, era um acidente. Uma mentira que nunca tive a intenção de contar. Um truque que não queria armar. Eu abria a boca, e algo estranho saía, algo novo, que não era meu. Como se houvesse outra pessoa dentro de mim.

Desculpa, dizia para meus pais, sempre que alguma coisa que eu tinha criado desmoronava. Não queria machucar ninguém. E, às vezes, isso até era verdade.

Mas, às vezes, não. Raiva, profunda e sombria, que não conseguia tirar de mim. Crescendo e crescendo até não haver espaço para mais nada.

Vá para Raxter, disse minha mãe. Comece de novo.

E tentei. Mas todos nós temos coisas nas quais somos bons.

Não sinto falta de falar. Achei que sentiria, mas é tão fácil assim. Se escrever qualquer coisinha no papel, eles já criam uma versão mental de mim. Que soa exatamente como deveria, que diz exatamente a coisa certa. Fazendo metade do trabalho por mim.

Quando Paretta retorna, vejo seu contorno pela cortina ao redor de minha cama. Eu a vejo parar no vão da porta e hesitar.

Como se estivesse relembrando o que eu fiz. Mas então ela puxa a cortina, e é o mesmo traje azul remendado, a mesma máscara com padronagem esmaecida. Eu me pergunto se eles têm equipamentos extras ou se os médicos tiveram que costurar os rasgos que fiz nas roupas deles.

— Bom dia — diz ela.

Minhas mãos estão amarradas. Não consigo alcançar o quadro-branco que Paretta apoia na cama, não consigo fazer nada a não ser um sinal de positivo com o dedão, e certamente não vou fazer isso.

— Sabe o que é uma frequência de ressonância?

Ergo as sobrancelhas. Que bela forma de começar o dia.

— É a frequência na qual um certo objeto vibra — explica Paretta, soando desconfortável, como se não estivesse acostumada a colocar nada de forma tão simples. — Quando a frequência de ressonância de um objeto é atingida, ele pode quebrar. Como um copo de vidro se você cantar a nota certa

Cerro meus punhos, desejando que ela me deixasse usar o quadro-branco. Não entendo por que Paretta está me contando isso.

— Quase tudo tem uma. — Ela me observa por um longo momento. — Até ossos, Byatt.

Engulo em seco. Lembrando da dor irradiando por mim, me partindo. Eu, Paretta e quaisquer outras pessoas que tenham me ouvido gritar.

— Não há nada — continua ela, delicadamente — que consiga atingir essa frequência a ponto de machucar. Nada a não ser você e sua voz. — Paretta estica a mão e apoia um dedo enluvado em minha garganta. — O que isso está fazendo com você, querida?

Eu não sei, quero responder. *Me diga você.*

Em vez disso, ela se afasta, a tristeza sumindo de seus olhos conforme a escuto pigarrear.

— Gostaria de mostrar uma coisa para você — diz Paretta, esperando brevemente uma resposta que não posso dar. — Mas acho que pode entender por que vou precisar da sua palavra, da garantia de que o ocorrido do outro dia não se repetirá.

Confirmo com a cabeça — afinal, o que mais posso fazer? —, e ela se inclina por cima de mim para soltar meus punhos. Perto assim, ela tem cheiro de suor, de sal. Vejo pedaços de pele ressecada na linha de seu cabelo, uma verruga no canto do olho.

Ainda não tenho força suficiente para ficar de pé sozinha, então Paretta precisa me ajudar a me sentar na cadeira de rodas. Tremendo debaixo dos cobertores, as pernas machucadas, as unhas do pé quebradas. Nosso corpo nunca parece estranho em Raxter, mas aqui eu me pego puxando a bainha da roupa hospitalar e me sentando ereta para esconder minha segunda coluna.

Ela acomoda o quadro-branco a meu lado, dobra meus dedos em torno da caneta e empurra a cadeira para fora da ala onde estamos. Tento prestar atenção em tudo, em cada curva que fazemos. A pequena recepção por onde passamos, com quadrados descoloridos na parede onde provavelmente havia algo pendurado, e o corredor por onde Paretta me leva, com carpete gasto e ar parado. Mas tudo entra e sai de minha cabeça, e não estou   não estou não estou   tão aqui quanto achei que estivesse.

Acho que talvez vá vomitar. Curvo meu corpo, coloco as mãos na testa e sinto o roçar do traje de Paretta em meu ombro, mas é quase imperceptível. Fecho meus olhos, tento desaparecer.

Quando os abro de novo, estou em outro lugar. Inicialmente, não sei para o que estou olhando, então pisco e as coisas se separam, o chão e o teto. Pilhas de caixas, carrinhos de cadeiras dobráveis e tudo coberto por lonas de plástico grossas. O chão ainda é de linóleo descascado, como todos os outros ambientes, mas há dois buracos profundos entalhados na parede. Vazios, mas iluminados como se normalmente fossem uma espécie de mostruário.

Pego o quadro-branco e o seguro diante de Paretta para chamar sua atenção antes de escrever.

O que é isso   onde estamos

— Uma parte são coisas armazenadas — explica Paretta, o que não realmente responde à pergunta, mas acho que isso é tudo que vai me contar.

Ela empurra minha cadeira por um caminho estreito entre duas estantes, cada uma coberta com um plástico transparente tão grosso que parece turvo. Outra parte do cômodo agora, essa quase como um laboratório, com duas mesas arrumadas com equipamentos que não reconheço. Sobre uma delas, acho que vejo os restos de um Raxter Azul, com a casca partida em pedaços, mas nos afastamos, e Paretta me leva para outro buraco escavado na parede, um que eu não tinha visto do vão de entrada.

Esse tem uma camada de terra, foi construído com mais de 30 centímetros de profundidade, e, florescendo ali, nesse cômodo, nesse prédio, há um quarteto da Íris de Raxter.

Meus olhos são tomados por lágrimas, e eu pisco, chocada. Mas sinto saudades. Sinto saudades de Hetty e Reese. No entanto, mais do que qualquer coisa, sinto saudades do amanhecer atravessando as árvores. Sinto falta do penhasco do lado norte e das ondas lá embaixo, e sinto falta do jeito como o vento rouba sua respiração, como se ela jamais tivesse pertencido a você para começo de conversa.

Antes que consiga me dar conta, estou esticando o braço para tocar numa das flores, e Paretta me puxa para trás, com seus dedos cobertos agarrando meu pulso.

— Isso — começa ela — seria fazer uma bobagem, creio eu.

Por que tem essas coisas aqui, escrevo.

Paretta gira minha cadeira de rodas para que fiquemos frente a frente. Queria que ela não tivesse feito isso. Já sinto saudades da flor da íris, do tom índigo familiar, do drapeado acetinado das pétalas.

— Nós temos estudado essas flores — explica Paretta, agachando-se diante de mim. — A flor da íris, e os caranguejos azuis também. Estamos chamando tudo isso de Fenômeno Raxter.

Um fenômeno. Não uma moléstia, não uma doença. Isso deixa meu coração em chamas, porque essa é a palavra que eu vinha procurando, mas há alguma coisa na maneira como ela diz isso. O nome muito familiar, fácil demais ao sair de sua boca.

— Eles ensinaram sobre o Raxter Azul na escola? — pergunta ela. — Sobre o que os torna especiais?

Assinto com a cabeça.

Você quer dizer os pulmões

— E as guelras — observa Paretta. — É bem incrível, não é? Assim eles podem sobreviver em qualquer lugar. E também acho bem incrível que agora vocês meninas fazem parte disso.

Parte disso. A forma como nosso corpo se altera e se molda. A forma como nossos dedos ficam escuros logo antes de morrermos, uma camada preta espalhando até os nós dos dedos. Eu costumava olhar para minha mão no escuro, enquanto Hetty dormia ao lado, e tentava fazê-la mudar de cor.

— Imagine como poderíamos usar isso. — Há urgência e confidência na voz dela. — Imagine as pessoas que poderíamos ajudar.

Penso nos corpos que cremamos, na dor que aguentamos.

Não acho que esteja ajudando ninguém nesse momento

— Certo. — Ela apoia a mão enluvada sobre meu joelho. — Você está totalmente certa. Para ajudar qualquer um com isso, precisamos conseguir curar a doença, controlá-la. E, para fazer isso, precisamos entender por que está acontecendo.

Boa sorte com isso

Ela balança a cabeça, e acho que consigo ver um vislumbre de sorriso pela máscara.

— Eu sei — diz Paretta. — Venho estudando isso há anos, Byatt. Primeiro os caranguejos, depois a flor da íris, e agora vocês, e não estou nem um pouco mais perto.

Há anos, penso enquanto ela se levanta e começa a levar minha cadeira até a mesa onde o caranguejo está exposto em pedaços.

Paretta deve querer dizer que estava aqui antes de a Tox nos achar. Aprendemos na aula de biologia que valia a pena estudar o Raxter Azul; nunca me ocorreu que alguém de fato estivesse fazendo isso.

Paretta me posiciona diante da mesa, ainda falando sobre alguma coisa, mas não estou escutando. Ali está o Raxter Azul, espalhado, com os membros destacados do corpo, a casca cuidadosamente colocada de lado para expor o interior. Espero o embrulho no estômago, mas, em vez disso, tudo que consigo sentir é o borrifar do mar naquele dia nas pedras com Hetty, quando o caranguejo ficou preto em minhas mãos. Ainda estava vivo à medida que se despedaçava.

Eu me pergunto se também estarei.

— Tenho uma coisa especial para você — diz Teddy. O relógio me diz que é de tarde, mas não o dia. O mesmo traje azul de plástico, a mesma máscara cirúrgica. Gosto dos olhos dele, penso. Parecem com os meus.

Primeiro, a amarra da esquerda é desafivelada, depois a da direita. O quadro-branco em minhas mãos, câimbra nos dedos.

Especial bom?

— Tem outro tipo? — responde ele. — Nós vamos lá para fora.

Sério

— Sério.

Por que lá fora

— A Dra. Paretta quer um pouco mais de cor nas suas bochechas. — Teddy puxa a cortina. A ala hospitalar é estranha, com as camas empurradas para um dos lados. — Ela sugeriu uma caminhada. Ir lá para fora foi ideia minha. Mas feche os olhos. Quero que seja uma surpresa.

Teddy, ansioso e feliz de ajudar, e invisível aos médicos daqui, cujo mundo se resume a meus prontuários e eu. Quebrando regras, porque ninguém disse a ele quais são elas.

Começo a fazer força para me levantar, mas ele apoia a mão em meu ombro.

— Eu te ajudo.

Ele ergue minhas pernas e as gira para que fiquem pendendo da cama. As mãos frias através do traje, os pelos de minhas pernas estáticos e arrepiados.

Meu casaco está enfiado no armário encostado na parede, e Teddy me ajuda a vesti-lo, prendendo as fivelas antes de se abaixar para amarrar os cadarços de minhas botas.

— OK — diz ele ao terminar. — Estamos prontos. Precisa de ajuda para se levantar?

Balanço a cabeça e fico de pé. Acho que estou ficando mais forte. Mesmo que não esteja, não preciso de ajuda.

Levo o quadro-branco e ponho a caneta no bolso. Teddy segura minha mão, me guiando para fora, passando por três esquinas. Eu as memorizo, organizando-as mentalmente. Quando ele diz que posso abrir os olhos, estamos diante de uma porta estreita e amassada. Não inteiramente fechada, e, pela fresta embaixo, posso ver um trecho de grama começando a morrer.

— Vá em frente — diz ele, então me ajuda a erguer uma das mãos para abri-la.

O vento me puxa, fazendo a bainha de minha roupa balançar. Tão frio que sei que vou ficar sem sentir nada, mas não vou me importar.

— Respire fundo. Devagar, com calma.

Assinto e tento não engolir tudo de uma vez, o cheiro temperado e doce. Juntos vamos para fora e deixamos a porta fechar atrás de nós.

Uma cerca, do tipo com arame por cima para evitar que pessoas saiam. Árvores próximas a ela, seus galhos entremeando-se no arame. Entre a cerca e eu, o terreno está inquieto — subidas e descidas formando pequenos montes, rachaduras onde o frio chegou ao fundo. A terra ficando marrom e quebradiça.

— Vem — fala Teddy. — Vamos caminhar.

Minhas pernas descobertas formigam com calafrios, e o suor me arrepia até os ossos, mas seguimos mesmo assim. Quanto mais perto chego, mais clara a cerca fica. Uma passada e outra, então meus joelhos cedem, e Teddy põe os braços em volta de minha cintura. Enfim ali, com a floresta se impondo. Enrosco meus dedos no elo da corrente.

O Campo Nash. Tem que ser. Se eu semicerrar os olhos, posso fazer com que se pareça com Raxter, com minha casa.

Teddy diz algo. O mundo barulhento demais. Apoio o quadro--branco na cerca.

Não consigo ouvir, escrevo.

Ele tenta de novo — merda, diz Teddy, está congelando —, mas finjo que não ouvi, balanço a cabeça. Estico o braço e dou um peteleco na máscara cirúrgica de tecido no rosto dele. Quero que ele a tire.

— De jeito nenhum.

Podemos entrar

Se você quiser

— Ei, não faz isso. Estamos nos divertindo aqui fora, não?

Aprendi quando era criança. Quieta. É assim que se consegue o que quer.

— Você sabe que eu realmente não deveria. — Teddy espera. Então provavelmente solta um suspiro e se afasta um pouco. — OK, mas você fica aí.

Porque ele tem 19 anos, porque não está pensando. Porque treinei esse sorriso vezes suficientes para saber do que é capaz.

Teddy coloca a mão atrás da cabeça, onde a máscara está amarrada, e mexe no nó até soltar. E lá está ele. Lábios carnudos. Maxilar bem delineado. Teddy.

— Byatt.

Aceno, e ele sorri. Levanto o quadro e apoio em meu quadril enquanto escrevo.

Não posso ir aí dizer oi

— Não — responde ele imediatamente, erguendo a mão para me manter afastada. — Você prometeu.

Não prometi, na verdade, e me certifico de que faço exatamente a cara certa, um pouco tímida, um pouco curiosa.

— Escuta — diz ele —, sei que deve ser solitário ficar sozinha naquela enfermaria. Vou tentar aparecer mais vezes, mas eu...

Ergo minha mão e a voz dele morre. *Não é a mesma coisa*, escrevo. E então, quando os olhos dele se arregalam um pouquinho, na medida certa, acrescento:

Você não pode pegar

Ele solta uma risada.

— Isso é verdade?

Claro que não. Mas quero o que eu quero. *Meninos não são permitidos*

Ele está pensando, mordendo o lábio enquanto franze a testa para mim. Em seguida, vejo os ombros dele relaxarem, como se Teddy tivesse soltado a respiração. Sabendo ou não, ele acabou de ceder.

Dou um passo. Outro. Ele não fala nada. Apenas observa, e quando vejo os dedos dele flexionarem — ficam ridículos nesse traje, mas não vou dizer isso para ele —, sei que Teddy está na palma de minhas mãos.

A boca dele é lisa e escura. Posso ver um corte na curva de seu maxilar, a mancha de sangue que ele deve ter se esquecido de lavar. Diminuo a distância entre nós, aproximo meu rosto do dele. Uma mecha de meu cabelo se solta, voando para a frente. Colando em seu lábio inferior. Observo seus olhos se fecharem.

É simples. Não é absolutamente nada. Chego um pouquinho mais perto, inclino a cabeça para cima, passo os dedos em seu queixo e guio a boca dele até a minha.

Ele me beija como se tivesse medo de mim. E tem, mas acho que não me importo.

Quando ele dá um passo para trás, não se afasta muito. Enrola meu cabelo em seus dedos e encosta em meu quadril com a outra mão. Posso ver que ele quer perguntar. Está em cada olhar, cada toque que mal está lá.

Apoio o quadro-branco em seu peito, e ele ri enquanto tento escrever de cabeça para baixo, para que ele consiga ver sem me soltar.

Vá em frente

Pergunte

— Perguntar o quê?

Lanço um olhar para ele, reviro os olhos, e ele sorri sem graça.

— Só estou me perguntando a respeito do que exatamente isso faz com você.

Pego a mão dele que está em meu quadril e a deslizo para minhas costas, onde os cumes de minha segunda coluna estão perceptíveis mesmo através do casaco. Os olhos dele se arregalam quando ele sente a curva e as pontas do osso novo.

— Merda — solta ele, e eu abafo uma risada. — Todas vocês têm essa parada aí?

Digo que não com a cabeça. *Algumas de nós apenas morrem*

— Mas quero dizer...

Eu sei

Escrevo uma lista. As guelras de Mona. O olho de Hetty. Até tento desenhar a mão de Reese, e há outras centenas de erupções que não consigo me lembrar, de centenas de meninas. Ver tudo aquilo descrito mexe comigo. O jeito como a Tox nos molda à semelhança dos animais ao redor, tentando mudar nosso corpo, forçando-o a ir além do que está disposto. Como se estivesse tentando nos tornar melhores, se ao menos conseguíssemos nos adaptar.

— Isso parece assustador — comenta Teddy quando termino, com os olhos arregalados, o rosto solene, e não consigo deixar de rir.

Acho que sim   difícil no começo

— E depois?

E depois. Hetty e Reese e alguém que precisa de mim. Algo selvagem em todas, como o que sempre senti dentro de mim. Só que de verdade dessa vez. Em meu corpo, e não só na cabeça.

Nem tanto

— Eles vão dar um jeito. — Ele passa o dedo em minha bochecha, com a luva de plástico agarrando na pele. — O que quer que a Tox seja, eles vão arrumar uma solução.

Movimento na floresta, um pássaro voando. Ele se vira para olhar. Não consigo ver nada além de sangue, descamando de sua pele ao vento.

Vamos voltar para dentro

De volta à ala hospitalar, a minha cama. Cortinas fechadas, retiro o casaco e as botas. Mãos livres, quadro-branco apagado.

— A Dra. Paretta vai chegar em um minuto — diz ele, piscando um olho conforme põe a máscara, amarrando-a com força. — Se ela perguntar, você realmente adorou dar voltas em seu quarto.

Quando aparece, Paretta está usando o mesmo traje azul e carrega uma pilha de arquivos, um bloco e um lápis, assim como com um tripé e uma câmera. Seu cabelo é escuro e brilhante, e há linhas profundas ao redor de seus olhos. Imagino se há marcas parecidas sob a máscara, nos cantos da boca.

— Como está nessa tarde, Byatt?

Dou de ombros. *Bem*

— Temos diminuído sua dose de Diazepam. Espero que não esteja sentindo dor.

Balanço a cabeça. Aponto para o quadro-branco.

— Foi muito útil conversar com você ontem. Gostaria de fazer mais algumas perguntas, se você deixar. — Ela apoia a câmera em minha cama e começa a montar o tripé. — Bom, sei que isso vai ser pouco convencional. Normalmente, numa entrevista assim, eu faria anotações. Mas, como você vai escrever coisas, talvez isso seja mais fácil.

Com o tripé estável, ela coloca a câmera no suporte.

O que eu faço

— Vou fazer algumas perguntas, e você só precisa responder, mostrando o quadro para a câmera. Simples assim.

Ela vira a tela, uma luz vermelha acende. Paretta se senta na cama, perto de meus pés, e apoia o bloco de notas sobre o joelho.

— Antes de começar a falar sobre a doença particularmente, notei algo no seu prontuário, algumas informações faltando. Pode me falar de seu ciclo menstrual? Tem sido regular durante a quarentena? Sei que estresse e alimentação podem ter um grande impacto nessas coisas.

Nós paramos de menstruar depois da Tox

Paretta se inclina para a frente.

— Isso é muito útil, na verdade, Byatt. E aquelas de vocês que não tinham chegado à puberdade antes da quarentena?

Na realidade, nunca me ocorreu pensar nisso. Mas ninguém nunca reclamou quando os suprimentos vieram sem absorventes internos e externos.

Acho que elas nunca ficaram menstruadas

— Mas elas exibem sintomas da doença, certo?

Aham

— E suas professoras? — Há um brilho nos olhos de Paretta, ansiedade em sua voz. — Elas apresentam os sintomas da mesma forma que vocês?

Na verdade, não sei ao certo. Mas algo me diz que nem Welch nem a Diretora estão escondendo uma coluna como a minha embaixo das roupas. Elas estão doentes, sei disso. Vi as feridas na pele das duas, vi os olhos vidrados e ausentes quando a febre chega. Mas não como nós.

Não as que sobraram

— E elas seriam a diretora e quem mais?

Sra. Welch

E as duas é que estão mais próximas do normal, não são? Elas é que deveriam estar aqui, e eu deveria estar em meu quarto, com Hetty ao lado, me segurando com tanta força que me deixa sem ar.

Gesticulo para o quarto, sorrio com um quê de amargura. *Deveria usá-las para sua cura*

Paretta lê o quadro e vejo um franzido em sua testa.

— Queremos uma cura, Byatt — diz ela após um momento. — Mas há tantas outras perguntas que precisam ser respondidas. Tenho certeza de que entende.

Não entendo

Ela continua como se eu não tivesse escrito nada.

— Tenho registros de apenas a uma pessoa na ilha ter sido atribuído o sexo masculino ao nascer. Um Daniel Harker?

O pai de Reese. Não sei bem o que mais ela quer de mim. Se quisesse saber sobre o Sr. Harker, deveria ter escolhido Reese.

— Como ele reagiu? Igual às meninas?

E a questão é que no começo, sim. Com raiva, como algumas de nós. Violento, como algumas de nós. Mas a maior parte se controla, e ele estava quase enlouquecendo quando foi embora.

Não

Isso é o máximo que consigo especificar.

— Interessante — comenta Paretta.

Ela mexe no bloco de papel, e a vejo escrever algo. A maioria das palavras é difícil demais de ler, mas enxergo a palavra "estrogênio" e, acima dela, "adrenal", uma palavra que acho que me recordo de uma aula de biologia no primeiro ano sobre puberdade. Talvez isso tenha algo a ver com a forma como as professoras morreram, em vez de darem à Tox um lugar para se instalar, como acontece conosco.

— Isso pode soar estranho — começa Paretta depois de encarar suas anotações por um tempinho, um pouco maior desta vez —, mas por acaso a Diretora... já passou de uma certa idade?

Como se não pudéssemos simplesmente dizer "está na menopausa". A Diretora cancelou pelo menos duas assembleias em meu primeiro ano por causa de suas ondas de calor.

Sim

— E estou correta — continua Paretta — em dizer que nenhuma de vocês estava fazendo terapia de reposição hormonal, sim?

Até onde sei, sim

Mas me lembro de um dos sermões que Welch nos deu quando encontrou uma camisinha nos mimos que Lindsay recebia do continente. Estejam preparadas, disse ela, e conheçam suas opções, e o DIU pode ser a melhor escolha para algumas, mas para outras...

Espera é a pílula

Ela já está folheando a pilha de arquivos antes mesmo de eu terminar de escrever.

— Charlotte Welch, 26 anos. Ah, sim. Uma receita de pílula anticoncepcional para controle hormonal. — Paretta olha para mim, sorrindo com sarcasmo. — Imagino que seu acesso a esse medicamento tenha sido limitado, o que definitivamente pode ter influenciado.

Por que está sorrindo? Quero perguntar. *Esse acesso limitado que você acha tão engraçado é culpa sua.*

— Certo — diz ela, fechando a ficha médica. — Vamos ter que investigar isso. Agora, com relação ao resto, estou aqui para aprender o máximo que puder de você a respeito do surto. Quanto mais eu souber, mais fácil será para nós descobrirmos como tratar isso.

Você sabe o que é?

Centenas de perguntas, mas essa é a mais importante.

— Não temos certeza — responde Paretta. — Nossos testes não indicam muita coisa. Jamais vimos algo assim. Vocês meninas têm sintomas tão variados.

Vocês meninas, diz ela, como se não fosse algo que valesse a pena falar a respeito. Mantenho meu rosto inexpressivo, guardo essa informação. Deixo que ela pense que não notei. Ainda melhor, deixo que ela pense que não me importo.

— Pelo menos sabemos que não é transmitido pelo ar — prossegue Paretta — e não pode ser contraído de superfícies contaminadas, o que tem ajudado com a contenção. Mas precisamos de sua ajuda para saber mais. Então, Byatt, vamos começar com o momento antes de isso acontecer.

Antes do quê. Antes de eu chegar lá, antes de Raxter mudar, antes de eu achar esse lugar no mapa.

Aqui está Boston em minhas mãos, escorrendo por meus dedos. Tijolo e pedra e um punhado de ruas em um ciclo sem fim. Ando e ando e me perco e sempre volto.

E, por outro lado, Raxter. Nenhuma balsa no horizonte, o continente bem longe, cada vez mais. A água e o litoral renovados a cada dia. Tudo é o que quer ser. Tudo é meu.

Estou enterrada lá não importa para onde for.

— Consegue se lembrar de alguma coisa antes do evento? Alguma coisa estranha, diferente?

Dou de ombros. *Tudo estava normal, acho*

Mas Hetty me contou uma coisa. *Algumas meninas brigaram no café da manhã no dia que começou*

— Que tipo de briga? Elas discutiram?

Não tipo puxão de cabelo

Mas não vi

— OK. E quem ficou doente primeiro?

A maioria eram meninas do terceiro ano e depois professoras

Da sua idade

Paretta dá uma bufada.

— Não vou perguntar quantos anos você acha que tenho.

Começo a escrever, e ela ri abertamente, pondo uma das mãos sobre os olhos.

Nasceu ontem

— Que gentil.

Para a maioria das professoras, o fim chegou rápido. Nossa enfermeira era jurássica — acho que ela morreu até mesmo antes de a Tox chegar nela —, e algumas outras foram para a floresta e nunca mais voltaram. Para poupar comida para o resto de nós, era isso que dizia o bilhete que deixaram. Mas o restante, mulheres da idade de minha mãe, com fios grisalhos começando a surgir no cabelo, morreu como se fosse uma febre. De um dia para o outro. Seus dedos nem ficaram pretos como os nossos.

— E quantas meninas você diria que sobraram?

A pilha de arquivos surge diante de mim. Tantos nomes, tantas meninas mortas há tempos. Parei de contar depois de um tempo, puxei as fronteiras do mundo para bem perto, de modo que apenas nós três estivéssemos dentro.

Talvez 60 mas não tenho certeza

— Suas amigas? Hetty e Reese? Elas estão bem?

Eu nunca disse. Jamais diria. Deixo o calor ir embora. Meu maxilar fica rígido, os olhos semicerrados.

Como você as conhece

Ela me dispensa com um gesto vago.

— Conhecemos todas vocês.

Aí está de novo. Falado com leveza, como se não fosse nada, mas estava escrito "RAX009" na pílula que ela me deu. E, se eu sou 009, uma de minhas meninas será 010?

Não. Elas são minhas, e não vou abrir mão das duas.

Ela está bem

Estamos todas bem

Sei que Paretta quer mais. Não vai conseguir.

Você fez suas perguntas   minha vez

Paretta se mexe na cama, quase desconfortável. Ela parece os terapeutas para os quais minha mãe costumava me mandar quando eles percebiam que eu não ia me abrir da forma como queriam.

— Claro.

Por que eu

Eu a observo com cuidado e, quando ela sorri para mim, posso notar a tristeza abaixo da superfície.

— Vou contar a verdade, Byatt — diz Paretta. — Na realidade, não há razão alguma.

Acho que ela esperava que eu fosse ficar magoada. Mas é um alívio mais do que qualquer coisa. Não sou especial. Não sou imune. Não sou melhor em lutar contra isso, o que é bom, porque não quero.

Lugar certo, hora certa?

— Sim. — Ela se levanta. — Algo assim.

Foi com Mona que isso começou, para mim. Quando ela desceu da enfermaria, eu não conseguia acreditar. Não conseguia acreditar que ainda estava viva. Perguntei como ela estava e o que tinha acontecido, e Mona não falou quase nada.

Eu estava prestes a sair quando ela pôs a mão na parte interna de meu braço. E então disse com uma voz irritada:

— Eles vão estragar isso.

Ao me virar, vi a Diretora falando com Hetty. E me observando.

Naquela noite, depois do turno da Equipe das Armas, depois da erupção de Mona, saí escondida do beliche que divido com Hetty. Quando voltei, disse a Reese que tinha ido ao andar de baixo, e, como era Reese, ela não perguntou, e eu precisava que fosse assim porque não era verdade.

Na realidade, fui até o quarto de Mona. As amigas dela tinham ido ficar juntas no mesmo quarto e a deixado sozinha, então ela estava dormindo no quarto individual no fim do corredor. A porta estava destrancada. Eu entrei. Quase não havia luz vindo da janela, mas eu podia vê-la de bruços no beliche de baixo.

— Ei — sussurrei. — Ainda está viva?

Ela não respondeu, por isso fui até ela e a chacoalhei até seus olhos abrirem. Mona estava com uma cara péssima, as guelras em seu pescoço agitando-se devagar, com os contornos desgastados e ensanguentados.

— Vá embora — disse Mona.

Em vez disso, me ajoelhei diante dela. Não ia sair até que conseguisse o que queria.

— O que quis dizer no salão hoje de manhã?

Mona se sentou. Muito devagar, como se fosse a coisa mais difícil de todas, até por fim me encarar, as pernas cruzadas, o cabelo ruivo brilhando tão pouco que quase não o notei. Ela respirou profundamente e, ao terminar, achei que tivesse esquecido que eu estava ali. Mas então Mona ergueu a mão, percorreu com um dedo trêmulo os lábios recortados de suas guelras.

— Você manteria — começou ela. — Se pudesse. Certo?

Não tinha como fingir que não sabia o que ela queria dizer. Hetty chorou quando perdeu o olho, e algumas vezes já até peguei Reese olhando para sua mão com escamas como se preferisse simplesmente a amputar. Mas eu nunca me incomodei. Sangrei e gritei, mas esse é o preço para dormir em paz.

— Não — menti. — Você manteria?

Mona estava com a aparência tão cansada. Quase me senti mal por ela.

— Vá dormir, Byatt — disse Mona.

Mas eu não conseguia encarar meu quarto e meu beliche, então fui para o andar de baixo, vaguei pelo salão principal, andando pelas rachaduras entre as tábuas. E pensei sobre Mona, e sobre mim, e é claro que iria manter.

Porque acho que estive procurando isso a vida inteira — uma tempestade em meu corpo que se igualasse àquela em minha cabeça.

Foi então que Welch me encontrou. Contei a ela que estava com dor de cabeça, e ela pôs a mão em minha testa e me levou para a enfermaria, onde tirou meu sangue — por precaução, explicou ela, só por via das dúvidas —, e depois me mandou voltar para o quarto. E, quando cheguei lá, fui para a cama de Reese. Reese, que não me forçaria a mentir.

Se eu não tivesse falado com Mona. Se não tivesse saído do quarto naquela noite. Há um milhão de possibilidades que poderiam ter me levado a lugares diferentes, realidades em que eu nunca teria vindo parar aqui, mas nenhuma parece possível. Sempre estive nesse caminho. Isso sempre já aconteceu.

CAPÍTULO 12

—E como tem se sentido?

Dou de ombros.

— Nenhum estresse? Nada que tenha desencadeado uma reação emocional mais acentuada? Porque você passou por vários momentos.

É a primeira vez que vejo essa mulher. Ela entrou depois de Paretta. Não perguntou meu nome, apenas puxou uma cadeira de rodas para perto da cama e se sentou como se o quarto fosse dela.

— Está desconfortável com alguma coisa? — pergunta ela.

A mulher está vestida da mesma forma que Paretta, o mesmo traje de proteção e uma máscara cirúrgica. Só que a máscara dela é de plástico transparente. Para que eu me sinta conectada com ela, acho, mas, na verdade, isso só acaba distorcendo a parte de baixo de seu rosto.

— Byatt? — diz ela, inclinando-se para a frente.

Desvio o olhar, me curvo sobre o quadro-branco. *Não estou desconfortável*, quero escrever. *Apenas entediada.*

Em vez disso, me contento com *Não*

— Não?

Sem desconforto

Ela assente e encosta na cadeira. Eu olho para baixo, para onde as cobertas estão sobre minhas pernas.

— Você sabe meu nome? — pergunta a mulher.

Não

— Gostaria de saber?

Aponto para o quadro-branco.

— Por que não?

Mantenho minha boca fechada, apenas pisco devagar para ela, e a mulher assente como se isso significasse algo.

— E sobre o que eu faço? — indaga ela. — Gostaria de saber isso?

Você é uma terapeuta

— Como sabe?

Reviro os olhos.

— Já esteve em uma?

O que você acha

— Vamos tentar outra coisa — diz a terapeuta.

Sei quem ela é. Novinha em folha, mas já estive com outros do tipo, umas mil vezes. É assim que eles me olham quando não me abro.

A terapeuta ergue a prancheta e me entrega um livro fino e de capa dura que ela estava guardando. Azul-marinho, com letras douradas em alto-relevo. Eu o reconheço. Um anuário de Raxter. O último que fizemos antes da Tox, o único ano que tive inteiro.

Apalpo, procurando o quadro-branco.

Como conseguiu isso

Ela não responde. Abre o livro, folheando devagar.

— Esse foi seu primeiro ano em Raxter, correto? O ano antes da Tox? — Dou de ombros. — Você não aparece muito aqui.

Não gosto de fotos

— Ah, olha. Aqui tem uma. — Ela me oferece o livro e eu o pego, apoiando-o sobre minhas pernas.

Sou eu, Hetty e Reese, sentadas juntas em um sofá do salão principal. Hetty está olhando para mim, me contando uma história ou algo assim, e Reese está atrás de mim, acomodada no braço do sofá enquanto faz uma trança em meu cabelo. Ela está sorrindo — apenas um pouco, mas está —, e meus olhos estão fechados, com minha cabeça inclinada para trás conforme rio. Quase poderia ser Raxter da maneira que é agora, mas o sofá está bonito e inteiro e, aos fundos, há um vaso da Íris de Raxter no peitoril da janela.

— Quem são elas? Digo, suas amigas.

Eu me aproximo mais da página. O olhar de Hetty é caloroso, seus olhos bem abertos e alegres. Quase tinha me esquecido de sua aparência com os dois funcionando.

— Essa é Hetty, certo? Hetty Chapin? E essa seria Reese Harker.

Fecho o livro quando a terapeuta se aproxima e o coloco embaixo do quadro-branco. Outra pessoa da equipe de Paretta fazendo perguntas sobre minhas amigas sem nenhum motivo decente. Não vou deixar Hetty ou Reese ser a próxima menina nessa cama.

Por que quer saber

Ela inclina a cabeça e recosta na cadeira, cruzando as mãos sobre as pernas.

— Você quer protegê-las. Eu entendo. Mas está tudo bem, Byatt. Elas estão seguras. A Sra. Welch e sua diretora estão cuidando delas.

Algo dentro de mim se rompe. Eu pulo da cama. Rápido demais, a cabeça girando. A terapeuta me observa com uma mão no botão de assistência na lateral da cama. Para emergências.

— Byatt — diz ela. — Preciso que você se sente novamente.

O mundo desaparece. Fora de foco, oscilando, exceto pela veia no pescoço dela. Posso vê-la pulsar. Num piscar de olhos, estou em cima da terapeuta. Outro piscar de olhos e ela está acionando o botão de assistência, e um alarme dispara. Mais um e meu joelho está enfiado abaixo das costelas dela, minhas mãos segurando seu antebraço com força, e o traje rasgado. Outro piscar de olhos e minhas unhas fazem estrago.

— Byatt! — grita alguém. — O que você está fazendo?

Os braços de alguém prendem minha cintura, e sou puxada para trás, para longe. Sou jogada no chão, minha cabeça dói. A terapeuta está segurando o braço perto do peito, com fios de sangue escorrendo dele. Marcas, curvas gêmeas, profundas em seu pulso. Minha boca está molhada e pegajosa.

Abro um sorriso, tudo a meu redor tão vivo e novo, e então some, e estou sozinha novamente. A mão de alguém passa perto de minha boca. Uma picada no ombro e um breu.

O estalo de um tapa em minha cara para me trazer de volta. Arquejo sobressaltada.

— Tirem a menina daí, vamos.

Acima de mim, luz e movimento. Estou na cama, meus braços presos nas laterais novamente. Meus olhos começam a ficar límpidos, vultos viram pessoas, e Paretta é o primeiro rosto que se forma, inclinando-se sobre mim e falando com rispidez:

— Peguem as pernas dela.

Alguém pressiona, juntando minhas coxas. Eu me agito, algo debatendo-se em mim desesperadamente conforme as amarras apertam mais. Outra amarra nos quadris, e mais uma nos tornozelos. Meus pulsos. E pela primeira vez, uma em meus ombros, e eles vêm em direção a minha testa e meu maxilar.

Eu me contorço, tento deslizar para baixo para ficar com mais folga nos quadris, e Paretta vem para cima de mim, me segurando novamente contra a cama.

A tira ainda não foi colocada sobre meu queixo, e jogo a cabeça de um lado para o outro. Vou gritar, vou mesmo, e vai machucar todos nós, mas melhor isso do que só eu.

— Não a deixem falar! — grita Paretta.

Alguém atrás de mim agarra minha cabeça com as duas mãos, e então Teddy aparece, o rosto de Teddy, e ele está fazendo carinho em meu cabelo.

— Está tudo bem — diz ele repetidas vezes. — Relaxa. Estou aqui.

Está quase tudo OK. Mas sei o que procurar, e vejo quando aparece. O calor nas bochechas dele. O modo como, apenas por um segundo, ele parece assustado.

Começa com uma onda no corpo, subindo por ele. O suor surge em sua testa. E então um calafrio que não para, e Teddy cai sobre mim, baba escorrendo por seu queixo. Ele arranca a máscara e cospe algo que pousa em meu peito. Uma lasca de algo branco, brilhante. Osso.

— Teddy. Ai, meu Deus. — Paretta está com ele em um segundo, ajudando-o a ficar de pé, mas os membros dele estão cedendo, um a um.

— Teddy, você consegue me ouvir? Teddy!

E eles se esquecem de mim, me deixam na cama com as faixas soltas o bastante a ponto de eu conseguir me virar e ver onde ele está no chão. Já com os olhos inteiramente brancos. Pequenos tremores percorrendo seu corpo.

E então ele está em uma maca, sendo levado embora, e eu, eu ainda estou aqui.

HETTY

CAPÍTULO 13

Acordo com o som de meu nome e Reese me sacudindo gentilmente. Minha pele está úmida, suor encharcando a parte de trás de minha camisa, e minha garganta dói, como se eu estivesse tentando não gritar.

— Está na hora — sussurra ela.

A casa está quieta, nenhum mínimo barulho dos outros quartos para furar o silêncio, e a lua está tão alta que não consigo vê-la pela janela. Deve ser depois de meia-noite. O sol não vai aparecer por mais algumas horas nessa época do ano, mas o gramado parece de vidro, brilhando com a geada. Devemos conseguir ver bem o suficiente na floresta sem uma lanterna.

Nós nos levantamos, com movimentos lentos para manter os passos suaves. Hesito diante da porta do quarto. Nesse momento, Byatt está viva. É o que sei. Sair significa pegar esse pensamento e forçá-lo para ver se quebra.

— Pronta? — diz Reese atrás de mim.

Byatt está viva. Está viva e precisa de mim, como eu sempre precisei dela.

— Aham.

Saímos e seguimos pelo corredor, Reese com o capuz para cima, para conter a luz do cabelo, e andando tão perto que posso sentir o dorso dos dedos dela roçando nos meus. Não há mais ninguém acordado — ou, se alguém está, está sendo silencioso —, então passamos pelos outros quartos e chegamos ao mezanino sem dificuldades.

Nós nos agachamos no topo das escadas, meu olho se esforçando para achar a menina que geralmente fica de guarda na entrada da frente. Eu me pergunto se ela ajudará Welch a levar Byatt até a casa Harker ou se Welch fará isso sozinha.

Não consigo ver ninguém, mesmo com a luz prateada passando pelas janelas, mas talvez seja apenas meu olho cego, então cutuco Reese.

— Onde ela está?

— Não sei — responde Reese. Olho para trás, e ela está franzindo a testa. — Alguém deveria estar de plantão.

— Ela deve ter trocado os horários. — Nós duas sabemos por que, mesmo sem dizer em voz alta... Welch não quer que ninguém veja o que ela está prestes a fazer. Uma vantagem para ela, mas para mim também, e não vou deixar essa oportunidade passar. — Vamos lá para fora.

Fico de pé e desço os primeiros degraus devagar, com meu olho tendo dificuldade de ver os contornos no escuro. Um passo após o outro, com Reese próxima a meu cotovelo, até chegarmos no térreo. E, ainda assim, ninguém — nenhuma das meninas de guarda para nos pegar, nenhum sinal de Welch. Viemos cedo demais? Ou tarde demais?

Reese abre uma das portas duplas, e saio silenciosamente em seu encalço, hesitando na varanda conforme o vento frio de inverno se enfia em meu casaco. Tenho a sensação de que as meninas da Equipe das Armas não estão de plantão, assim como quem quer que fosse que deveria estar vigiando a porta, mas não posso me arriscar.

A Equipe das Armas sempre mantém uma lanterna acesa depois do pôr do sol. Espero enquanto Reese puxa o capuz sobre o cabelo, fechando-o bem, e se esgueira noite adentro para espiar o terraço.

— Nada — confirma ela, com o vapor de sua respiração flutuando no escuro. — Tudo certo.

Tudo isso acontecendo em segredo. Não posso pensar no que isso pode significar para Byatt.

Saímos então, seguindo o caminho de pedra em direção ao bosque de abetos próximo à cerca. Reese me espera enquanto busco a espingarda, meus dedos dormentes e a terra congelada entrando sob minhas unhas. Ela está bem onde a deixamos, e eu deveria estar contente, mas nunca quis que fosse assim. Não queria precisar de uma arma, não queria que a vida de minha melhor amiga dependesse de mim.

Espero por um momento, pensando no bilhete fixado no mural no salão principal. Mantenham a quarentena, disseram eles. Sigam as regras e ajudaremos vocês.

Uma faca em meu cinto e uma espingarda em minhas mãos. Um ano e meio do céu vazio, de não ter remédio suficiente, de corpos sendo cremados atrás da escola. Nós mesmas temos que nos ajudar.

No portão, eu vou primeiro, abrindo-o o mais cautelosamente possível para não me cortar nos pedaços de vidro que prendemos nas barras. Todo mundo pode abri-lo do lado de dentro da escola, mas ele trancará quando sairmos, e a chave pendendo do cinto de Welch é a única maneira de entrarmos de novo.

— Tem certeza sobre o limite norte? — pergunta Reese.

Ela está falando do meu plano para voltarmos para casa. É mais nossa única opção do que um plano, mas tenho quase certeza de que conseguiremos nos erguer e passar pela cerca no local onde ela encontra o penhasco no lado norte da ilha.

— O máximo que consigo ter — digo, e isso tem que ser bom o bastante. Não temos outra escolha.

Reese lidera conforme seguimos em direção aos pinheiros. Árvores aglomeradas, as agulhas formando um tapete de folhas mortas, doce e úmido. Mesmo a ilha tendo mudado, mesmo sendo eu quem esteve lá fora desde que a floresta se tornou estranha e cruel, acho que ela ainda a conhece melhor. Somos todas meninas de Raxter, mas não como Reese.

Às vezes ela nos contava sobre a ilha. Sobre os lugares secretos que tinha descoberto — as praias nas quais só se podia chegar com a maré baixa, as trilhas passando pelo mato. Ela nos contava das vezes que seu pai a acordava no meio da noite para levá-la ao litoral rochoso, para ver as ondas cobrindo as pedras com seu brilho bioluminescente, um branco suave como a luz do cabelo dela. Naqueles primeiros dias de volta às aulas depois das férias de verão, ela ficava olhando pela janela, ainda bronzeada, as sardas aparentes, com um olhar como se estivesse presa.

Se ao menos fosse assim para mim aqui fora. Em vez disso, para todo canto que olho, tem alguma coisa de que ter medo. Cada som é um animal surgindo por trás de nós. Ponho a espingarda sobre o ombro e lembro a mim mesma que tenho apenas dois tiros.

Já estamos tão para dentro da floresta que não consigo ver a cerca ao olhar para trás. Acima de nós, as copas deixam passar apenas minúsculos rastros de luz. Quero pedir para Reese tirar o capuz, para deixar a luz de seu cabelo mostrar o caminho, mas não podemos arriscar sermos vistas por Welch, ou por quem quer que seja que ela está indo encontrar. Então fico bem perto de Reese, confiando que os olhos dela estão conseguindo ver melhor no escuro do que o meu.

Um galho se parte ao longe, e nós paramos, nos apertamos atrás de um pinheiro e esperamos. Welch, talvez. Ou outra coisa, algo pior. Meu coração está acelerado, os nervos à flor da pele. O que quer que seja, estamos mais seguras no escuro do que eu estava naquele dia com a Equipe do Barco. Temos que estar.

— Ei — sussurra Reese. Ela está bem agachada, inclinada no tronco da árvore. — Acho que está tudo bem.

Como poderia estar tudo bem aqui?

— Mesmo?

— Aham. — Ela se levanta, gesticula para eu seguir. — É só um veado.

Espio por cima do ombro dela, e ali, andando em nossa direção num canteiro iluminado pelo luar, está uma dupla de veados. De onde estamos, parecem tranquilos, quase normais, mas, de perto, sei que veria veias saltadas em sua pele, como padrões de rede. E sei que, se os abríssemos, a carne contrairia como se ainda estivesse viva.

Quando eu fazia parte da Equipe das Armas, atirávamos neles como fazíamos com os outros animais, como com qualquer coisa que se aproximava demais. Por segurança, era o que Welch nos dizia. Mas são apenas veados, e sempre me perguntei o que eles realmente poderiam fazer.

— Vamos — sussurra Reese. — Parecem inofensivos.

Balanço a cabeça.

— Não até que eles passem.

— Beleza — diz ela alto demais, e a cabeça dos animais gira, considerando as sombras com olhos brancos.

Prendo minha respiração. Talvez sejam cegos.

Não somos tão sortudas. Um dos veados dá um passo hesitante em nossa direção e, quando ele abre a boca, eu arquejo. Incisivos longos e brilhando com saliva, afiados como os de um coiote.

— A arma — diz Reese, tentando soar calma, mas ela está batendo em meu braço, me arrastando para a frente dela. O veado inclina a cabeça. — Merda, Hetty, pega a arma.

— Alguém pode ouvir o tiro.

Ela cambaleia para trás.

— A ideia foi sua.

Exatamente como é no telhado, penso. Como eu sempre costumava fazer. A espingarda encaixada em meu ombro. Meu olho semicerrado para mirar. Mesmo no escuro, não é um alvo difícil, mas o veado se põe em movimento, aproximando-se, e só tenho duas balas.

— Reese — falo. — Deveríamos ter roubado mais munição.

— O quê?

Eu atiro. A retração me joga cambaleando para trás, mas acerto em cheio, a bala atingindo com tudo a lateral do veado. Ele geme de dor, com as pernas traseiras cedendo e, atrás dele, o segundo veado se lança alguns metros floresta adentro, o pelo eriçado e espetado.

O veado se debate, debilitado, caindo com um lamento enquanto a ferida começa a escorrer, sangue espesso se acumulando numa poça no chão coberto de geada. Eu me aproximo de seu corpo, e ele ergue a cabeça. Posso jurar que está olhando diretamente para mim.

— O que você acha? — pergunta Reese. — Acabamos com seu sofrimento?

— Não — respondo. Não há espaço para nos sentirmos mal. Se eu sentir isso, preciso sentir todo o resto.

Continuamos pela escuridão. Quando olho por cima do ombro, o segundo veado está novamente na clareira iluminada pela lua, de pé próximo ao outro e com a cabeça inclinada. Eu o vejo arrancar um pedaço do veado machucado, afastando-se com a boca cheia de carne, o sangue manchando o pelo branco de seu pescoço.

Eu deveria estar surpresa. Mas apenas sinto um lampejo de reconhecimento. Somos todas assim em Raxter. Todas fazemos o que quer que seja necessário para sobreviver.

Apoio a espingarda no ombro e me mantenho perto de Reese. Não estamos longe de sua casa.

Demorou até a primavera de meu primeiro ano para Reese nos convidar para sua casa. Tínhamos passado as férias do terceiro trimestre na escola, nós três juntas — Byatt não queria voltar para casa, então eu também não voltei — e, quando as aulas recomeçaram, Reese estava mais tranquila, de certo modo. Continuava sem sorrir, continuava quieta e introvertida, mas começou a me deixar entrar na frente dela na fila do almoço. Na aula de inglês, me emprestou seu exemplar de *A letra escarlate* ao perceber que eu tinha perdido o meu, dizendo que já tinha lido o livro, embora eu soubesse que não tinha.

Uma noite ela apareceu na hora do jantar sem o uniforme. Era para vestirmos saia e camisa social do nascer ao pôr do sol durante a semana, mas lá estava Reese, usando um jeans e um suéter velho e desgastado.

— Pensei que podíamos ir comer lá em casa — disse ela.

Nós a seguimos pelas portas duplas e pelo caminho de pedra até chegarmos onde havia duas bicicletas encostadas na cerca. Nunca tive uma, nunca aprendi a andar, então esperei e tentei não parecer ansiosa quando Byatt subiu na dela. Lembro de ter me perguntado se elas iam me deixar para trás. Teoricamente, Reese não tinha me convidado. Ela não tinha dado nomes.

— Vem — disse Byatt. — Senta no guidão.

— As pessoas só fazem isso em filmes — falei. Ainda assim, subi e me acomodei na barra.

Estava começando a ficar claro de noite e, enquanto voávamos pela estrada, havia sol por todos os lados, o brilho vindo do mar. Eu queria ser a menina que fecha os olhos e põe a cabeça para trás. Em vez disso, pedi a Byatt para diminuir a velocidade.

A casa de Reese ficava à beira da praia, baixa e desgastada, como se tivesse nascido dos juncos. À medida que nos aproximávamos, consegui ver uma doca atrás, estendendo-se até as ondas, e dois barcos a remo balançando na amarração. E, na varanda da frente, acenando para nós, estava o Sr. Harker. Alto, grande. Cabelo bem curtinho, como o corte militar de meu pai.

— Vocês vieram — disse ele, descendo os degraus para me ajudar a sair da bicicleta de Byatt.

Lembro que fiquei nervosa ao vê-lo tão de perto. Nós o víamos pelas janelas das salas de aula e pelo terreno da escola enquanto ele cortava a grama e limpava as calhas, mas isso era diferente — um homem, a mão cheia de calos sobre meus braços. Esqueci que podia ter medo deles.

Mas a sensação dura apenas um instante. Um segundo de estranhamento. A entrada dava direto num longo cômodo, a casa inteira bem ali à nossa disposição. A comida cheirava bem, melhor do que a comida do refeitório, e havia fotos de Reese nas paredes. Reese aprendendo a nadar. Reese escalando uma árvore e sorrindo para a câmera abaixo. Eu não consegui tirar os olhos dela a noite toda. Era como se ela finalmente fizesse sentido na casa do pai, com móveis que não combinavam e a porta dos fundos escancarada.

— Espero que a casa não esteja bagunçada — comentou ele quando Reese retirou os pratos e os levou para a cozinha. — Não costumamos receber muitas pessoas.

— Está ótima — respondi, com sinceridade. Nunca senti muita saudade de minha casa, mas naquela noite, sim.

Depois, Byatt e eu esperamos na saída da garagem enquanto Reese se despedia. Ela estava perto dele, dizendo algo que eu não conseguia ouvir, e então o Sr. Harker riu e colocou a palma da mão na testa dela.

Byatt desviou o olhar, mas eu não. Vi Reese sorrindo, revirando os olhos.

— Ainda cabe — eu o ouvi dizer.

Pensei em meu pai. Uma missão depois da outra, dia após dia de ausência. Jamais nos conhecemos dessa forma.

O céu listrado de cor-de-rosa, o brilho suave das estrelas que surgiam. Ficamos em silêncio durante todo o trajeto de volta.

Aquele dia ainda está fresco em minha memória, a imagem tão clara da casa dela. Fachada verde-clara e acabamentos brancos, janelas recém-instaladas. Telhas novas no telhado — reparos depois do furacão daquele ano.

Nós cruzamos a estrada para o lado norte da ilha já há algum tempo, e percebo que estamos nos aproximando do litoral. Sob nossos pés, a terra está úmida e mole, e consigo sentir um sopro de sal no ar. Ajusto a espingarda apoiada sobre meu ombro, flexiono os dedos para recuperar a sensação neles, e continuamos seguindo.

À medida que as árvores começam a diminuir, a luz aumenta, com a lua banhando tudo de prata. Nenhum sinal de Welch ainda. Passamos pelos pinheiros, cada vez mais finos e inclinados, até chegarmos a uma quebra na linha de árvores, e então o litoral se abre a nossa frente, um plano amplo de juncos. Mais à frente, para além deles, consigo ver algo flutuando de leve na água.

— Isso é...

— A doca — completa Reese. — Aham.

Não há nenhum barco atracado ali, nem ninguém no horizonte. Por ora, acho que somos as únicas aqui. Com certeza teríamos ouvido algo se não fôssemos, ou visto algum tipo de luz. Afinal, Welch não tem de quem se esconder, assim como a pessoa com quem ela vai se encontrar também não.

É mais fácil seguir o limite das árvores do que lutar para atravessar o mato, então andamos na beirada, com as plantas agarrando em nossas roupas. Ainda estou pensando naquele primeiro dia, na casa da forma como me lembro; é por isso que não entendo quando Reese para, quando dou de cara nela. Não chegamos ainda.

Mas olho de novo, e chegamos, sim. O luar refletindo no mar, borrifos de água conforme as ondas se quebram, e que se assentam em minha pele num chuvisco fino e congelante que me deixa sem ar. E lá está a casa, ou o que sobrou dela, erguendo-se em meio à vegetação.

A varanda, caindo para um lado como se tivesse levado um soco. Tábuas quebradas, um buraco escancarado, líquen tomando as paredes. As laterais estão cobertas de musgo e hera, e no meio, no coração da casa, com o teto desmoronando ao redor, há uma bétula, crescendo sozinha. O trono largo e as ramificações, os galhos chegando bem alto.

Olho para Reese. Todo o seu rosto exposto e iluminado, com uma suavidade que quase me faz lembrar dos primeiros dias, de quando nos conhecemos.

— É lindo — digo, hesitante. E estou sendo sincera, de verdade. — Nunca vi uma bétula tão grande.

Mas tudo cresce mais rápido depois da Tox. E tudo decai mais rápido também, a casa Harker estando praticamente em ruínas depois de um ano e meio abandonada ali. Eu queria estar surpresa. Queria que qualquer parte disso ainda parecesse estranha para mim.

Reese não fala nada. Acho que ela não piscou desde que vimos a casa. Coloco a espingarda debaixo do braço e cutuco o cotovelo dela com o meu.

— Acha que eles estão aqui? — sussurro. — Não estou vendo luz alguma. — Isso sem contar que há tantos buracos na parede que praticamente posso ver direto o outro lado.

Ela continua sem me responder. Apenas olha fixamente para o que sobrou de sua casa. Começo a me perguntar se talvez tenha sido um erro trazê-la, se isso é muito para uma menina aguentar, quando ela dispara para a varanda.

— Espera — sibilo, mas não adianta.

Corro atrás dela, ajustando minha mão na arma. Só resta uma bala, e minha faca é a única alternativa. Preciso ser esperta.

Cupins tomaram a casa. Deixaram rastros labirínticos pela moldura da porta, tão profundos que a estrutura teria caído a essa altura se não fosse pela forma como a bétula enganchou um de seus membros ali. Reese já está lá dentro, então abaixo para cruzar a soleira logo depois, com parte da entrada virando pó ao toque de minha mão.

Acima de mim, a bétula se divide e floresce, jogando buquês de luz prateada no chão. A maior parte do teto já era, alguns pedaços provavelmente perdidos nas tempestades que atingem a ilha durante a primavera. No lugar, os galhos erguem-se como vigas, e raízes entremeiam-se às tábuas do chão, o que me faz lembrar a catedral que fui em Nápoles nas férias com meu pai durante sua licença. Como o ambiente todo dava a sensação de estar me erguendo do chão.

Uma voz, de repente, e o facho de uma lanterna é lançado na parede em ruínas, espalhando-se no chão. Welch chegou.

Medo toma meu corpo como um calafrio. A espingarda escorrega em minha mão dormente, e eu agarro o braço de Reese e a arrasto pela porta dos fundos da casa. Nós tropeçamos, pisoteando um canteiro da Íris de Raxter sob nossos pés. Em frente, há uma faixa estreita de areia, e a doca à direita. Welch está vindo encontrar alguém, e não sabemos de que lado eles vêm. Podemos ser pegas a qualquer segundo, colocadas de joelhos e mortas em poucos tiros.

Recomponha-se, penso. Estamos aqui. Não tem volta.

— Vamos — sussurro para Reese. Tem um aglomerado de pinheiros onde começam as árvores, e deve ser o suficiente para nos manter escondidas.

Chegamos lá bem a tempo. Eu me agacho, meus músculos tensos e doloridos. Ponho a espingarda sobre os joelhos e espio entre os troncos a casa diante de nós. O facho da lanterna fica mais forte, chegando em alguns dos juncos, deixando-os translúcidos. Semicerro o olho, com o lado cego latejando. Acho que consigo decifrar a forma de uma pessoa, mas, seja lá quem for, está curvado, movendo-se devagar. Será Welch?

— Erga mais o seu lado. — A voz de Welch surge. Eu pulo. Ela soa tão próxima. Mas com quem está falando? Byatt?

Parece levar uma eternidade, mas Welch, enfim, sai do meio das últimas árvores, aparecendo no luar. Ela está arqueada sobre alguma coisa, e há mais alguém com ela, o rosto coberto pelas sombras até a pessoa ficar ereta, e é Taylor. Taylor, que deixou a Equipe do Barco, e imagino que seja essa a razão.

E entre elas. Sendo carregado entre elas, um saco de cadáver.

Ponho a mão sobre a boca, abafando o ganido que sai de mim sem querer. Não. Não, não, não. Não era para ser assim. Nós vamos sobreviver, disse Byatt. Ela prometeu.

Talvez não seja ela, penso desesperadamente. Ou talvez a tenham deixado inconsciente e ela está viva lá dentro, esperando que eu a salve. Não posso desistir até saber.

— Isso seria mais fácil com uma terceira pessoa, sabia — fala Taylor conforme as duas colocam o saco no chão, entre os juncos.

Não está se movendo. Quem quer que esteja dentro não está se movendo, e não posso me deixar pensar no que isso significa.

— É? — solta Welch. — E quem você vai chamar? Carson é um saco, e Hetty não é uma opção.

Mas, antes que eu tenha a chance de me perguntar o que isso quer dizer, Taylor indaga:

— Como está sendo com ela?

Fico tensa. Pronto. Se Welch souber que estou desconfiada dela, tudo acabou. Minha vida aqui, essa coisa nova com Reese que tenho medo de nomear.

Welch apenas dá de ombros.

— Bom o suficiente — responde ela, e eu abafo um suspiro trêmulo e aliviado. — Mas não o suficiente para isso.

— E Julia? — insiste Taylor.

— Melhor não. — Por um momento, Welch soa tão jovem quanto é. — Acho que ela não gosta muito de mim.

Taylor solta uma risada.

— Se você não gosta de Carson, Julia não gosta de você.

— Senti sua falta lá — comenta Welch, desligando a lanterna e a enfiando no bolso do casaco. Vejo-a parar para cuspir um bocado de algo que deve ser sangue. — Não é a mesma coisa sem você.

— Posso fazer mais coisas boas dessa forma — diz Taylor. Quero dar um sacode nela por isso. Não há nada de bom nessa situação. — Depois do que aconteceu com Mary... Ela merecia coisa melhor, sabe? Todas elas merecem.

Mary, a namorada de Taylor, que ficou violenta e selvagem como os animais. Foi Taylor quem teve de matá-la, e dizem que isso a destruiu. Mas agora sei que não. Só a transformou em algo pior.

Welch dá um passo para trás em direção ao saco e, por um segundo, apenas fica parada ali, com as mãos na cintura, olhando para ele. O luar desliza no oceano, deixando o rosto dela encoberto, e não consigo identificar sua expressão, mas seus ombros estão caídos, quase como se estivesse derrotada.

— Realmente pensei que tínhamos acertado dessa vez — observa ela por fim. — Sabe? Ela parecia estar bem.

— É — diz Taylor —, obviamente não estava.

Eu sabia, é claro que sabia, com o saco imóvel na grama, mas é diferente ouvir em voz alta. Os pinheiros me cercando, mais e mais próximos, e Taylor fazendo piada como se não importasse, como se ela não tivesse acabado de fazer o mundo todo desabar. Reese me puxa contra seu peito, me abraça com força. É a única coisa me mantendo inteira.

— Certo — fala Welch. — Vamos acabar com isso.

Elas erguem o corpo, e Reese aperta minha mão enquanto observamos as duas carregarem o saco para dentro da casa. Uma torrente de dor sobe por meu braço, um choque e uma contração, e tento me afastar daquilo até me dar conta de que sou eu, segurando-a com tanta força que seus dedos escamados fizeram cortes profundos em minha pele.

— Sério — diz Reese, com a voz enfática em meu ouvido. — Ela está viva, OK? É Byatt. Ela sobrevive a qualquer coisa.

Concordo com a cabeça, mas alguém está dentro desse saco, e não sei por quanto tempo mais consigo fazer isso. Por quanto tempo mais consigo manter uma chama de esperança no coração.

Perco Welch e Taylor de vista à medida que a casa as engole, então vejo um pedaço do rosto de Welch através dos buracos na parede, com a luz da lanterna refletindo na casca branca da bétula.

— Vamos colocar ela no chão — diz Welch — antes que meu braço caia.

Mordo meu lábio e me seguro para não gritar. *Ela.* Isso é real.

— Cadê eles? — questiona Taylor. Ela deve querer dizer quem quer que seja que estava do outro lado da conexão de rádio.

— Eles vão pegá-la — comenta Welch. — Podemos deixá-la aqui.

— E se...

Ouço um chiado, então uma explosão de vermelho preenche a casa. Pelos buracos na parede, consigo ver Welch segurando um sinalizador, a luz vermelho-sangue dura e intensa.

— Isso deve manter os animais afastados — diz ela.

Mudo de posição para conseguir ver melhor enquanto ela prende o sinalizador nos galhos de bétula.

Escuto a voz de Taylor dentro da casa:

— É isso então?

Paro e semicerro meu olho na escuridão. Welch está com o rosto virado para a bétula, olhando algo no tronco. Ela fica em silêncio por tempo demais, então se volta novamente para onde Taylor deve estar.

— É isso — responde ela. — Vamos voltar.

— Espera — sussurra Reese, como se ela soubesse que estou a segundos de correr para a casa e abrir aquele saco. — Só mais um pouquinho.

Welch sai da casa com passos pesados, e Taylor em seu encalço, com cara de quem está prestes a passar mal. Contra minha vontade, sinto uma pontada de pena. Talvez ela não quisesse nada disso. Mas eu também não.

As duas começam a fazer o caminho de volta, e eu sigo a movimentação da lanterna através das árvores. A luz cada vez menor e mais fraca, até eu não conseguir mais vê-la. Eu me levanto, galhos partindo sob meus pés. Não espero por Reese, apenas pego a espingarda e saio em disparada pelos juncos. Não sei quanto tempo temos até que os outros apareçam. Não vou perder minha chance.

Adentro a onda de luz vermelha da casa. O saco com o corpo está bem ali, o plástico preto emborrachado acomodado na base da árvore. Paro e deixo a espingarda cair no chão.

É isso. O fim, ou algo começando.

Com cuidado, chego perto da ponta do saco e me ajoelho ao lado dele. Lembro da última vez que vi Byatt, como me curvei sobre seu corpo exatamente assim. Como ela me olhou como se precisasse de mim.

Por favor, penso, e estico a mão para o zíper.

O plástico se abre. O zíper prende enquanto minha mão treme, e ali, ali — pele pálida e amarelada, dedos como se mergulhados em nanquim e o cabelo ruivo encaracolado.

Mona.

Um soluço sai de dentro de mim. Avanço para a frente com as mãos no chão, ofegante. Não é ela. Não é ela não é ela não é ela.

— Hetty?

Reese se aproxima por trás e põe a mão em minhas costas. Fecho o olho. Meu corpo inteiro treme de alívio, e acho que, se me levantasse, minhas pernas poderiam acabar cedendo.

— É Mona — falo. Por mais que sinta muito, não consigo deixar de sorrir, nem quero.

— Cacete — solta Reese. — Em que merda de lugar enfiaram Byatt então?

Ela se agacha a meu lado e começa a fechar o zíper do saco. Mas não fico olhando o rosto inchado de Mona desaparecer. Não, estou observando outra coisa. Ali, no tronco da bétula, onde Welch olhava antes de partir.

Eu me levanto, passo por cima do corpo de Mona. A casca da árvore está ondulando, o sinalizador lançando sombras longas e estranhas. Mesmo assim, consigo ver. Um entalhe fraco e meio tremido, mas reconheço a marca. *BW.* Byatt Winsor.

— Ela esteve aqui — afirmo. É a melhor coisa do mundo, um alívio doce e tranquilizador. — Olha. Ela esteve aqui, e viva.

Espero Reese me dizer que estou errada, me lembrar de como as coisas costumam acontecer, mas ela não faz isso. Apenas apoia o queixo em meu ombro, sua bochecha encostada na minha. A casca da bétula é lisa, e meus dedos deixam um rastro de sangue de onde a mão prateada de Reese perfurou minha pele.

— Acha que ela sente saudade de nós duas? — pergunto.

Eu preciso disso, preciso desse dia em que vou ouvir Byatt me dizer que queria voltar para casa tanto quanto eu queria encontrá-la.

Um momento, então Reese se afasta de mim e segue para as sombras. Eu me viro para encará-la. "Claro que ela sente saudades", isso é tudo que Reese tinha que responder. Mas ela apenas olha para mim e não diz nada.

Levanto minhas sobrancelhas.

— O quê?

O sinalizador ilumina a curva da boca dela enquanto Reese sorri.

— Você não quer uma resposta para essa pergunta de verdade.

— Não, sério. — Talvez eu a esteja provocando. Mas não consigo aguentar a maneira como ela está me olhando, como se soubesse de algo que não sei. — Fala.

— Eu só... acho que você conhece uma Byatt diferente da que eu conheço — explica Reese, enfiando as mãos nos bolsos. — Porque não tenho certeza de que ela já sentiu saudade de alguma coisa na vida.

— Nós somos as melhores amigas dela, Reese. — Pisco para afastar a ardência repentina de lágrimas, sentindo-as prenderem e congelarem em meus cílios. Ela não pode estar certa. Qual foi o propósito de tudo isso se Byatt não quer voltar para nós? — Melhores amigas. Não acha que isso importa para ela?

— Bem — começa Reese, e tem um tom afiado em sua voz, um aviso —, não vamos fingir. Eram vocês duas e, depois, eu, e tudo bem. Porque as pessoas são confusas e é assim que as coisas funcionam. Mas não vamos fingir.

Na mesma hora, sinto uma vergonha intensa, porque ela está certa, e odeio ter orgulho disso, orgulho do quanto fiquei muito mais próxima de Byatt do que ela. Mas jamais direi isso a ela.

— Acho que é bem egoísta da sua parte — retruco em vez disso — ficar irritada por isso quando Byatt está sabe Deus onde, sofrendo sabe Deus o quê.

— Não estou irritada. — Ela dá de ombros. — Mas é a verdade. Só isso.

Nunca deveria ter trazido Reese. Deveria saber que ela não entenderia.

— Por que está aqui então? — disparo. Ao redor, a pressão das paredes de retalhos da casa, a bétula que paira sobre nós, as iniciais de Byatt traçadas com sangue. — Por que sequer veio?

Reese não responde. Mas posso ouvir mesmo assim. Tudo sobre ela, a tristeza enterrada nos olhos, a boca contraída, tudo isso gritando a mesma coisa:

Por você, Hetty.

É demais. Nem mesmo posso dizer que nunca pedi a ela que fizesse isso, porque pedi; pedi repetidas vezes. Estou fazendo isso por Byatt, e Reese está fazendo isso por mim.

Porra.

— Preciso de um pouco de ar — falo.

Saio cambaleando pelos fundos da casa para o que costumava ser um pequeno canteiro quadrado. Em volta de mim, Íris de Raxter, seus caules amassando sob meus pés, e penso nos vasos cheios dessas flores que mantínhamos em todos os cantos da escola, com suas pétalas ficando pretas conforme caíam, penso no buquê seco entre as fotos sobre a lareira da casa Harker. O buquê de casamento dos pais dela, Reese me contou naquele primeiro dia que visitamos. Mesmo depois de a mãe dela ter ido embora e de eles terem se livrado de todas as fotos, ela guardou aquilo.

Era mesmo tão claro para ela? Que era Byatt e eu primeiro, e ela em segundo lugar? Ainda que eu sempre tenha querido Reese muito mais perto, isso não mudava o fato de que Byatt era quem esperava por mim no café da manhã todos os dias. Byatt era quem cortava meu cabelo e me dizia para qual lado reparti-lo. Byatt era quem ajeitava os ossos em meu corpo.

Eu me sento na varanda, seguro minhas mãos dormentes perto da boca e respiro nelas para que a sensação volte. Byatt é o que importa nesse momento. A única coisa que importa. Em breve, as pessoas do outro lado do walkie-talkie vão aparecer para pegar Mona. Para onde quer que a levem é onde Byatt estará. E vou descobrir um jeito de chegar lá.

Estou esperando o Campo Nash, onde a Marinha e o CDC estão sediados. E sinto meu estômago revirar ao pensar em Byatt sendo levada de Raxter. Nunca a conheci fora da ilha. O mais perto que cheguei disso foi naquela dia na balsa, saindo do continente, quando a vi pela primeira vez, com o mar às suas costas, Raxter no horizonte e seu cabelo solto ao vento. Quando eu a encontrar no continente, ela ainda será Byatt?

Um barulho vem de dentro da casa. Eu me levanto num pulo, pegando a espingarda. Alguém está falando, alguém que não é Reese.

Corro para o interior da casa. Não há ninguém além de nós.

— Ouviu isso? — pergunta Reese, e assinto.

— Welch voltando, quem sabe? Ou alguém do Campo Nash?

— Soou diferente — diz ela. — Familiar. Não sei.

— Ali.

Aponto para as árvores através das paredes destroçadas, onde outra coisa está se movendo, vindo em nossa direção. A forma de um homem.

CAPÍTULO 14

Levanto a espingarda. Está muito escuro para ver o rosto, mas há algo familiar sobre a estrutura dele, algo que prende meu dedo no gatilho.

— Olá? — falo.

Nenhuma resposta, mas ele está mais próximo, quase na casa. Consigo visualizá-lo subindo os degraus. Sua imagem deformada pela vidraça antiga das janelas de Raxter. O som de sua voz por cima do barulho de um cortador de grama. E então ele passa pela porta, um ranger baixo ao cruzar as tábuas que ainda restam ali, e levanta a cabeça. Embora tenha um rasgo em sua camisa e um corte na bochecha, eu o reconheço. Mesmo no escuro, reconheceria em qualquer lugar.

— Pai? — solta Reese.

É o Sr. Harker.

Até que ele entra devagar no brilho vermelho do sinalizador, e aí não é mais.

— Meu Deus. — Minha voz soa estranha, abafada e distante. — Reese. Reese, sinto muito.

Porque é o rosto dele, o corpo dele, mas acho que não sobrou mais nada. A pele está descolorida e repuxada, há raízes brotando da boca e galhos em suas orelhas e sob as unhas e descendo por seus braços. Ainda são seus olhos, mas ele não pisca, e nos observa com as pupilas dilatadas.

Mais de um ano ali fora, sozinho com a Tox. O que esperávamos?

— Não — diz Reese. Seguro o braço dela, arrastando-a alguns passo para trás. Ela mal consegue ficar de pé, e tropeça, desmoronando nos joelhos. — Não, não, pai.

Mas ele não está mais aqui.

— Temos que ir — digo. — Vamos, Reese. Agora.

Ele olha para mim, inclina a cabeça ao abrir a boca e respira longa e ruidosamente. Dentes pretos e rachados, e há um ninho verde no fundo de sua garganta. O hálito bolorento e azedo, tão forte que posso sentir o gosto.

Ergo a espingarda e me preparo para mirar, mas Reese me empurra para longe, me encarando com um brilho feroz no olhar. Atrás dela, o Sr. Harker avança, um passo após o outro, videiras desenrolando de sua boca.

— Não ouse fazer isso — dispara ela, com a voz partida, um tom brutal.

— Por favor — insisto. — Temos que correr.

Tarde demais. Contorcendo-se, uma videira sobe a perna de Reese e segue por sua coluna; outra se enrosca em seu braço, dando um puxão para trás. Um grito, e um barulho de osso. Seu ombro direito estala, saindo do eixo.

Disparo para ela e pego a faca de meu cinto. Golpeio os ramos que a seguram, uma, duas vezes. O Sr. Harker grita, anda para trás e a arrasta com ele.

— Hetty! — berra Reese.

A espingarda. Quando atiro em seu coração, porém, nada muda. Ele apenas ruge e puxa o braço de Reese com mais força, enroscando uma trepadeira no pescoço dela e apertando.

Eu poderia fugir. Poderia me salvar e voltar para trás da cerca, voltar para casa. Tudo que tenho agora é minha faca. E qual a utilidade disso contra o Sr. Harker?

Mas não é uma escolha. Parto para cima dele. Eu me esquivo da videira mais grossa que balança a meu redor, sinto os espinhos descerem rasgando por minhas costas, e então chego nele. Meu corpo vai de encontro ao seu, e nós caímos no chão. Terra na boca, a casca da árvore raspando em minha pele. A faca voa de minha mão e eu tateio por ela na terra úmida.

Um ramo prende meu tornozelo, me puxando com as costas no chão. Meus dedos roçam a faca, mas está longe demais, não consigo, e ele está me afastando dela.

— Reese — grito. — Pegue a faca!

Mas não consigo achar Reese, não consigo ver nada além da escuridão que paira conforme o Sr. Harker vem para cima de mim, e suas mãos machucadas, esponjosas e podres se fecham ao redor de minha garganta. Eu me debato, tento tirá-lo de cima de mim, mas ele só me aperta com mais força. Galhos serpenteiam por minha cintura, me segurando. E um rasteja e sobe por meu pescoço, arrancando um berro de mim ao se enganchar em meu maxilar e abrir minha boca.

O gosto em minha língua é amargo, e estou asfixiando, com a mão na cara inchada do Sr. Harker. A pele dele descasca como se feita de tiras de papel, acumulando sob minhas unhas, molenga e flácida.

— Ei! — escuto Reese gritar.

Por um instante, a pressão diminui, antes da mão prateada dela passar por cima, enfiando a faca com tudo no ombro dele, e então Reese o derruba.

— Rápido — falo. — Segura ele. — Mas Reese apenas o encara, boquiaberta. Ela está inútil, não serve para mais nada.

Eu me jogo no chão e prendo o tronco do Sr. Harker entre meus joelhos, mantendo-o homem fixo ali. Ele ruge, tensionando os músculos, e olha para mim, sei que ele está me olhando. O pai de Reese e eu, cara a cara.

Grito quando o corpo dele se eleva. Há um conjunto de cerdas e galhos, e os espinhos fazem cortes profundos em um dos meus braços. Seguro a faca com firmeza. Puxo do ombro dele e a enfio no peito, a carne rompendo e saindo como espuma. Bile borbulha entre meus lábios, escorrendo pelo queixo enquanto continuo avançando com a lâmina e aumento o rasgo em sua pele.

— Não — implora Reese atrás de mim.

Mas não posso ouvir. Não é mais ele. Eu me inclino mais e apoio a mão no cotovelo dele, forçando a faca a ir mais e mais fundo, então começo a puxar para cima. Há um coração para essa coisa toda. Tem que haver.

Sangue preto suja meus dedos. Apesar de a lâmina da faca estar mais cega do que eu imaginava, estou conseguindo fazer um bom rasgo, e sinto que isso o está enfraquecendo. Raízes menores estalam e se partem. Por fim, arranco a faca de dentro do Sr. Harker, jogo para o lado e cavo pelo interior de sua pele dilacerada.

Ele está apodrecendo de dentro para fora. O tecido do corpo manchado de mofo, o cheiro tão azedo e intenso que meu olho começa a lacrimejar. Algo sobe pela manga de meu casaco, primeiro um, então outro e outro, e com a luz vermelha do sinalizador identifico o brilho de centenas de besouros rastejando para fora da ferida.

Engulo um berro e, antes que eu possa me mexer, um ramo sobe por minhas costas, dando um nó em volta de meu pescoço. Aperta mais e mais forte, e espinhos afiados me espetam, a dor transbordando de meu corpo em ondas. Mas ele está mais fraco agora, e continua perdendo sangue. Agarro o ramo e o parto ao meio. Volto a me lançar sobre ele, seu rosto se partindo conforme a boca abre cada vez mais.

Enfio minha mão bem no fundo do peito dele outra vez, faço pressão com todo o corpo até chegar em algo que parece ser osso. No entanto, um lampejo da luz vermelha, e não são ossos, mas galhos — um eixo de costelas curvas e pontudas. Engancho os dedos sob elas. Encaixo meu joelho abaixo do queixo dele e puxo, centímetro por centímetro.

Até que enfim. Um estalo. E, dentro do seu tórax, eu vejo. Um coração, coberto de sangue. Feito de terra, de cerdas de pinheiro, e, no interior, outra coisa, algo além disso, algo vivo. Não penso duas vezes. Apenas agarro com ambas as mãos, e aquilo sai com um rasgo molhado, fazendo barulho.

Os olhos do Sr. Harker se fecham. Tudo fica mole. Deixo o coração cair de minhas mãos trêmulas e viro para o lado para vomitar.

Quando termino, me recosto, com baba escorrendo por meu queixo. Espero a culpa, espero que algo corroa meu estômago. Afinal, conheço essa sensação. Desde a Equipe do Barco, desde Byatt, estou começando a pensar que nasci para isso.

Mas o Sr. Harker está morto, e eu não estou, e a culpa não vem. Fiz o que tinha que fazer. Eu nos mantive vivas.

Fico de pé, com as pernas bambas, as mãos dormentes conforme acho minha faca e a enfio no cinto novamente. Nós sobrevivemos. Se isso era a pior coisa que a floresta podia jogar em nós, talvez fique tudo bem no fim das contas.

Quando me viro, Reese está ali, com seu ombro direito pendendo em um ângulo que me deixa tonta.

— Você tá bem? — pergunto. — Precisamos consertar isso.

Ela está olhando para além de mim, para os destroços de seu pai.

— Você matou meu pai — solta ela, com os olhos vazios, o rosto exaurido e pálido. — Matou de verdade.

Ela está em choque. É só isso. Reese vai voltar a si, vai perceber que não havia outro jeito.

— Tive que nos salvar — argumento, da forma mais gentil que consigo. — Sinto muito, mas...

— Ele está morto. — A voz inexpressiva, sem mais nada dela.

— Era a gente ou ele. — Reese não responde. Eu me aproximo e afasto sua trança do ombro machucado. Não parece totalmente deslocado, mas, quando ela tenta afastá-lo do meu toque, a cor some de seu rosto e ela arqueja. — Deveríamos dar uma olhada nisso, né? — digo, baixinho.

— Estou bem — responde Reese, mesmo ao se recostar em mim, e eu a vejo fechar os olhos, sinto seu corpo tremer. — Eu tinha meu pai de novo — sussurra ela. — Achei que ele tivesse morrido e aí o tive de volta.

— Não era ele.

— Ele me conhecia. — Ela abre os olhos e, quando eles encontram o meu, a acusação é evidente e direta. — Você tirou meu pai de mim.

— Ele ia nos matar — explico, com a frustração aumentando. Tive que nos salvar. Por que isso não importa para ela?

— Melhor eu do que ele — retruca ela. — Melhor nós duas do que meu pai.

Não conheço essa versão dela. Mesmo quando está o mais irritada possível, Reese sempre é contida, sempre sólida. Mas essa menina, essa Reese diante de mim, está destruída. Em frangalhos, com o coração despedaçado.

— Isso é ridículo — rebato. — Eu deveria ter deixado você morrer? Deveria ter me sacrificado? Reese, aquele nem era mais seu pai.

Ela me empurra, com o braço machucado pendendo inutilmente na lateral do corpo.

— Não. Era ele, sim. Ele estava aqui.

— Não estava. — E minha paciência já era. — Escuta, você não tem o direito de jogar essa merda em cima de mim só porque está com raiva de você mesma.

— Pelo quê?

Uma quietude repentina a toma, e sei que ela está esperando que eu cometa um erro, que eu diga a coisa errada. OK, beleza. Você venceu.

— Com raiva de você mesma por ter me ajudado a matar seu pai. — Ela parece ter sido atingida, mas eu não paro. — Não sou a única que segurou a faca.

Nada, por um momento, então ela sorri e diz:

— Vai se foder, Hetty.

Fico de queixo caído. Reese me machucou antes, mas até agora nunca pareceu ter sido de propósito.

— Se é isso que ganho por salvar sua vida — respondo —, deveria ter deixado que ele levasse você.

Reese gargalha, com uma insipidez terrível, e a espero parar. Mas ela não para. Ela se curva, apoia a mão prateada sobre o joelho, e o som continua, jorrando de dentro, como o coração do Sr. Harker do peito dele.

— Reese — digo, porque preciso que isso pare antes que se torne algo pior.

No entanto, antes que eu possa dizer qualquer outra coisa, um barulho ressoa entre nós. O ronco de um motor se aproximando, e rápido. Nós duas nos sobressaltamos, e a risada de Reese é interrompida. Deve ser quem quer que fosse que Welch ia encontrar.

Vou até a porta dos fundos e espio o lado de fora. Tem um barco chegando na doca, com o motor em marcha lenta. Dentro dele, há uma pessoa com as formas meio infladas, as proporções estranhas e escondidas por um traje de proteção. Como os médicos que vieram na primeira semana da Tox, que mediram nossa temperatura e tiraram nosso sangue e desapareceram em seus helicópteros e nunca mais voltaram.

— Merda — disparo, correndo até Reese. Pego a espingarda e a coloco embaixo do braço. — Temos que sair daqui.

Pelo buraco na parede, consigo ver as dobras no plástico conforme a pessoa no traje de proteção sai do barco. Se não formos agora, vão acabar nos vendo, vão saber que quebramos a quarentena. E tudo irá desmoronar.

Reese balança a cabeça e cambaleia para longe de mim.

— Não — responde ela. Teimosa como sempre, pelo menos essa parte dela continua inteira. — Não vou deixar meu pai.

— Alguém está vindo — argumento. Ela está sendo completamente irracional, e eu estou falando alto demais, mas não consigo evitar. — Temos que ir.

— Não posso. — Ela está olhando para o pai, estendido no chão, com o peito aberto e o coração ainda escorrendo ao lado dele. Os dentes pretos brilhando sombriamente à luz vermelha. — Ele é tudo que eu tenho. Não posso simplesmente...

Eu estouro. Prendo meu braço em volta da cintura dela e a arrasto para a porta. A princípio, ela resiste, arranha minha mão com seus dedos escamados e me machuca, mas temos que ir. Será que ela não entende? Precisamos ir embora.

Passamos aos tropeços pela bétula, pelas iniciais de Byatt marcadas ali. Enfim ela fica de pé sozinha, e saímos correndo — nos afastamos da casa e seguimos para a floresta. Corremos pelos pinheiros, tão próximos e apertados, entrando na mata cada vez mais. Consigo ouvir algo atrás de nós, mas não posso olhar, não posso fazer nada a não ser continuar. A espingarda bate em minhas costelas enquanto seguimos adiante, aos tropeços, dando de cara com os arbustos, fazendo barulho e deixando rastros. Galhos agarram em meu cabelo e puxam minhas roupas. Vamos estar um caos quando chegarmos em casa, mas vamos chegar lá. Vamos chegar.

Finalmente, encontramos a estrada, e o trecho amplo traz um alívio familiar. Ainda está escuro, e estamos longe o bastante da escola, de modo que ninguém pode nos ver, então eu paro e me viro para examinar a floresta. Nenhum brilho emborrachado do traje de proteção. Nenhum som além dos nossos.

— Acho que está tudo certo — comento. Reese não responde. Quando olho para baixo, vejo que ela caiu de joelhos, segurando seu ombro machucado e mordendo o lábio com tanta força que me surpreendo de não o ter partido. — Pensei que você tivesse dito que estava bem.

— Estou — dispara ela, entre dentes. Sua respiração lenta e penosa, seu rosto branco como papel ao luar.

Não tento ajudar. A dor de suas palavras ainda está fresca, e consegui tirar Reese daquela casa, no fim das contas. Isso é suficiente por ora.

— Levanta. Temos que pular a cerca.

Não podemos cruzar o portão, por isso estamos seguindo para a ponta norte da ilha, onde a cerca termina em grandes colunas de tijolo na beira do penhasco. Vamos ter que escalar e pular a cerca para voltar ao terreno da escola.

Sei onde estamos, e Reese não está em condição nenhuma de guiar alguém, então ponho a espingarda no ombro, me curvo e a levanto. Eu a carregaria, mas, mesmo se conseguisse, não acho que ela deixaria.

— Vamos lá — digo. Ela é um peso contra meu corpo à medida que cambaleamos pela estrada.

Quando chegamos à cerca, há feixes de luz surgindo no céu. Não consigo me fazer olhar para o terraço. Se tiver alguém no turno da Equipe das Armas, que atirem agora e acabem logo com isso. Mas ninguém dispara, e continuamos pelo limite das árvores, onde galhos ansiosos alcançam as barras de ferro, e margeamos a cerca até a extremidade da ilha.

Gotas de água do mar respingam em minha pele. A pressão dos pinheiros de um lado, o gradeado do outro, e mais à frente a terra termina. Resta apenas o penhasco: granito desgastado pelo vento e uma queda de 6 metros, que dá direto na água. Olho para cima, na direção da casa. Todas as janelas escuras, nenhuma lanterna na cobertura. Ninguém nos procurando. Nem ninguém no horizonte — o mar vazio e sem fim, ondas quebrando em sequência.

A cerca termina bem na beirada do penhasco, formando um T com uma coluna grossa de tijolos, tão grande, tão perto do limite, que não há como passar por ela. Nem nós, nem os animais. Mas há arranhões e dentes quebrados na argamassa. Não é como se não tivessem tentado contorná-la.

Devagar, carrego Reese até lá e a apoio contra a coluna de tijolos. Ela está pálida, os olhos vidrados e fixos.

— Ei — digo, sacudindo-a gentilmente. Passo a mão com suavidade em sua bochecha, a pele fria demais, pálida demais. Choque, talvez. Relembro o som que seu ombro fez, a forma como Reese gritou. Ela precisa de mais ajuda do que conseguiremos arranjar.

— Volta — tento. — Reese, sou eu.

Ela pisca lentamente, como se fosse a coisa mais difícil que já fez.

— Estou tão cansada — murmura Reese.

— Eu sei. Um último empurrão, tá?

As barras de ferro e o tijolo se encontram em um ângulo reto naquele pedaço, e há quebras suficientes nos tijolos para conseguirmos achar alguns apoios para o pé e nos impulsionarmos para cima, para o outro lado. Ajudo Reese a ficar de pé e a girar.

— Está vendo isso? — digo, indicando um ponto na coluna, mais ou menos na altura do joelho, onde alguns animais arrancaram uma lasca. — Suba. Fico de olho.

Apesar do braço direito dela estar mole na lateral do corpo, inútil e errado, Reese é mais forte do que qualquer um que já conheci.

E, mesmo depois de tudo, ela apoia o ombro machucado contra a cerca, encaixa o pé na parte lascada do tijolo e se ergue com um grito abafado. Sua mão esquerda escamada raspa a argamassa, arrancando pedaços, e eu observo com um orgulho estranho enchendo meu peito conforme ela passa o corpo por cima da cerca.

Ela deixou ranhuras no tijolo, e assim é mais fácil segui-la. Logo estou pulando do topo da coluna e pousando com um grunhido na grama desgastada. Do lado da escola dessa vez. Estamos em casa.

Com um ganido, Reese cambaleia e se põe de pé. Mesmo o brilho de seu cabelo parece mais fraco, como se toda ela estivesse se esvaindo.

— Vai subindo — sussurro. — Vou colocar a espingarda no estábulo e encontro você lá.

Ela assente, e acho que está prestes a dizer algo — um pedido de desculpas, quem sabe, pelo que ela disse na casa —, mas então Reese dá meia-volta e põe seu capuz, com sua silhueta desaparecendo no alvorecer.

Foi tão fácil entrar escondida no estábulo que fiquei olhando várias vezes para trás, esperando que Welch fosse sair das sombras e pôr sua arma em minha cabeça. Ainda assim, ninguém apareceu. Mas, se aquilo foi fácil, isso, Reese... essa é a parte difícil.

Ela está no quarto quando volto, sentada em meu beliche, segurando o ombro machucado. Por um segundo, apenas a observo, observo o movimento da luz na pele dela. Foi a vida de Reese que desmoronou lá fora, não a minha. Preciso ser quem nos cola novamente.

— Oi — tento. — Você está bem?

Ela solta um riso abafado, balança a cabeça.

— Bem?

—Desculpa. Pergunta idiota. — Pelo menos ela está falando comigo. Vou mais para dentro do quarto e fecho a porta atrás de mim. — Me deixa fazer alguma coisa pelo seu ombro.

Reese não responde, então passo por ela e alcanço meu travesseiro. Ainda tem uma fronha, apesar de a maioria ter sido costurada para virar um cobertor improvisado. Arranco a fronha e começo a rasgar a costura lateral.

— Acho que não deslocou completamente — afirmo, mas não é por isso que ela está com raiva, e nós duas sabemos. — Vou fazer uma tipoia, aí você pode simplesmente descansar um pouco.

Ajudo Reese a colocar o braço direito no peito e passo a fronha em volta dela. Eu me curvo sobre para dar um nó e congelo ao ouvi-la soltar um suspiro trêmulo, com a testa encostada em meu peito.

— Que merda aconteceu com ele? — sussurra ela.

— Não sei — respondo. — Ele ficou lá fora por muito tempo. — E quero dizer: ele não é como nós. A Tox o tomou por completo de um jeito que jamais vi acontecer com uma menina de Raxter.

Demoro mais um instante, roço meu dedão na nuca de Reese e então deito na cama ao lado dela.

— Talvez possamos arranjar uma tala de verdade para você amanhã. Ou um analgésico.

Ela não responde. Nem mesmo tenho certeza de que está respirando. Não posso deixar que Reese desapareça dentro de si. Não posso deixar a Tox ganhar.

Estendo o braço, apoio uma das mãos sobre seu joelho e aperto de leve. Apenas para tranquilizá-la, para lembrá-la que estou junto dela. Mas ela se esquiva.

— Reese?

— Não — diz ela, e eu me afasto quando Reese se levanta apressada, esfregando o rosto com a mão prateada. — Não faz isso.

— Desculpa. Devia ter perguntado.

— Digo, tudo isso — responde ela, e, ao se virar para me olhar, é como se eu pudesse ver a máscara calma que Reese está usando e a angústia por baixo. — Precisa parar, Hetty.

— Tudo bem — digo, levantando as mãos. Só precisamos nos acalmar e vamos achar um jeito de consertar isso. — Está bem.

— Não está — dispara Reese. — Não está bem porra nenhuma. — Ela parece tão conformada, tão perto de desistir, e sinto um lampejo intenso de pânico, porque não posso perdê-la também. — Não sei como nada disso pode funcionar depois do que você fez.

E, não, não posso perdê-la, mas existe um limite. De maneiras possíveis de explicar isso. De vezes que consigo justificar ter nos mantido vivas antes que eu perca o controle.

— Não tinha outra solução — argumento. Estou me esforçando para me manter firme, meus punhos cerrados com tanta força que posso sentir as unhas entrando profundamente na pele. — Era a gente ou ele, e tomei a única decisão que podia.

— Então, o que foi — diz ela, com a voz totalmente ácida —, não tenho o direito de ficar com raiva porque meu pai está morto? Porque a Tox o destruiu de tal maneira que você teve que o matar?

Eu salto e fico de pé, e não sei se é raiva ou puro desespero o que me deixa tão abalada a ponto de meu corpo tremer.

— Não, na verdade — respondo —, você não tem o direito de ficar com raiva por eu ter salvado sua vida.

Reese estreita os olhos. Eu me preparo para o que quer que esteja vindo. Nunca conheci alguém que gosta tanto de brigar como ela, nunca conheci alguém tão bom nisso. Mas o silêncio se prolonga. Por fim, ela solta um suspiro longo, lento, relaxando os ombros.

— Acha que quero isso? — pergunta Reese. Sua voz soa rouca, e mal consigo distinguir uma palavra da outra, cada fiapo de exaustão desmoronando em cima de nós duas de uma só vez. — Não escolhemos o que vai nos machucar.

As batidas de meu coração retumbam em meus ouvidos, uma lenta torção de pavor aperta meu peito. Por favor, por favor, não faça o que eu acho que está fazendo.

— Reese — começo, mas ela balança a cabeça.

— Entendo o que você fez. Acho que fez a coisa certa. E ainda estou com raiva por causa disso. — Ela encolhe o ombro bom. — O que mais pode ser dito?

Por um instante, volto àquele momento, no escuro, com minha vida nas mãos. Não havia outra maneira. Era matar ou ser morta. E sinto como se estivesse arrancando meu próprio coração do peito como fiz com o Sr. Harker, mas falo:

— Nada, acho.

Ela assente. Meu estômago contrai quando vejo uma lágrima escorrer pela bochecha de Reese antes de ela a secar.

— Certo. Foi isso que quis dizer.

Nos últimos dias, eu a vi se expor. Olhando para ela agora, percebo conforme ela volta a se recolher. Ali está aquele afastamento familiar, aquele jeito de não me encarar direito. Tudo isso combinado quando Reese diz:

— Pode ficar com o quarto. Vou dormir em um dos dormitórios vazios.

Ela está esperando que eu discuta. E, se fosse Byatt, eu saberia o que dizer. Saberia o ponto fraco na armadura. Mas Reese não tem um.

— Tudo bem. — Fico orgulhosa quando minha voz não falha. Mas não posso deixar que Reese vá sem me certificar de que ela entende. — Sinto muito — digo. — Você tem que saber isso.

Seu cabelo é a única luz, seus traços estranhos e irreconhecíveis como no dia em que a conheci. Ela se foi. Está aqui, mas se foi.

— Sim, eu sei.

E a porta se fecha atrás de Reese quando ela vai embora.

BYATT

CAPÍTULO 15

Eles abrem as cortinas e empurram sua cadeira de rodas para dentro
Maca em minha frente nós dois bem presos e eu sei quem é eu sei   é só que já não estou mais aqui
Uma névoa em minha cabeça estou submersa estou no mar e não consigo sentir nada exceto quando me furam e me fazem sangrar
Teddy foi ele quem eu esqueci

Meninos não são permitidos falei para ele eu o beijei sim sim acabei com ele e nem estava tentando fazer isso
Quando vai aprender diz minha mãe para mim
Ela está à janela de novo está me observando e está vestindo um uniforme de médico conforme ela surge e desaparece
Há coisas mais importantes do que o que você quer diz ela

Como está se sentindo
Hetty e eu no telhado ela tem uma atadura cobrindo o olho e nós estamos fingindo que ela não tem e eu digo como está se sentindo e ela diz
Não dói tanto

E fico contente e então ela olha para mim e estou demorando um pouco para me acostumar com seu novo rosto mas ela se acostumou então preciso me acostumar também e ela fala
    Você parece bem Byatt
    Bem tipo não só bem mas algo mais só que não sei o que então apenas encolho os ombros e
    Acho que sim
    É isso que eu digo

Luz   meus olhos lacrimejando sempre fazem isso são muito sensíveis nunca conseguia dilatar as pupilas quando ia no oftalmologista e alguém que se curva sobre mim piscando e ficando nítido e
    Paretta
    Balanço a cabeça tento me afastar mas ela diz algo que não consigo entender e então
    Teste eles estão fazendo um teste
    Meu braço está se mexendo
    Tento trazer ele de volta volte aqui não fiz mas não adianta um furo   um tubo e mãos de um amarelo intenso empurrando
    Abro minha boca para gritar e gritar mas não sai nada apenas um sussurro de ar e o que é isso no meu soro é claro está descendo está entrando
    Não consigo impedir

Puxar apertar esticar e Teddy onde está Teddy há algo calmo e doce em mim
    Ele não está aqui
    Eu também não

Um movimento suave de água
   Ondas
   A praia em Raxter na Raxter de antes da Tox
   Estou sozinha mas o tipo de sozinha em que você não está em que pode sentir as outras meninas atrás de você correndo rindo conversando e tudo bem estar sozinha na praia porque tudo que tem que fazer é se virar e elas estarão lá
   Mas não me viro
   Na água há um caranguejo imóvel e brilhante e eu me curvo de modo que meus joelhos entrem sem lona e jeans apenas a saia xadrez toda macia como se eu nunca a tivesse parado de usar
   O caranguejo olha para mim
   Eu olho para o caranguejo
   Ele flutua flutua para fora da água e pousa em minhas mãos e está seco
   Estou sonhando não estou ali de verdade e sei disso mas ergo o caranguejo e olho bem de perto o brilho da casca e lá estou eu refletida em pedaços mínimos
   centenas de pequenas versões de mim
   e elas dizem "bem-vinda ao lar" e então
   O caranguejo se contorcendo e suas garras ficando pretas lentamente
   Lentamente e depois a casca inteira até o corpo preto as pernas pretas minhas mãos pretas meus braços pretos
   Tento soltar mas não consigo e a meu redor a água preta o litoral preto e se eu soltar vou desaparecer
   Se eu perder isso vou desaparecer
   Sei disso da maneira como sabemos coisas em nossos sonhos
   tudo preto tudo tudo e   ah
   Desperto

Está silencioso a princípio. Meus pensamentos finalmente estão nítidos, e a ala do hospital, vazia. Ninguém está vindo. Talvez tenham conseguido o que precisavam, ou talvez saibam que nunca irão conseguir.

— Oi.

Tento erguer a cabeça, e lá está Teddy, apoiado na cama. A pele está sem brilho e sem vida, mas ele sorri, vestindo roupas hospitalares tão brancas que dói só de olhar.

— Eles tentaram outra cura — conta Teddy. — Um vírus que talvez possa matar o que quer que seja que você tem, mas seu corpo lutou contra ele.

Já estou olhando para o teto de novo quando ele diz:

— O que quer que seja que *nós* temos. Quero dizer, o que quer que seja que *nós* temos.

Depois de um tempo, ele se levanta. Vai até meu lado do quarto e solta minhas amarras. Não há necessidade disso agora. Nós dois sabemos.

— OK? — pergunta ele.

Assinto com a cabeça. Abro minha boca e bato na garganta.

— Espera aí.

Ele acha o quadro-branco no armário. Deita na cama junto de mim e me ajuda a pôr os dedos na caneta. Então nós fazemos perguntas para as quais jamais teremos tempo.

Qual seu sobrenome

— O quê?

Você sabe o meu

— É Martin

Você sabe o que eles dizem sobre homens com dois primeiros nomes

— Não.

Eu também não

———

Acho que demora mais ou menos uma hora para que os sinais voltem. E, quando isso acontece, eles o deixam suado e com calafrios. Traçam linhas escuras sob seus olhos e tiram tudo de dentro dele.

O que dói

Ele grunhe. Fica de quatro e vomita pela lateral da maca. Líquido preto, com algo granuloso na textura. Ponho a mão no ombro de Teddy.

— Estou bem.

Mas não está, e jamais estará, então estico a mão sob a maca e aperto o botão de emergência com meus dedos trêmulos.

— Não adianta — diz ele. — Eles não virão.

Não pergunto como ele sabe.

A situação piora. Teddy fica mole como se não houvesse mais ossos dentro dele, como Gaby do ano mais jovem, que não sobreviveu a sua primeira vez.

Eu me ajoelho e o ajudo a ficar em meu lugar, encostado nos travesseiros. Quando encosto a mão na testa dele, Teddy se afasta.

Não achei que fosse acontecer com você

Ele fecha os olhos e encosta a cabeça. A pele da garganta dele é nova e jovem, macia quando pressiono a ponta de meus dedos na base de sua clavícula.

— Claro — diz ele, e é a última coisa por um longo tempo.

Eu escrevo isso enquanto ele dorme. Várias e várias vezes no quadro-branco.

Desculpa desculpa desculpa desculpa desculpa

Quando ele acorda, mostro a mensagem, então pego a mão de Teddy e a coloco sobre meu coração. Uma batida, então outra e, por fim, ele cede, fecha os olhos e se encosta em mim.

O que eu quis dizer, o que eu queria. Isso não importa mais. Estamos aqui, e esse é o resto de nossa vida.

A segunda erupção o deixa completamente elétrico, e quando acaba, não consigo encostar nele sem sentir um choque estático. Ele chora. Sinto vontade de chorar também, mas sei que viraria meio que uma risada rouca.

Posso ver rostos nas janelas. Às vezes, Paretta. Às vezes, uma enfermeira cujo rosto parece familiar, mesmo com a máscara. Eles estão observando. Esperando que acabe.

— Me conta alguma coisa — pede Teddy, com o resto da erupção o deixando contorcido.

O quê

— Qualquer coisa.

Relembro o dia em que o conheci. As perguntas que ele fez. Escrevo o preço do leite. Teddy tenta rir.

— Outra coisa — diz ele.

Quando a terceira erupção chega, já rasguei a bainha de minha roupa hospitalar em pedaços e a usei para limpar bile dos cantos da boca dele.

Alguém espera à janela, e Teddy está deitado comigo ao lado, e minha mão começa a ficar com câimbra enquanto escrevo uma piada que ouvi meu pai contar um dia. Noto o dedo dele primeiro. O indicador. Uma contração, um puxão tão mínimo que você não perceberia se não tivesse passado quase um ano e meio num telhado procurando algo assim. Mas eu passei.

Isso faz com que eu me afaste. Queria que não fizesse, mas me acomodo na extremidade oposta da minha cama, tentando não fazer nenhum barulho. Lembro como pode ser. Lembro como a doença faz você agir quando não quer mais seu corpo.

Os olhos dele se abrem, vidrados e brilhantes. Lindos, e, por um momento, é apenas Teddy. Apenas um menino, mas então ele fala:

— Olá. — Vazio. Sem qualquer percepção em sua voz.

Teddy tenta se levantar, tenta engatinhar até mim. Se ele conseguir, vai me machucar mesmo sem querer. Tenho medo de eu o deixar fazer isso.

São as tiras de meu pijama hospitalar que possibilitam que aconteça.

Elas são longas, e ele as amarra juntas, tornando-as mais extensas. Sorrindo. A boca aberta, algo começando a se mexer atrás dos dentes dele. Escuro, delicado, e, ali — ali —, uma videira subindo de dentro dele para se enroscar em seu lábio. Como o tipo que desliza pela cerca em Raxter. Como o tipo que vai de árvore em árvore.

Como se não fossem mais próprias, as mãos dele fazem uma corda. E mais videiras, mais e mais, formando galhos e curvando-se num emaranhado negro. Sangue escorre da boca dele, das orelhas. Tudo vem na minha direção, como se estivesse procurando um novo lar. Começo a entender a função da corda. Mas não faço nada. Sento de pernas cruzadas. Assisto enquanto a Tox faz seu trabalho.

De joelhos. Uma corda dentro de um laço.

Seus olhos não se fecham. A força de sua mão na corda nunca muda. Ele está puxando até o fim.

CAPÍTULO 16

Não há diferença suficiente entre o branco da parede e o branco do chão. Estou tendo dificuldade de mantê-los o que são.

Há uma mancha no que eu acho que é o chão e está um pouquinho distante de meu pé. Estou observando seus contornos indo e vindo.

Há um barulho no quarto. Tenho dificuldade de definir o que é.

Isso é com meus olhos fechados.

Um corte em meu tornozelo esquerdo, mais ou menos do tamanho de meu dedão. Um hematoma apodrecendo em meu joelho direito. Nada nas coxas, apenas uma tensão dentro delas.

Nos quadris, três marcas na pele onde a faixa me prendia. Um pedaço rosado nas costelas por causa do atrito. As marcas do soro em minhas mãos.

Meus pulsos não estão machucados desde que começaram a usar contenções mais macias. Mais hematomas em minha garganta. Um inchaço vermelho na bochecha dos galhos da floresta em Raxter.

Com meus olhos abertos, haveria mais.

—

Eles entram para remover o corpo. O corpo, é isso que estou falando em vez de   você sabe.

Três pessoas, seus rostos cobertos. Eles pegam o corpo. Então o colocam num saco.

— Ela que fez isso com ele? — diz um deles.

— Nem foi — responde outro. — Você tinha que ter visto. O próprio garoto fez isso. Acho que não tinha mais ninguém em casa, se é que me entende.

É isso que a Tox faz quando não quer você. Como as gêmeas, Emily e Christine. Como a namorada de Taylor, Mary. *Você estava assistindo*, quero dizer. *Tem que ter visto.*

— Então como ela ainda não fez isso com si mesma?

— A Dra. Paretta disse que são os hormônios dela. Disse que eles ajudam a lidar um pouco melhor com a situação.

Eles carregam o corpo para fora. Eu fico. Estou sentada, e há vermelho na sola de meus pés. Não estou olhando para nada. Não, não, não estou olhando para nada. Nunca mais vou olhar para qualquer coisa de novo.

Fico esperando que eles me movam. Fico esperando que ponham o soro de volta em meu braço, que prendam as amarras novamente. Mas ninguém vem e ninguém se importa quando mudo para a maca vazia ao lado.

Quando durmo, ele está lá.

Quando acordo, ele está lá também.

Quando é minha vez, é só Paretta. Eu rolo para o lado, fecho os olhos, mas ela desenrola meu corpo e me faz sentar. Um tanque de oxigênio espera ao lado de minha cama, tubos e uma máscara amarela.

— Bem — começa Paretta. — Sinto muitíssimo.

Não tenho nada a dizer para ela. Apenas encaro, fixamente, mesmo quando Paretta põe o quadro-branco em minhas mãos.

Ela se senta na beira da maca. Teddy se foi, e ela está coberta da cabeça aos pés, só a pele em torno dos olhos à mostra. Quando Paretta estende o braço, eu deixo. Deixo que afaste o cabelo de meu rosto, limpe o cuspe endurecido do canto de minha boca.

— Trouxe algo para você — comenta Paretta. De um dos bolsos do traje de plástico, ela tira uma Íris de Raxter. Um pouco amassada, com o caule partido, mas as pétalas ainda estão azuis. Ainda está viva. — Acho que você gostou delas lá embaixo, então. Aqui.

Ela me entrega a flor, e eu a ponho na palma de minha mão. O tom índigo ao redor dela e umas manchas amarelas mínimas escondidas no centro. Hetty costumava pegá-las para mim no verão e colocá-las em meu cabelo.

— Escuta — diz Paretta. — Não podemos mais ficar aqui. Tem Teddy, e algo aconteceu na sua escola, e nossa pesquisa foi encerrada. Sinto muito por não poder ajudar você.

Acho que ela está esperando que eu a absolva. Em vez disso, fecho os olhos e seguro a flor da íris próxima a meu nariz. Doce, e algo salgado, algo de Raxter.

— Certo — eu a escuto dizer, e as rodas do tanque de oxigênio rangem quando ela o desliza para perto de mim. — Apenas precisa respirar, OK? É simples assim.

Mantenho meus olhos fechados enquanto Paretta coloca a máscara de oxigênio sobre meu nariz, apertando as alças para que fique no lugar. Ela não se incomoda em prender minhas mãos, continua com o toque gentil e cuidadoso. Sabe que não resta mais nenhuma força em mim para lutar.

Um momento, então um sibilo, a válvula sendo liberada. Olho para Paretta e me certifico de que ela está vendo conforme respiro profundamente, deixando que entre o gás entre.

É tipo quando você bebe água pela primeira vez depois de muito tempo e sente o frio nas veias. Só que não é frio, é tipo um calor efervescente, alastrando-se e aumentando.

Não vou me importar de terminar assim.

Paretta se levanta, e acho que está indo embora, mas então ela para ao pé de minha cama.

— Me conte uma coisa — diz ela. — Se puder. Tenho tentado entender como Teddy ficou doente.

Consigo encolher meus ombros.

— Porque mais ninguém ficou — prossegue Paretta. — E não consigo pensar em nada de diferente que ele tenha feito.

Ah. Eu consigo.

Teddy retirando a própria máscara, Teddy com as mãos em meu cabelo, Teddy desaparecendo e outra coisa criando raízes dentro dele. Pego o quadro-branco e escrevo:

Eu beijei Teddy   isso bastaria

Por um momento, Paretta apenas olha fixamente. Então ela ri, só que soa como outra coisa.

— Boa sorte — diz ela, virando-se rapidamente para que eu não possa ver seu rosto.

Um clique, e a porta se fecha.

No sistema de alto-falante, uma mulher anuncia que está na hora de começar os procedimentos de evacuação. Consigo ouvir o movimento de pessoas, conversas, todas calmas e controladas. Sem pânico. Sem pressa. Elas sabiam que isso ia acontecer.

Um espasmo nas pernas, e uma vibração percorrendo meu corpo. Como o motor de um avião antes de decolar, como o momento antes de uma erupção, mas maior, muito maior. Meu corpo treme, meu corpo desfazendo-se nas juntas, e fecho meus olhos, porém não importa. Ainda consigo ver. Ainda estou aqui.

Suor em minha testa, e isso é demais, não fui feita para isso, consigo sentir algo se movendo dentro de mim, atrás das costelas, em direção ao coração, e o ar está sendo espremido de mim
 Não consigo
 Não como antes não como o brilho e a calma
isso é uma ruptura isso é uma quebra
 isso é um fim não era para eu desistir
 As pontas de meus dedos elas estão ficando pretas
um Raxter Azul   e tudo desaparece todas as coisas
até que saindo de meu peito como uma coluna de luz
um grito
 Eu não sou nada
 Eu
 Eu acabei.
 E agora, agora dói.

Eu me sento, a flor da íris cai no chão, e toco a ponta de meus dedos sob a luz. Pretas, como se eu a tivesse mergulhado em nanquim. Chega até os nós dos dedos.

 Isso é o que acontece com as coisas quando elas são de Raxter, quando a ilha foi costurada em seus ossos. Isso é o que acontece com elas quando estão morrendo.

 Retiro a máscara de oxigênio do rosto. Ela fez sua parte.

 Saio da cama e me mantenho próxima à parede conforme vou em direção à porta. Minhas pernas estão firmes o bastante, mas consigo sentir a fraqueza nelas. Não vão demorar para ceder. Paro por um instante na maca perto da porta e me recosto ao lado da janela que dá para o corredor. Meu reflexo me encara de volta. A pele embaixo de meus olhos está manchada de azul e amarelo. Mesmo através do traje hospitalar, consigo ver que minhas costelas estão fazendo força para fora, e meu cabelo está emaranhado, duro com o suor.

E então eu vejo. Em meu braço, ali, uma contração no espelho. Um inchaço na carne, um tremor na pele. Posso sentir uma batida em meu pulso, no ritmo de um coração. Estou morrendo, e a escuridão dentro de mim está tentando fugir. Pressiono meu dedo contra a pele em chamas e sinto algo recuar. Um tendão, talvez. Ou outra coisa.

Esqueça isso, diz uma parte de mim, fique na sua, mas se estou morrendo, não vou morrer sendo qualquer coisa que não eu.

Encontro um bisturi embaixo da cama perto da porta. Traço uma linha suave na parte interna de meu braço. A lâmina fria contra o calor de minha pele, um pouco de sangue escorrendo.

A mesma linha, mas pressiono dessa vez, arrasto a lâmina devagar. Sangue assim é intenso e escuro. Ele brota até começar a transbordar, descendo pelo meu cotovelo. De novo, e de novo, até um formigamento se espalhar por meus pulsos, até eu saber que acertei alguma coisa no fundo. Dor — alucinante, por toda parte —, e um grito atravessa meu corpo, mas estou sempre com dor e sei o que fazer.

Largo o bisturi, abro minha pele com dedos escorregadios. Um lampejo de osso, e o mundo está oscilando a meu redor, vívido e fora de foco. Deslizo o dedão e o dedo indicador para dentro, engulo o choro e separo os dois lados de pele feitos pelo corte.

Não sei o que há, até que afinal vejo, mas então a coisa se move. Reluzindo, grossa como um músculo. Contraindo suavemente e irradiando calor. Um verme.

Tento prendê-lo com meus dedos, mas é muito escorregadio, então continuo tentando, continuo desejando que alguém tivesse esquecido uma pinça por aí. O verme começa a se contorcer. Sabe o que estou fazendo. E, finalmente, consigo segurar bem e o arranco de dentro de mim.

É como arrancar um anzol. Um rasgo na carne, e sangue começa a brotar mais uma vez. Mas já não importa. O verme está em minhas mãos. Está morto, ou morrendo, completamente imóvel, e consigo olhar bem. A cor desbotando, e um branco leitoso surgindo abaixo. Seu corpo é sulcado e segmentado. E longo, talvez pudesse ir da ponta do meu dedo do meio até meu pulso. Um parasita. Estava dentro de mim e eu nem sabia.

Uma violação, mas um presente também. Ele me fez encontrar uma razão para tudo que eu sentia, em Raxter, em Boston, e todos os dias no meio do caminho. Ele me permitiu conseguir fazer meu corpo corresponder a minha mente. Posso agradecê-lo por isso, pelo menos.

Olho novamente para a janela para ver meu reflexo, para ver se pareço diferente. Mas não pareço. A mesma pessoa de sempre, a mesma pessoa de sempre   a mesma pessoa de sempre
mas eu acho   acho que algo está faltando

Não importa mais. Rasgo meu lençol, enfaixo meu braço a mancha se espalha e me levanto. Não quero estar onde eles me colocaram quando acontecer.

Minhas roupas estão no armário atrás da cama, lacradas num saco sinalizando risco biológico. Eu o rasgo com os dentes e as tiro de dentro   casaco, camisa, jeans e, numa bolsa própria, minhas botas desgastadas.

Seguro tudo com força contra o peito, inspiro o cheiro frio do sal. Isso é suficiente para fazer com que eu volte a pertencer a mim mesma de novo.

Quando, enfim, consigo pôr toda a roupa, minhas pernas estão tremendo. Encontro a flor da íris no chão, seguro firme e vou mancando até a porta, abrindo-a com o ombro. Há uma cadeira de rodas assim que saio. Consigo dar uns últimos passos até ela e deixo meu corpo desmoronar no assento.

A tranca é manual, um trinco que tenho que soltar e uma alavanca que tenho que abaixar com força. E, então, preciso fazer umas manobras e quase vomito, porque estou tão cansada, e minha barriga está tão vazia, mas consigo colocá-la em movimento. Sigo pelo corredor. Pelo caminho   pelo caminho que alguém me levou quando fomos para o lado de fora.

Algo escorre por meu lábio superior. Devagar, como xarope, e tem um gosto quase como sangue, mas azedo. Esfrego para limpar   sem olhar para a mancha que fica em minha mão.

Minha perna direita está dormente, minha visão cada vez mais escura. Não vai demorar.

É exatamente como me lembrava.

Pela recepção apenas um vazio e confusão e familiaridade
pense   pense Byatt você não sabe
  e então dobro   dobro dobro esquinas e ali sigo para a porta amassada
  Para o lado de fora
  Para o inverno doce   e frio   e só para mim

Vou o mais longe que consigo
  Fico perto da parede me agacho na base e recosto minhas costas nela aperto meu casaco no corpo com força   seguro a flor da íris perto do coração
  Posso sentir que está vindo como uma onda crescendo como o sol nascente como um trem no trilho como uma bala como
    como meu lar ou
    não será melhor assim   não será melhor

O sol nascendo nas árvores
  Aparecendo em raios pálidos
  Fiz o que podia tentei   como tentei.

———

Inspiro expiro
   Manter os olhos abertos pelo máximo de tempo que conseguir quero ver quero olhar quero que
   a floresta desapareça aos poucos
   o mar suba até meus pés
   a ilha venha flutuando para perto com a maré
   Raxter não se esqueça   Raxter
   Vai ser como vidro do mar vou me curvar vou olhar para a superfície ondulada dele vou me ver suspensa lá dentro
vou saber exatamente onde estou
   Vou segurá-lo em minhas mãos até secar   até as bordas desgastarem   até perder sua beleza
   (Rugido um rugido uma onda e está vindo)
   Vou guardar mesmo assim

HETTY

CAPÍTULO 17

—Está na hora. Vamos.

Sento tão rápido que minha cabeça bate no beliche de cima. Eu fiquei a noite inteira acordada sozinha em nosso quarto e, quando finalmente consegui dormir, tive diversos pesadelos com o Sr. Harker, ele se transformando em Reese.

— Sério. — É Julia, recostada no vão da porta. Espio atrás dela, procurando Welch, porque ela é quem deveria nos acordar, mas Julia está sozinha. — Não temos o dia todo.

— Onde está Welch? — pergunto, tentando não soar tão nervosa quanto me sinto.

— Ocupada. Levanta.

Respiro profundamente. É apenas a Equipe do Barco, normal. Se Welch soubesse que quebrei a quarentena e a segui, eu já estaria encrencada.

Esfrego a cicatriz do meu olho cego, leva um segundo para minha visão se ajustar, então sigo Julia pelo corredor parcialmente escuro, pois o sol ainda não nasceu. Em algum lugar atrás de mim, Reese dorme num dos quartos vazios.

Mantenho meu olhar para a frente, resoluta, ignorando a pontada em meu peito. Ela foi bastante clara.

Nós chegamos ao mezanino. No andar de baixo, consigo ver Carson de pé à porta. Ela está de casaco — está sempre sentindo tanto frio — e acena quando nos vê. Mas Julia me puxa para o lado no topo das escadas.

— Welch e a Diretora estavam no salão principal quando fui buscar você. As duas estão irritadas com alguma coisa. — Ela se inclina sobre o corrimão para ver o resto do salão. — Prefiro não ser pega no fogo cruzado.

Pode ser por um milhão de razões, digo para mim mesma. Sobre a quantidade decrescente de suprimentos, sobre os horários, sobre os geradores quebrados. Mas então a Diretora surge em um passo acelerado no corredor que dá para sua sala, com Welch em seu encalço, e fica claro que não é nenhuma dessas coisas. Ambas parecem arrasadas demais para ser sobre qualquer coisa que não nossa regra mais importante — elas devem saber que alguém quebrou a quarentena. Talvez não saibam que fomos nós, mas sabem que aconteceu.

Welch alcança a Diretora e as duas param, falando em voz baixa, tensas. As mãos da Diretora tremem tanto que posso ver de onde estou, e uma vermelhidão se espalha pelo pescoço de Welch.

— Parece intenso — comenta Julia.

— A Diretora provavelmente descobriu que não estávamos guardando nada da remessa de chocolate para ela — digo, sorrindo um pouco e passando por Julia. — Não foi você quem disse que não temos o dia todo?

A Diretora já se foi quando chegamos no térreo. Welch está um caos: a trança embutida meio solta e fina, sangue escorrendo do canto da boca. Normalmente, ela gosta de ficar tão arrumada quanto a Diretora, mas hoje há uma mancha cor-de-rosa em torno de seus lábios.

— Vamos — diz ela.

Julia pigarreia.

— Hetty e eu precisamos de nossas coisas.

— Bem, andem logo então.

Ela nem mesmo olha para a nossa cara. Deveria ser um alívio, prova de que não sabe que fui eu, mas isso só me deixa mais desconfortável.

Julia agarra minha manga e me arrasta pelo salão até o armário. Ela abre a porta, verifica o clipe de cartucho da pistola e conta as balas enquanto eu afivelo os fechos na parte da frente de meu casaco. Estou puxando bem o vermelho na cabeça quando Julia enfia a mão no fundo do armário, sob uma pilha de cobertores, e pega uma pistola igual a dela.

— Aqui. — Ela a oferece para mim, com as sobrancelhas erguidas em expectativa.

— Não, eu não tinha isso da última vez.

— Eu sei. Ninguém tinha.

Olho para a pistola com cautela. Será que isso é alguma espécie de armadilha?

— Welch solicitou para você...

— Escuta — interrompe Julia —, você fazia parte da Equipe das Armas, certo?

— Aham — respondo —, mas não usávamos pistolas.

Julia continua:

— E eu já te vi no estábulo. Você atira bem. Preciso de alguém com boa mira lá fora hoje.

— Por quê? — pressiono, com o rosto do Sr. Harker pairando no limite de minha visão.

— Tipo, você viu como ela está? — Julia deve estar falando de Welch. — Ela vai surtar. Talvez já tenha surtado.

Engulo em seco e olho para baixo, controlando o impulso de me explicar. Julia está certa. Welch está no limite — e se ela descobrir que fui eu quem quebrou a quarentena? O que ela fará então?

Pego a arma. O cabo parece firme na palma de minha mão.

— Esconda isso sob seu casaco — diz Julia. — Não quero que ela saiba que está com você.

Num dia diferente, seria algo estranho para se dizer, porque não fazemos isso, não escondemos coisas de Welch e não nos defendemos dela. Mas é hoje; eu a vi deixar o corpo de Mona na floresta e acredito que mais nada me surpreende.

Ao voltarmos para o salão principal, Carson está mudando o peso do corpo de um pé para o outro enquanto Welch anda sem parar diante da porta. Julia gesticula para Carson, que vem correndo, com um sorriso de gratidão no rosto.

— OK? — indaga Julia.

— Ela não disse nada — conta Carson, indicando Welch com a cabeça. — Só fez isso o tempo todo.

Ela não sabe. Fico repetindo isso para mim mesma. Ela não sabe que foi você. Não tem razão para ter medo. Mas, ainda assim, fico grata quando Julia assume o lugar ao lado de Welch e me deixa com Carson.

Passamos pelo mural, batemos no recado da Marinha para dar sorte, saímos pela porta da frente e seguimos o caminho de pedra. Atravessamos o portão, com Carson logo atrás de mim, Welch e Julia na frente. Enquanto percorremos a estrada, adentrando cada vez mais a floresta, Julia se vira e me olha. A arma está quente com o calor do meu corpo, e sinto seu peso a cada passo.

Nós chegamos ao cais antes de meio-dia. Durante todo o trajeto inteiro, fiquei de olho na estrada, temendo que qualquer vislumbre da floresta fosse me colocar de volta lá com o Sr. Harker, seu coração ainda batendo em minhas mãos. No píer, tudo é abençoadamente aberto, o céu se estendendo sobre nós, infindável e cinza. A fita isolante sacode com o vento forte, e as ondas batem com vontade. Carson enfia o cabelo dentro do casaco para mantê-lo longe de seu rosto. Eu tiro o gorro para que não voe e o guardo na bolsa que estou carregando.

— Acho bom eles virem logo — comenta Julia. Aquela exaustão do dia anterior está de volta, sugando a vida de sua voz, e quando ela tosse, é um som seco e terrível. — Está congelando hoje.

— Poderíamos esperar entre as árvores. Serviria de abrigo.

Os dentes de Carson estão batendo. Penso na sensação dos lábios dela na minha bochecha em nossa primeira saída. Eu me pergunto se o sangue dela continua correndo quente como o meu ou se a Tox tirou isso dela.

Julia balança a cabeça.

— Mais seguro aqui. Assim podemos ver caso alguma coisa venha para cima de nós.

Welch não se mexeu desde que chegamos. Ela está encarando o horizonte, estreitando os olhos para o nada onde o continente às vezes aparece. Está cinza demais hoje para ver qualquer coisa, mas Welch tenta mesmo assim.

Ela não disse uma palavra durante toda a caminhada pela ilha. Fiquei grata a princípio, mas agora estou apreensiva. Quero ficar de olho, tentar entender mais ou menos o que ela está pensando, mas não posso observá-la por muito tempo. Tenho medo de Welch conseguir ver a culpa estampada em meu rosto. Em vez disso, dou um passo para trás para ficar ao lado de Carson, pressionando meu corpo contra o dela.

— Mais quente assim — explico quando ela parece surpresa.

Welch começa a andar de um lado para o outro novamente. Para lá e para cá. Da última vez que saímos, ela tinha uma arma. Não vejo nenhuma no momento, mas se há uma escondida em mim, pode haver uma escondida nela. Julia se afasta um pouco do cais, aproximando-se de Carson e de mim.

Um som agudo e estridente surge; o grito de uma gaivota no ar. Olho para cima, respiro rapidamente. Há uma rondando acima de nós, com as asas escuras contra o céu, e duas outras surgem logo mais. Exatamente igual à última vez, quando elas apareceram pouco antes do rebocador. Elas sabem que o barco está vindo.

Um minuto ou dois se passam antes de ouvirmos a buzina de nevoeiro, silenciosa e quase abafada. Welch para de andar e se vira para ficar de frente para o horizonte. Há uma selvageria nos olhos dela que jamais vi, uma que é inteiramente própria.

— Preparem-se, meninas — diz ela.

Outro barulho de buzina, e o rebocador aparece em meio à névoa. As gaivotas começam a se juntar, com seus gritos sobrepondo-se. Quero tapar meus ouvidos, mas Julia assente para mim e eu a sigo até a extremidade do cais, com Carson em nosso encalço.

É a mesma coisa de antes. A curva longa e vagarosa e as marcações familiares. Não há ninguém na popa e, quanto mais perto o rebocador chega, mais conseguimos ver o vazio. Nenhuma pilha alta de caixas. Nenhuma base com comida enlatada. Apenas o que parece ser uma caixa, com marcações de cores fortes nas laterais.

Olho para Julia. Ela está mordendo com força a parte interna da bochecha.

— Isso acontece de vez em quando?

Ela balança a cabeça, diz algo, e o motor do barco é tão alto que mal posso ouvi-la, mas o formato de seriedade em sua boca é suficiente.

Um ranger e um guinchar conforme o guindaste começa a subir e engancha a caixa — a única caixa —, balançando-a para o cais. Da última vez, eles deixaram cair do alto, mas hoje a levam até o chão e apenas soltam quando chega lá. O guindaste é puxado de volta, com a corrente chacoalhando, e depois vem o som da última buzinada, zumbindo em meu ouvido por muito tempo após terminar.

Assistimos ao rebocador provocar um grande rastro ao se afastar. Da última vez, mal conseguimos nos segurar. Agora ninguém quer ser a primeira a se mexer.

Olho além de Julia, para Welch. O maxilar tenso, uma lágrima escorrendo por sua bochecha, fria e congelante, e ela está balançando a cabeça. Nunca a vi assim antes, nem quando a Tox começou, nem mesmo quando uma menina quebrou o braço durante meu primeiro semestre e ficou com o osso saltando da pele.

— Bem? — Ela gira para nos encarar, e não consigo evitar dar um ligeiro passo para longe da vermelhidão dos olhos dela. — O que estão esperando?

Julia sorri.

— Depois de você.

Por um segundo, o ar é tão silencioso que consigo ouvir a respiração trêmula de Carson, então Welch passa por nós, esbarrando em Julia no caminho. Vamos atrás dela até o cais, com as tábuas gemendo abaixo de nossos pés e o vento aumentando.

Nós três andamos lado a lado atrás de Welch, e eu olho para baixo pela lateral do cais, na direção do mar. A cor é de um verde vivo e doentio hoje, com camadas de espuma. Eu me aproximo mais de Carson, que está segura no meio.

A caixa é menor do que as outras de minha última missão, e não é de madeira como aquelas, mas de outro material. Plástico, talvez. Lisa, cinza e abaulada nas quinas, com dois conjuntos de fivelas mantendo a tampa fechada. Há um símbolo na tampa que não reconheço. De um laranja bem vivo, um pouco borrado, como se tivesse sido pintado com spray e estêncil. Quase o símbolo de risco biológico — aquele conjunto de semicírculos interligados que todas nós conhecemos tão bem a essa altura —, mas não exatamente.

— OK — diz Welch, estendendo a mão. — Esperem aqui.

Fico feliz de me manter afastada. Aquela caixa é muito reluzente, muito industrial. Nada assim pertence a Raxter, e quase não quero saber o que há dentro. Mas Julia dá um passo para a frente junto com Welch.

— Vou ajudar — fala ela, olhando sobre o ombro para mim à medida que ela e Welch vão em direção à caixa.

Ponho a mão no cós de meu jeans, onde está a arma, e faço um sinal positivo com a cabeça. Já era ruim quando precisava me preocupar apenas com Welch, agora isso é pior.

Na extremidade do cais as tábuas estão desgastadas e escuras, com algas se alastrando como teias verdes. Carson e eu ficamos para trás. Engulo minha apreensão, então solto o fecho na parte baixa do casaco para que seja mais fácil pegar a arma.

— Vamos levar a caixa toda de volta? — pergunta Julia. O vento carrega sua voz até mim, fraca e trêmula.

— Não. — Welch se agacha e coloca a mão sobre o topo da caixa, como se estivesse tentando sentir algum movimento. — Vamos abrir aqui.

Julia permanece de pé, e observamos os ombros de Welch se elevarem enquanto ela solta o último conjunto de fivelas, com os tendões se contraindo em seus braços.

Na borda superior da caixa, pisca uma luz verde. A tampa abre uns centímetros, como se uma trava tivesse se soltado. Welch a levanta cautelosamente, com o rosto virado para longe.

Não consigo ver o interior. Apenas percebo o franzido na testa de Julia aumentar, e a forma como Welch cai para a frente para apoiar a cabeça nas mãos.

— O que é? — pergunta Carson.

Ninguém responde, então me aproximo. Dentro da caixa, há uma camada de espuma preta. E, acomodado confortavelmente no centro, um pequeno contêiner cromado e cintilante, talvez do tamanho de meu punho. Parece uma miniatura de um tanque de oxigênio, do tipo que as pessoas carregam em rodinhas nos hospitais, mas a válvula está selada com uma fita vermelha, o mesmo símbolo da tampa repetindo-se como um padrão.

Sinto um embrulho dentro de mim e engulo com a boca seca, de repente.

— Não estou entendendo. — Carson está olhando por cima de meu ombro, suas bochechas tão pálidas que me deixam nervosa. — O que é aquilo?

Julia não tira os olhos de Welch.

— Uma cura, talvez?

— Duvido — comento. Não nos contariam se fosse? Não viriam?

— Onde está a comida? — indaga Carson, mais alto dessa vez. — Onde...

Julia a interrompe.

— Obviamente não vem.

O corpo inteiro de Welch treme, e consigo ouvir um som abafado, um soluço estranho e sufocado do fundo de seu peito, o ar frio deixando sua respiração irregular.

— Não temos comida suficiente em casa. — Carson sai de trás de mim. — O que vamos fazer?

E, antes que eu consiga impedir, ela agarra os ombros de Welch.

Welch se levanta e gira rapidamente, com seu braço batendo no de Carson. Ela se afasta de nós tão depressa que temo que caia da borda.

— Pare — dispara ela.

— Desculpa. — O queixo de Carson treme. — Não era minha intenção...

— Vocês estão entendendo? — Welch olha de nós duas para Julia e vice-versa, e, quando o vento empurra o cabelo dela para trás, vejo sangue escorrendo por seu queixo, a partir do ponto onde ela mordeu o lábio.

Julia sorri calmamente e diz:

— Claro que sim. — Conheço esse tom, conheço uma mentira quando escuto uma. Ela está tentando manter as coisas calmas, mas sua mão está no bolso do casaco onde a arma ficou escondida.

— Não, não está. Isso... — E a voz de Welch falha, voltando baixa e rouca. — Isso é o fim. A comida, a gente, tudo. Eles nunca mais vão voltar.

— Que besteira. Claro que vão. — Julia se aproxima cada vez mais de Welch, com a mão estendida. Ela soa como uma mãe, paciente e controlada, porque alguém aqui precisa estar, e nós somos adolescentes, mas deixamos de ser crianças um ano e meio atrás.

— Não depois de ontem — retruca Welch. — Alguém quebrou a quarentena.

Mal consigo ouvir o vento acima do rugido em meus ouvidos. É isso. Ela sabe, ela sabe, e estou prestes a me ver com a arma dela em minha cabeça.

Eu faria tudo de novo, acho. Para ter certeza de que Byatt está viva.

— Quem? — pergunta Julia. A surpresa arregala seus olhos e a faz parar de repente. Prendo minha respiração. — Quem fez isso?

— Não sei — responde Welch, e um alívio doce vibra em meu sangue. — Mas não importa. — O rosto dela está molhado, lágrimas sopradas para trás em suas bochechas e uma longa faixa de cuspe grudada em seu queixo. — O Campo Nash sempre foi claro. Nosso risco é alto demais. Um erro e tudo estaria acabado.

Um erro. Reese e eu, nós somos a razão de o cais estar vazio. Somos a razão de não termos nenhuma comida, nenhum suprimento, nada. A vergonha queima minhas bochechas, e enfio o queixo na gola do casaco.

— Eles não vão simplesmente desaparecer — diz Julia.

Welch balança a cabeça.

— Aquele contêiner? É o fim. O que quer que tenha dentro foi feito para nos matar.

Não. Não, ela está errada. Eles não fariam isso conosco. Disseram que ajudariam. Prometeram.

— Como você sabe? — questiona Julia.

Carson está começando a desmoronar, recostando-se com todo seu peso em mim. Eu afasto meu pânico, seguro o antebraço dela e o aperto para tranquilizá-la.

Welch indica a caixa com a cabeça.

— O símbolo.

Olho para o contêiner rapidamente, com medo de encarar por tempo demais.

— Você pode estar errada. — Julia está dando o máximo de si, mas seu tom de desafio começa a se esgotar.

— Não estou. De verdade, não estou. — Welch esfrega as lágrimas que escorrem pelas bochechas. — Eles tentaram, certo? Fizeram a boa e velha tentativa. E agora estão dizendo "chega". Não importa o que eu fizer, não posso proteger vocês.

Proteger de quê? Da Tox? Do que quer que esteja na caixa? Olho para Julia, mas ela está tão perdida quanto eu, meu pavor crescente refletido no rosto dela. Isso é mais do que podemos encarar. Mas a única pessoa que poderia nos ajudar é Welch.

Ela dá uma risada, engasgada e destruída.

— Já tenho sangue nas mãos, não é? Eles queriam experimentar com a porra daquela comida e não deixei, e queriam testar todas vocês, mas eu não deixei, e paguei por isso. Paguei; fiz escolhas e conduzi vocês à morte.

A comida, penso. Foi por isso que jogamos metade fora?

— Espera — digo, e há tantas outras perguntas para fazer, mas não tenho a chance antes do olhar febril de Welch chegar em mim.

— Hetty — diz ela. — Você não pode confiar neles. OK? Precisa se lembrar disso. O CDC, a Marinha...

— Ei — interrompo, e é fácil fingir que está tudo bem quando você não sabe o que há de errado. — Meu pai é da Marinha. Tem pessoas boas lá. — Não importa se acredito nisso. Não importa que o Sr. Harker me mostrou o que um homem bom pode se tornar, que eu vi o que um pai é capaz de fazer com a própria filha. — Eles vão nos ajudar. Não acabou.

— Seu pai? — Ela suspira. Com pena, porém, mais do que qualquer coisa, com impaciência. — Hetty, querida, seu pai acha que você está morta.

— O quê? — Ela só pode estar mentindo. Afasto uma onda de náusea. Welch disse para não confiar na Marinha, mas era ela na floresta na noite passada entregando o corpo de Mona. É nela que não podemos confiar. — Não acredito em você.

— São todas vocês — continua Welch. — Sua família, seus vizinhos. Vocês não entendem. Acabou há muito, muito tempo.

Não acredito em você, repito para mim mesma, não mesmo. Mas não está funcionando. Porque faz sentido.

Meu Deus. Ninguém está preocupado conosco, ninguém está esperando. E não podíamos mais falar com nossos pais, e era por segurança, mas não era. Era apenas mais uma mentira, e nós acreditamos.

— Espera aí — diz Julia. — Você tem que explicar. — Mas Welch leva seu olhar até Carson, e seu rosto se suaviza.

— Carson — começa ela. Um sussurro, deslizando com o vento para nossos ouvidos, e ela estende a mão. — Vem aqui um minuto. Preciso da sua ajuda.

Agarro a manga de Carson, mas ela já está andando, pisando cuidadosamente nas tábuas molhadas para segurar a mão de Welch. Sinto um peso no estômago quando Welch tira uma faca do bolso do casaco, a lâmina sedenta brilhando como fogo.

Julia grita, mas é tarde demais. Welch segura com força o pulso de Carson, inclinando-se.

— Tudo bem, Carson — diz ela. — Só quero terminar do meu jeito. Tudo que precisa fazer é acertar o ponto certo.

Olho para Julia. Ela assente. Tiro a pistola do cós da calça e a seguro na lateral. Não podemos perder Welch. Ela sabe para onde levaram Byatt e, se ela se for, também ficamos sem respostas. E, mesmo com todas as mentiras que Welch me contou, mesmo com todas as coisas que acho que fez, todo mundo sabe que a casa inteira vai desmoronar sem ela. Precisamos dela. Eu preciso dela.

— Você pode me ajudar — continua Welch. Ela pressiona o cabo da faca na mão de Carson, a lâmina brilhando como gelo no sol de inverno. — É fácil. Vai ser tão fácil.

— Não — interfere Julia, com sua arma surgindo num piscar de olhos, mirando diretamente em Carson, sem a menor trepidação.

Welch sabia o que estava fazendo quando pediu isso para Carson. De todas nós, é a mais fácil de manobrar, aquela com mais chances de dizer "sim". É capaz de ela fazer isso para Welch, e não podemos deixar.

— Você consegue — insiste Welch, com seu sorriso crescendo. — É forte o bastante, Carson. Sei que é.

Não consigo ver o rosto de Carson, mas, pela forma como os ombros dela se endireitam, eu sei. Ninguém nunca disse isso para ela. Levanto minha arma, nivelando-a com a base do pescoço de Carson. Estou suficientemente perto para não errar.

— Deixe Carson ir — diz Julia para Welch, com o tremor em sua voz fazendo-a implorar. — Volte para casa conosco. Podemos consertar isso.

Carson está olhando para baixo, para sua mão, segurando a faca com força, e posso ver o nó dos dedos dela mais branco.

— Acabou. — Welch fecha os olhos, pressiona a testa contra a de Carson. — Você é a única que pode me ajudar.

— Largue a faca, Carson — peço. — Vou atirar. Você sabe que vou. Precisamos dela na casa. Não vamos conseguir manter as coisas de pé sozinhas.

Ninguém se mexe. Há apenas o vento e os respingos do mar, e, acima de nós, o sol começa a surgir das nuvens. Eu pisco com força, foco novamente minha mira.

— Desculpa — diz Carson, por fim. — Não posso, desculpa.

Abaixo minha arma, solto minha respiração instantaneamente. Um raio de sol consegue escapulir e reflete na água. Então, bem no momento em que Julia se vira para proteger seus olhos, vejo a cena acontecer. A mão de Welch segura com força a de Carson, mantendo a faca firme. O queixo de Welch se erguendo, e um sorriso emergindo conforme ela olha para cima. O último movimento dos braços dela quando ela puxa Carson para perto e enterra a faca entre as próprias costelas.

CAPÍTULO 18

Ela cai devagar. De joelhos primeiro, então seu corpo tomba para a frente no cais quando Carson a solta e se afasta, cambaleando.

— Eu não fiz nada — diz Carson. — Juro que não.

Em choque, fiquei com meus nervos dormentes. O sangue escuro e grudento dela indo para as bordas do cais. Logo vai manchar a água. Consigo imaginá-lo espalhando-se pela superfície como petróleo, brilhante e escorregadio e vermelho, vermelho, vermelho.

Julia dá a volta na caixa, o contêiner continua reluzindo lá dentro, e se curva para pressionar os dedos contra o pescoço de Welch.

— Nada — afirma ela.

Welch está morta e levou junto seus segredos. Não consigo decidir como me sinto. Grata por ela não poder me machucar. Com raiva porque nunca vou descobrir o que ela sabia, e porque minhas chances de encontrar Byatt estão cada vez mais distantes. E, por trás disso, por trás de tudo isso, tão familiar quanto respirar: a culpa devorando meu coração.

Devolvo a arma ao cós da calça, me curvo e apoio as mãos nos joelhos. Welch tinha que estar dizendo a verdade sobre nossa família.

Não teria motivo para ela mentir. E isso quer dizer que minha mãe segue sua vida e não está contando os dias para eu voltar para casa.

— Será que devemos contar para as outras? — pergunto. Minha voz soa rouca, como se eu tivesse gritado por horas. — Sobre nossas famílias.

Quando me recomponho, Julia balança a cabeça.

— Eu não vou dar a notícia — diz ela. — Eu mesma queria não saber.

Eu também. Mas não temos tempo para decidir. Não podemos ficar aqui depois de escurecer, especialmente sem Welch.

Dou uma olhada rápida no corpo. Os dedos não ficaram pretos. Ela e a Diretora estariam doentes, mas não como nós, eis aí minha prova.

— O que fazemos com ela? Carregamos o corpo de volta para casa?

Julia olha para longe, para além das árvores. O sangue está pesado no ar, um gosto acobreado em minha boca.

— Não — responde ela. — O corpo vai nos atrapalhar. Vai atrair a atenção que não queremos.

Temos apenas uma opção. Carson começa a chorar, então seguro os ombros dela, afastando-a. Julia e eu daremos um jeito.

Julia pega os pés e eu os braços. O corpo de Welch ainda está quente, os membros continuam flácidos, e, quando afasto o cabelo de seu rosto, deparo com seus olhos ainda abertos. Quero fechá-los como vi pessoas fazendo em filmes, mas quando estendo a mão, os cílios roçam nas pontas de meus dedos, duros com o frio, e eu recuo. A sensação do corpo do Sr. Harker foi a mesma. Mole, sem tensão restante.

— Vamos ser rápidas — diz Julia. Ela está agachada perto dos joelhos de Welch. — Pegue as chaves dela, e aí só empurramos o corpo.

É simples, falo para mim mesma. É o que precisa ser feito.

O jogo de chaves está preso ao cinto dela, e minhas mãos tremem conforme o solto. Ali estão a chave longa e de ferro para o portão. A chave para o estábulo, apesar de nunca o trancarmos. E, por último, a chave de sua antiga sala de aula. Ainda no chaveiro, como se ela estivesse esperando que esses dias voltassem.

Chega. Prendo as chaves em meu cinto e então me curvo novamente, apoiando as mãos em cada um dos lados do corte sangrento no tronco de Welch.

— Vou contar até três.

O primeiro empurrão a leva até a borda, e Julia se senta, cerra os punhos. Ela está se preparando, mas não posso demorar, não posso esperar, porque, quanto mais espero, mais se intensifica o choro de Carson, e tem que ser logo. Encaixo meu ombro no de Welch e dou um empurrão em seu quadril. É lento, o corpo vai raspando, mas, finalmente, as pernas deslizam, e então cai do píer.

Um lampejo de água. Respingos atingem meu rosto e o frio entra em minha pele. Eu me seco.

— Obrigada — diz Julia, baixinho.

Welch flutua. O cabelo espalhado, o sangue se esvaindo.

Eu me permito sentir tudo — a dor e, adormecida, uma pequena parte de mim com uma cruel satisfação —, então fico de pé e me viro. Mais cedo ou mais tarde, algum ser da floresta virá para pegar o corpo. Prefiro não assistir a isso quando acontecer.

Agora, resta apenas a questão do contêiner. Nós nos reunimos em torno dele, com o rosto ativamente afastado da água.

— Que merda tem dentro disso? — pergunto.

— Isso não me importa — responde Julia. — O que importa é o que vamos fazer com ele. Eu voto para jogarmos fora. E não mencionarmos nada para ninguém. Vai apenas criar confusão. Tipo, olha o que isso fez com Welch.

Carson estremece. Fico esperando que desabe, destruída, mas ela se endireita e alinha os ombros.

— Isso vai embora com a gente.

Vejo a expressão de surpresa no rosto de Julia. Jamais as vi discordando antes.

— Por que faríamos isso? — dispara Julia. — Por que levaríamos isso com a gente?

— Vamos entregar para a Diretora. — Carson encolhe os ombros. — Ela vai saber o que fazer.

— *Nós* sabemos o que fazer — insiste Julia. Eu concordo, mas as duas mal prestam atenção em mim. — É para nos matar. Por que iríamos querer isso para nossa casa?

— Podemos sempre jogar fora depois. Sem Welch — continua Carson —, a Diretora é tudo que temos. Não vejo sentido em esconder as coisas dela.

Julia pega a mão de Carson.

— Sei que você está abalada, mas...

— E se Welch estivesse errada, hein? — Nunca ouvi Carson falar tão alto. Os olhos dela estão vidrados, e seu lábio inferior treme, mas ela se mantém firme. — E se for a cura? A Diretora vai saber. — Ela seca uma lágrima solitária da bochecha. — Estou tão cansada, Julia. Guardamos tantos segredos, e tomamos decisões que não deveríamos ter que tomar, e não consigo fazer isso nesse momento. A faca estava na minha mão, OK? Não na sua. Vamos entregar isso para a Diretora.

Julia parece ter sido atingida.

— Desculpa — diz ela, abruptamente. — É claro. Sim, vamos levar isso para casa. Hetty, tudo...

— O que Carson achar melhor — respondo. Estou cansada, e se Carson começar a chorar de novo, acho que vou chorar também.

Olho para longe e ando um pouco no cais a fim de dar espaço para as duas. Mesmo assim, ainda vejo rapidamente Carson cair nos braços de Julia.

A caixa se torna pesada demais para que qualquer uma de nós consiga levantar sozinha, e ninguém fala nada, mas estamos relutantes sobre retirar o contêiner.

— Vamos levar a caixa — diz Julia para Carson. — Vai você na frente.

Eu me agacho, fecho a caixa e passo a mão sobre sua superfície lisa. É fria ao toque, com pequenas elevações que eu não conseguia ver de longe, e há alças nas laterais. Julia encontra a alça correspondente do outro lado. Juntas nós a levantamos, e Julia se encolhe quando bate em seu quadril.

— Quando a Diretora perguntar — comenta ela assim que começamos a andar —, a resposta é que Welch fez tudo sozinha. Carson estava atrás de você.

— Claro que estava — respondo.

Meu jeans está grudento, encharcado, e uma dor vem surgindo atrás de meu olho, com o brilho do mar fazendo-o se esforçar mais. Tudo que quero é estar em casa de novo. Em algum lugar calmo, longe das memórias de Welch e do Sr. Harker. Em algum lugar com Reese para que ela me diga que tudo vai ficar bem.

Acabamos de entrar no mato quando sinto algo, uma batida no chão, um movimento distante nos galhos. Julia acelera o passo e eu a acompanho. Tento não olhar para trás. Mas há uma curva na estrada, então vejo, por cima de meu ombro. Um vulto de algo gigante e muito escuro, rondando pelas árvores na direção oposta. É um urso, atraído pelo sangue, pelo chamado do corpo na água.

Estou exausta demais para sentir medo. Cansada demais para fazer qualquer coisa além de seguir. Olhe para a frente, Hetty. Pense em outra coisa. Mas tudo que me vem é o dia anterior, a forma como a pele do Sr. Harker se desfez sob meu toque. E antes disso, o corpo de Mona num saco. E antes disso, e antes disso, e antes disso.

As coisas que fiz aqui, os corpos que senti em minhas mãos. Foi tudo em vão caso eu não encontre Byatt. Welch não pode mais me dar nenhuma resposta, mas vou as encontrar mesmo assim.

Deixamos o cais para trás. Desde a Tox, calos grossos surgiram em minhas mãos, e fico grata por eles nesse momento, enquanto continuamos, com Carson à frente e a caixa ficando cada vez mais pesada. Deveríamos ter enfiado o contêiner em uma de nossas sacolas e largado a caixa na doca.

— Quase lá — anuncia Julia quando a última grande curva antes da casa aparece na estrada. Mantenho meu olho no topo das árvores, esperando o telhado surgir. — As pessoas vão estar no salão — continua ela. — Carson deveria entrar sozinha, levar a Diretora até o portão para decidirmos o que fazer.

A comida. Tento lutar contra isso, mas não adianta, e mordo meu lábio com força para evitar que as lágrimas brotem. Por favor, que Byatt tenha valido a pena. Por favor, que a vida dela valha todas as nossas.

— Acha mesmo que vai ser tão ruim assim?

— Certamente não vai ser uma cena bonita.

— É — comento, esperando que soe como se eu concordasse, então chamo Carson enquanto tento ignorar meu estômago remexendo.

Ela se vira, tropeçando de leve numa pedra.

— O quê?

— Você vai entrar primeiro.

— Apenas ache a Diretora — explica Julia. — Traga ela até nós duas.

— Eu...

— Não precisa explicar — me adianto, gentilmente. — Pode só falar para ela que estamos esperando. Não precisa ser nada além disso.

Ela assente, virando-se novamente, e continuamos, até o parapeito do terraço ficar visível pelas árvores. Essa visão libera algo preso em meu peito, e eu expiro longa e lentamente. Quanto antes chegarmos, mais cedo essa caixa deixará de estar sob meus cuidados, e poderei voltar para os perigos com os quais já estou acostumada.

Nós dobramos a última curva e começamos a caminhada reta para o portão. Carson acena para as meninas da Equipe das Armas no telhado. Sei o que elas devem estar sentindo, o medo se intensificando à medida que contam quantas somos e, então, contam outra vez.

As coisas vão mudar sem Welch. A estrutura que construímos já é instável. Sem Welch no centro, não há nada que a mantenha unida.

Colocamos a caixa no chão, e eu solto o molho de chaves de meu cinto, procuro a de ferro no meio das outras. É gelada, gruda em minha pele e eu a puxo. Encaixo no buraco e giro, o metal tilintando conforme a tranca desliza.

Carson segura o portão para entrarmos. Julia e eu passamos a caixa por ele e a apoiamos novamente do outro lado. Julia grunhe ao se alongar, com o hematoma de ontem visível quando sua camisa se levanta. Eu me encolho — parece ainda pior do que antes —, então flexiono meus dedos dormentes antes de puxar o portão atrás de mim para fechá-lo.

— Só digo a ela para vir aqui, certo? — Carson mexe nervosa numa pele solta perto da unha. Estico meu braço e seguro levemente seu pulso, lutando contra a vontade de recuar diante do frio de sua pele.

— Apenas diga que é importante. E faça uma cara boa, tá? Para as meninas, informe que está tudo bem. — Digo isso tanto para ela quanto para mim.

Carson assente e respira fundo.

— Está tudo bem.

— Dê cinco minutos, e todo mundo vai saber o que aconteceu — murmura Julia à medida que Carson segue na direção da casa.

— Podemos pelo menos evitar um pânico generalizado — comento.

— Por enquanto. — Julia estreita os olhos para as meninas na Equipe das Armas e dá um passo, posicionando-se em frente à caixa. — Eu diria que estamos condenadas a isso em algum momento.

Esperamos apenas um ou dois minutos, mas parece demorar mais tempo, cada rajada de vento arranca um calafrio de meu corpo. Por fim, as portas da frente se abrem, e, quando olho para cima, é a Diretora vindo apressada até nós.

Seu cabelo está soltando do coque que ela sempre usa, e está o mais perto de correr que já vi. Sua calça bege parece manchada de sujeira, como se ela tivesse ficado fuçando alguma despensa por aí, e um lado de sua camisa social está quase para fora da calça. Atrás dela, Carson mal consegue acompanhar.

— O que houve? — questiona a Diretora. — Onde está a Sra. Welch?

Lanço um olhar tranquilizador para Carson.

— Houve um incidente no píer.

— Um incidente? — O olhar da Diretora alterna entre Julia e eu. — Sejam claras.

— Eles entregaram algo inesperado — explica Julia. — Welch não recebeu isso muito bem.

Carson se encolhe, e não consigo afastar a memória de um corpo ainda quente contra minhas mãos. Mas a Diretora não move um músculo.

— Está me dizendo... — começa ela. Mas não sai mais nada.

— Ela se matou — concluo, com a voz trêmula. — Ela sangrou muito e rápido demais. Não tínhamos como fazer nada. Tivemos que deixar Welch para trás.

— É claro — comenta a Diretora, baixinho. — É claro que tiveram. — Ela oscila um pouco e então se endireita, firmando o pé no chão. — Obrigada, meninas, por me contarem isso. Entrem e separem a comida.

— Na verdade — diz Julia, encolhendo os ombros.

A Diretora olha para nossas mãos vazias, para as sacolas pendendo sem nada de nossos ombros.

— Vocês deixaram com Welch? — pergunta ela. — Voltem lá. Ainda dá tempo antes do pôr do sol.

— Não, não deixamos. — Pigarreio. Tenho que fazer isso. É a única forma de me responsabilizar. — Eles não mandaram nada.

A Diretora me observa por um momento, seu rosto tenso e chocado.

— O quê?

Julia dá um passo para o lado para lhe mostrar a caixa.

— Tudo que enviaram foi isso. Foi o que... desconcertou Welch.

A Diretora segue até a caixa e se agacha diante dela. Posso dizer o exato instante em que ela reconhece o símbolo pintado na tampa. Seu queixo cai, e um franzido profundo surge em sua testa.

Esperamos que ela abra a caixa, mas a Diretora não faz isso, e Julia pigarreia.

— Ela disse que foi feito para...

— Sei para que serve. — Espero que nos diga, mas ela se levanta rapidamente e passa as mãos na calça. — Entrem.

Julia olha para mim, perplexa.

— O que vamos fazer sobre...

— Disse para entrarem. — A Diretora está tomada por uma calma mortal. — Mandem Taylor vir até aqui. E nenhuma palavra para ninguém. E, Hetty, eu fico com as chaves.

— OK.

Jogo as chaves em sua mão esticada, então me afasto dela com pressa. Julia está logo atrás. Puxo a manga de Carson conforme passamos por ela. Juntas nós três seguimos rapidamente pelo caminho de pedras, entrando em fila pelas portas duplas.

Nós nos esquecemos. Ou, pelo menos, eu tentei me esquecer. Das meninas que estariam nos esperando. Elas estão aglomeradas em grupos no salão principal, e quando as portas se fecham atrás de nós, todas ficam em silêncio, o murmúrio e as conversas morrem. Em me lembro dessa sensação. A empolgação, a fome correndo em nossos ossos. E o pavor também. A preocupação de que um dia não haverá o suficiente.

Bem, hoje estão certas.

Olho para Julia. Não passe esse fardo para mim. Não consigo aguentar.

— A comida está na cozinha — diz ela. — Precisamos nos virar com o que temos.

Ninguém se mexe. Não tenho certeza se alguém acredita nela. Julia não é exatamente famosa por seu senso de humor, e muita coisa aconteceu conosco, mas vejo sorrisos nervosos surgirem em algumas. Uma das garotas mais novas num canto solta uma risadinha antes de ser repreendida por suas amigas.

— Então? — diz Julia, com a voz afiada. — Não sou a merda do seu garçom.

Há uma movimentação agitada à medida que meninas se levantam e seguem para a cozinha, para reivindicar comida para seus círculos de amigas, como sempre. Exceto que agora não tem mais Welch a quem reivindicar, e Reese não está aqui me esperando.

Pego a pistola do cós da calça, coloco-a na mão de Julia e subo para meu quarto. Eu me deito no beliche, tentando não ver o corpo de Welch ao fechar o olho.

CAPÍTULO 19

A hora do jantar chega e passa, com a noite avançando. Parece que faz anos desde que Reese e eu saímos escondidas para seguir Welch. Mas faz apenas um dia. Um dia, e as coisas ficaram ainda piores.

Se Byatt estivesse aqui, insisto em pensar, ela saberia como consertar isso. Saberia como agir da forma certa. Mas ela está mais distante do que nunca. Com Welch morta, as respostas saem do meu alcance.

Já está tarde. Quase amanhecendo. Achei que Reese talvez fosse entrar devagarzinho uma vez que pensasse que eu estava dormindo, mas nada. Apenas silêncio nos corredores, e os sons dos pesadelos aos quais já nos acostumamos — um grito, um soluço e, por baixo disso, uma menina chorando antes de cair no sono.

E então, um murmúrio baixo e irregular, fraco, vindo com o vento. O barulho chega como um pulsar engasgado, o som tão grave que posso senti-lo no corpo. Nunca ouvi algo assim. Não vem de máquinas, nem de humanos. É um som selvagem.

Eu me levanto e vou até a janela. A luz está azulada e começando a surgir, mas consigo ver apenas o pátio e a ala norte da casa. Ninguém mais está se movendo. A casa inteira está silenciosa. Provavelmente é só alguma coisa na floresta, então. Ou talvez eu tenha imaginado o barulho.

Mas não imaginei. Ele ressurge um minuto depois. Mais claro, mais longo, com um eco, um espaço dentro dele.

Alguém mais tem que ter ouvido algo a essa altura. Sigo até a porta e saio para o corredor. Leva um tempo para meu olho se ajustar e, a princípio, acho que estou sozinha. E então, mais no fim do corredor: Reese, com seu cabelo criando sombras estranhas.

— Ah — digo. Não a vejo desde que encerramos as coisas entre nós. Ela parece estar bem. É claro que parece.

Reese não responde. Sua cabeça está levantada e, quando abro a boca para dizer alguma outra coisa, ela levanta a mão. Reese retirou a faixa do braço, mas, pela palidez de sua pele, sei que ainda está sentindo dor.

É então que ouvimos o som pela terceira vez. Alto o suficiente agora a ponto de eu ouvi-lo diminuindo e virando um ronco baixo. Qualquer que seja esse animal, ele deve estar perto.

— Será que devemos chamar a Diretora? — pergunto.

Ela não me encara, mas soa normal ao responder:

— Não tenho certeza.

Não vemos a Diretora desde de tarde, quando Julia, Carson e eu voltamos. Ela deve estar lidando com o que quer que esteja no contêiner, lidando com a morte de Welch.

Cat coloca a cabeça para fora de seu quarto perto da entrada do corredor, com Lindsay nas sombras atrás dela.

— Ei. Vocês ouviram isso também?

— Aham — afirmo.

— O que é isso? — Ela esfrega os olhos sonolentos. — Alguém teve notícias da Equipe das Armas?

Eu entro um pouco mais no corredor.

— Nada ainda.

— Algum tipo de animal, acho — diz Reese, e então ela se interrompe, indicando com a cabeça o mezanino com vista para o salão principal. — Vamos dar uma olhada.

Nós andamos juntas, Cat e Reese na frente, e eu andando atrás com Lindsay, que está me observando, posso sentir — deve saber que tem algo errado, considerando que Reese está dormindo no fim do corredor, mas felizmente ela não fala nada. Acho que eu não aguentaria.

Passamos pelo mezanino e descemos as escadas. É Ali quem está de vigia na porta.

— Oi — diz ela, com o rosto aliviado ao nos ver. — Que barulho foi esse?

— Estávamos indo dar uma olhada — explica Reese. — Está vindo lá de fora, daquela direção. — Ela aponta para o corredor sul, para o canto onde fica a sala da Diretora. — Quer vir?

— Não — responde Ali rapidamente. — Vou até o terraço para verificar com a Equipe das Armas. — Ela sobe as escadas com pressa, deixando-nos sozinhas no salão principal.

Seguimos para as portas duplas, e Cat e Lindsay diminuem o passo, esperando que Reese as abra, dando espaço para ela como todas as garotas fazem, sentindo quantidades equivalentes de medo e admiração. Mas ela não consegue, não com o ombro como está.

— Deixa comigo — me adianto.

Com as duas mãos, abro uma das portas. Olho para Reese, esperando qualquer coisa. Apenas um sorriso. Apenas um olhar. Mas ela atravessa o vão, com a cabeça virada para longe. Cat e Lindsay a seguem, e eu me certifico de que a porta ficará destrancada antes de eu sair atrás delas.

Ficamos reunidas na varanda, fechando os casacos conforme o frio invade nosso corpo. O ar está pesado e elétrico, como se uma tempestade estivesse prestes a começar. Está doce e acentuado, e eu respiro, olhando para o céu limpo e as espirais de estrelas. Ficamos paradas por um instante, e escuto uma de nós suspirar baixinho. E então aquilo se parte. O som de novo, um ronco de estremecer. Está vindo de perto da cerca.

Estreito o olhar para a noite e ando um pouco no caminho de pedras, com as outras meninas atrás de mim. Deveríamos conseguir ver a essa altura. Pelo barulho, é um animal grande. Deveria ser difícil não notá-lo, mesmo entre as árvores.

Uma camada ampla e lisa de geada cortada pelo trecho de pedras. A cerca firme e forte e, acima das árvores, acima de tudo, a primeira insinuação do nascer do sol. Mas há algo mais também, algo escuro que se movimenta perto do portão, e que não consigo identificar muito bem no meio de tudo. Eu pisco, desvio o olhar e encaro novamente, e Cat se sobressalta, e Lindsay diz "Cacete", e de repente os contornos ficam claros.

Pelos pretos e reluzentes. Imenso, tão alto quanto eu, mesmo estando de quatro, com ombros pesados e a cabeça baixa. Um urso. O que eu vi em minha primeira missão com a Equipe do Barco, o que ouvi na floresta quando deixamos o corpo de Welch para trás. Só que agora está desse lado do portão.

Ele grunhe mais uma vez, e nós esbarramos umas nas outras, ficando o mais imóveis possível, com o ar frio do inverno arrancando respirações irregulares de nossos pulmões.

— Por que a merda da Equipe das Armas está demorando tanto? — sussurra Cat. — Como ele passou pela cerca?

— Ali — responde Lindsay, apontando para a escuridão. — Assim que ele passou.

O pavor queima em minhas entranhas, mas já sei a resposta. E é bem isso mesmo. Atrás do urso, engolido pela noite: o portão, inteiramente aberto.

Eu deveria ter prestado mais atenção. Deveria ter verificado. Mas voltei da Equipe do Barco e apenas o puxei para fechar. Welch, e o contêiner, e o rescaldo da noite anterior, mas nada disso deveria ter importado. Como posso ter nos colocado em risco dessa forma? Como posso ter sido tão burra?

Eu fiz isso. Sou a culpada pelo fim de tudo. Sinto muito, penso, sinto muito mesmo.

O urso se aproxima mais, de quatro e com o focinho voltado para o chão enquanto segue com seu corpo pesado em direção à casa. De vez em quando, ele bufa alto e morde o ar, com o estalo do maxilar soando abafado do outro lado do jardim. Consigo ver as orelhas dele estremecendo, consigo ver pedaços de pele em carne viva por toda a coluna.

Um berro do telhado e então um tiro. Passa por cima de nossa cabeça e acerta a pedra no caminho à frente, e o urso retrai. Eu grito, surpresa. A mão de alguém cala minha boca, mas é tarde demais.

A cabeça do urso se ergue e gira para olhar diretamente para mim. Solto um grito abafado. Metade de seu rosto está exposta até o osso.

Faça barulho, instruiu o Sr. Harker. Lute. Mas isso diante de nós é a Tox, e acho que essas regras já não são mais verdade.

— O tiro não o afastou — observa Reese. — Mas a Equipe das Armas ainda pode acertar o alvo.

A meu lado, Lindsay está tremendo. No meio das outras meninas, meu corpo parece um fio exposto. A tensão é tão forte que eu poderia acabar me quebrando, com meu coração acelerado.

— Dê mais uma chance a elas — sussurro.

Outro tiro, e o urso ruge. Acho que talvez tenham acertado, mas ele continua vindo em nossa direção.

— Nós vamos para trás — diz Reese, com a voz controlada e baixa. — Devagar, quando eu contar até três.

Seguro a mão de Cat quando Reese começa a contar. Estamos todas interligadas, e sinto alguém tremer quando o urso bufa e muda seu peso entre as patas. Não estamos longe da casa, mas, se corrermos, ele com certeza vai pegar pelo menos uma de nós.

Nosso primeiro passo nos leva suficientemente para trás a ponto de eu não sentir mais o fedor de seu hálito quente. Ele nos observa, e tento não piscar, tento não quebrar o contato visual, mas meu olho cego está coçando por conta do esforço e da escuridão, e estou tão, tão cansada.

— E de novo — continua Reese. Juntas, outro passo. Nervos à flor da pele, punhos cerrados.

Por um segundo, tudo fica em silêncio, e sinto meus ombros relaxarem. E então um rugido, retumbando do chão, tão alto que revira até minhas entranhas.

— OK — diz Reese. — É hora de correr.

Cat solta primeiro, arrancando. Eu caio de quatro, sentindo a terra áspera contra a palma de minhas mãos, arranhões gelados na pele. A sombra se torna maior e, quando olho para cima, ele está vindo, o osso reluzindo, a boca aberta e salivando. Uma calma toma meu corpo. Tudo que tenho é a faca em meu cinto, o que não adianta muito numa luta assim, mas posso ganhar tempo para as outras. Fui eu quem o deixou entrar. Vou morrer tentando mantê-lo afastado.

Mas Reese engancha a mão prateada sob meu braço e me puxa para ficar de pé, os olhos arregalados, as bochechas bem vermelhas.

— Vem.

O ritmo dos nossos pés, o ar que chicoteando meu rosto, e as batidas aceleradas do meu coração, e eu os ouço — os passos do urso, fazendo o chão tremer conforme ele corre atrás de nós. O estalo de um tiro, mas ele erra em meio à escuridão, e não posso olhar para trás, não posso olhar. Cat espera à porta, e Lindsay está logo a minha frente. Passo dela, e sigo para o espaço aberto. Cada respiração mais e mais difícil, e o frio fechando meus pulmões.

— Rápido — berra Cat.

Reese chega à porta e desaparece lá dentro. Cat estende o braço para mim e perco o controle de minhas pernas, voando em cima dela, que me empurra para dentro do salão principal.

— Vamos lá, Lindsay — grita ela.

Lindsay estava logo atrás de mim, juro que estava, mas a ouço chamando e então um grito, partido e rouco. Um guincho terrível que percorre minha coluna. E que acho que jamais esquecerei.

Cat segura a porta da frente, e Reese mexe na tranca, liberando a trava. Outros sons se sobrepõem ao delas, porém: um rosnar molhado e ossos estalando. Lindsay solta um gemido, e nunca mais.

— Você está bem? — pergunto para Cat.

A cor de seu rosto se esvaiu completamente e seus olhos estão reluzindo, mas ela assente. Firme e forte, como ensinam que filhas da Marinha devem ser.

— Por enquanto.

Esperamos — ainda bem que o cômodo não tem janelas — e rezamos para que o urso não tente derrubar a porta. A tranca é resistente, mas não vai aguentar por muito tempo contra algo assim.

— Vamos — diz Reese — enquanto podemos. Temos que avisar a Diretora.

Ali surge com as duas meninas da Equipe das Armas em seu encalço, correndo escada abaixo.

— Merda — diz ela. — Onde está a Lindsay?

— Onde está a Lindsay? — Cat empurra Ali para o lado e agarra a menina mais próxima da Equipe das Armas. É Lauren, a que pegou minha antiga vaga. — Onde *você* estava, cacete?

— Desculpa — pede Lauren, gaguejando, e a outra garota, Claire, se coloca entre as duas.

— A culpa não é dela. — Ela engole em seco, um rubor visível em suas bochechas mesmo com a luz fraca. — Estávamos nos revezando e era minha vez. Eu cochilei.

Cat solta o casaco de Lauren.

— Você cochilou?

Claire não consegue olhar para ela.

— Foi um acidente.

— Diga isso para Lindsay — dispara Cat.

Então surge uma luz na entrada do corredor norte, e a Diretora entra apressada no salão, com a cabeça baixa. Não consigo pensar em lugar algum naquela direção onde ela poderia guardar o contêiner, mas ela conhece a casa melhor do que eu.

— Oi — diz Reese, e a Diretora dá um salto e nos encara com olhos arregalados e nervosos.

— Meninas. O que está acontecendo?

Reese explica tudo. O som que ouvimos, o urso no terreno da escola. Ela deixa de fora a parte sobre Lindsay, o fato de as meninas da Equipe das Armas terem cochilado. Não importa mesmo.

A boca da Diretora abre e fecha, e dá para ver um lampejo de uma ferida vermelha em sua língua, e finalmente ela pigarreia.

— Como ele entrou?

Eu, sempre eu, levando essa escola para sua ruína. Reese está com raiva, e sei que ela está considerando contar para a Diretora minha parte da verdade. Não vou me opor, vai ser merecido se ela fizer isso. Mas então ela balança a cabeça e diz:

— Não sabemos.

— Certo — responde a Diretora, mais para si mesma do que para qualquer uma de nós. — Certo, certo. — Então ela olha para mim, depois para Reese, e desaparece em sua sala.

— Ah, porra — solta Reese. — O que fazemos agora?

CAPÍTULO 20

O que fazemos é acordar todo mundo. A casa não vai ficar de pé sozinha, e é só uma questão de tempo até o urso entrar. Há portas demais, além das janelas do refeitório, que são altas e se estendem por todo o comprimento do cômodo, mas pelo menos podemos ficar vivas pelo máximo de tempo possível.

Cat e eu vamos até o andar de cima e seguimos pelo corredor, batendo de porta em porta e sacudindo as meninas mais novas para acordá-las. Julia está ali, Carson também, e elas começam a agrupar as outras em grupos e a dirigi-las ao andar de baixo. Velas se acendem, e as meninas começam a aparecer no salão principal, ainda sonolentas e com a testa franzida.

Sem Welch, no entanto, precisamos que alguém assuma o controle. Não Reese, mas alguém de quem as mais novas não tenham medo. Alguém como Taylor.

Não sei ao certo qual é o quarto dela, mas sei que algumas das meninas do ano de Taylor dormem no fim do corredor, separadas das outras por alguns dormitórios vazios. Esse costumava ser o de Emily e Christine, aquele era o de Mary. Passo por eles, tentando ignorar o murmúrio crescente vindo do salão principal conforme as meninas se juntam no térreo.

Por fim, algumas portas antes da de Mona, há um quarto com uma pequena centelha de luz e um farfalhar de movimento no interior. Eu bato à porta, dou um passo para trás, e Taylor abre a porta com um puxão. Seu cabelo está bagunçado e ela termina de vestir uma camisa. Ali, em seu peito, há um cordão muscular da largura de meu dedão, que desce e desaparece por baixo do jeans. Azul-claro e contorcido, quase trançado, com um pulsar como se estivesse vivo.

— Viu o bastante? — dispara Taylor.

Desvio o olhar depressa. Será que é algum tipo de veia?

— Desculpa. Não era minha intenção...

— O que foi?

Pigarreio.

— É só... precisamos de você lá no salão. — Conto para ela sobre a cerca e o urso, vendo seu rosto empalidecer.

— Onde está a Diretora? — pergunta Taylor.

— Ela foi para a sala dela, mas eu...

Ela passa por mim com um empurrão, um de seus ombros largos indo de encontro ao meu. Posso sentir meu corpo relaxar quando a sigo em direção ao mezanino. Se ela estiver no comando, vamos dar um jeito nisso. Taylor saberá o que fazer.

Descemos as escadas, passando pelas últimas meninas a caminho do salão principal. Meu olhar encontra o de Reese, vendo o alívio tomar seu rosto conforme Taylor segue pelos grupos. Mas é precipitado. Assim como a Diretora, Taylor ignora as meninas aglomeradas e sai correndo para a sala da diretoria.

— Está tudo bem — declara Cat, colocando-se a meu lado. — Vamos lidar com isso nós mesmas.

Decidimos que a primeira coisa a se fazer, e a mais importante, é barricar as portas da frente. Claire e Ali levam um grupo até as salas de aula para pegar as mesas e cadeiras restantes, qualquer coisa que possamos usar para construir uma barricada. Julia e Carson vão para a cozinha atrás de ferramentas que possamos usar para soltar as mesas de jantar de onde estão aparafusadas no chão. Até Landry se oferece para ajudar e leva algumas das meninas mais novas até os dormitórios para arrancar as escadas dos beliches.

E eu, eu estou enraizada ao chão, presa ali no meio do salão. Por um ano e meio, estivemos o mais seguras que podíamos. A cerca, suprimentos regulares. Welch e a Diretora para nos manter inteiras. Um ano e meio, e numa semana eu destruí tudo isso.

Sarah e Lauren arrastam os sofás até as portas da frente. Cat está próxima, parecendo perdida sem Lindsay ao lado, e acho que vejo Julia no refeitório lutando com os parafusos das mesas longas. Começo a ir em direção ao refeitório, mas antes que consiga avançar muito, escuto uma porta bater ao fim do corredor, e a Diretora sai apressada da sala, com Taylor logo atrás.

Ela está com uma aparência melhor do que mais cedo, no portão. As roupas lisas, com as linhas bem marcadas e as dobras recém--feitas — como se ela tivesse um ferro escondido em algum canto —, e seu cabelo preso novamente num coque grisalho e arrumado.

— Para cima — diz ela, batendo as mãos duas vezes. — Todas para cima.

Há uma pausa, e o salão inteiro fica imóvel. Não estamos acostumadas com a Diretora assim. Normalmente ela fica distante, e é Welch quem passa suas mensagens. Mas, bem, acho que isso não é mais uma opção.

— E então? Agora — dispara ela, e todas ficamos de pé. A Diretora abre espaço entre nós e sobe até a metade da escada, onde podemos vê-la. — OK, pessoal, formem filas. Por ano, por favor, e sobrenome.

Demoramos uns minutos porque faz muito tempo que não nos dividimos assim, em sete filas. Antes, haveria catorze ou quinze meninas em cada fila, mas hoje em dia é como se algumas jamais tivessem existido, e costumávamos começar aos 11 anos, só que agora a mais nova entre nós tem 13. Tantas garotas viraram fantasmas, que agora as filas são curtas e irregulares — e é por isso que não formamos mais filas, porque dói demais.

Meu sobrenome é Chapin, então sou a primeira, depois Reese. Atrás dela, Dara Kendrick, Cat Liao, Lauren Porter e Sarah Ross. Não consigo deixar de olhar para o espaço vazio no fim da fila, onde Byatt estaria.

— Obrigada — diz a Diretora quando terminamos de nos organizar. — Agora, como todas aparentemente já sabem... — e posso ouvir sua voz falhando cada vez mais — hoje cedo houve uma violação na cerca. A saída para o gramado está proibida até segunda ordem.

Fecho meu olho. Preciso me acostumar com isso, essa culpa me corroendo. Acho que nunca vai passar.

— Para trabalharmos em nossa preparação para emergências — continua ela —, iremos conduzir um teste de segurança essa manhã. Sigam-me, por favor.

É ridículo. Claro que é. Mas a seguimos pelo corredor norte, passando pelas salas de aula e pelas salas dos professores, fazemos uma curva e vamos até o final, para a sala de música. É grande, com pé direito alto, sem janelas e pequenos degraus embutidos em uma das paredes. Nós refazemos as filas pelo espaço amplo e vazio.

Havia estantes para partituras antes, assim como um piano. Algumas meninas traziam violinos de casa. Mas tudo se foi faz tempo. Apenas a mesa da professora ficou, aparafusada ao chão na frente da sala. A meu lado, Cat estremece. É frio ali, onde o sol nunca chega.

Depois de entrarmos, a Diretora conta quantas somos duas vezes. Espero uma explicação, mas ela permanece diante de nós com seus lábios se mexendo silenciosamente, e, se eu não tivesse muita noção das coisas, acharia que está tremendo. Então ela assente para Taylor, que sai da fila.

Meu estômago se revira. Eu deveria saber. Deveria ter esperado isso. Era ela carregando Mona para a casa Harker. Eu achava que ela era nossa, mas não é. É delas.

— Leve ela — diz a Diretora.

Taylor vem em minha direção, e tem que ser eu, tem que ser; elas sabem que quebrei a quarentena. A Diretora deve ter descoberto. Mas Taylor passa por mim, com seus olhos fixos e outra pessoa.

— Espera — digo, mas só tenho tempo para isso, porque em seguida Taylor enrola a trança de Reese no punho e a joga no chão.

Reese grita, mas Taylor a vira de frente, prendendo seus braços nas costas. Isso provoca um puxão em seu ombro machucado, e ela grita algo que parece ser meu nome.

Alguém berra, e empurro Cat para eu passar, lutando para chegar até Reese no meio a uma multidão confusa enquanto Taylor dá um soco na parte de trás da cabeça dela. Eu a vejo ceder, com sangue brotando enquanto seus olhos se agitam. Antes que eu consiga piscar, Taylor põe Reese sobre seu ombro e segue para a porta. Que merda está acontecendo? Para onde a estão levando?

— Ei — grito, disparando atrás delas.

Estou quase alcançando Taylor quando alguém segura a gola de minha camisa, me puxa para trás, me jogando no chão. A Diretora fica de pé acima de mim, com seu contorno borrado conforme minha visão se enche de água e depois fica mais clara.

Então elas saem da sala, e a Diretora fecha a porta atrás delas. Luto para ficar de pé, puxo a maçaneta, mas escuto o clique pesado de uma tranca.

— Reese! — grito. — Reese! — Mas elas seguem pelo corredor com passos apressados até sumirem. Por que a levariam? O que vão fazer com ela?

Julia se aproxima de mim, com o rosto claramente cheio de preocupação.

— O que está acontecendo?

— Não sei. Não sei, merda, eu...

De repente, há um sibilo acima de nós, e, com uma borrifada inicial, os *sprinklers* do sistema de incêndio são ligados.

É um chuvisco bem fininho, leve e grudento. Eu semicerro o olho, sinto meu cabelo ficar mais pesado com a umidade. É denso demais para ser só água, o cheiro muito limpo, muito químico.

Que porcaria é essa?

Mas eu sei. É o que quer que seja que havia no contêiner. Carson e Julia e eu, nós o carregamos com as próprias mãos. Assinamos nosso atestado de morte, apoiamos a cabeça no bloco de madeira e entregamos o machado para a Diretora.

Ao redor, as meninas estão cobrindo a cabeça com seus casacos enquanto o chuvisco fica mais espesso e cria uma neblina. Os murmúrios aumentam. Alguém começa a tossir, e está ficando mais difícil de enxergar, mais difícil de pensar. Respingos grudam em meus cílios, fazendo minha visão cintilar, e passo ambas as mãos sobre o rosto. Elas saem quase pegajosas, a forma pálida e grudenta da pele sendo anulada sob a neblina grudenta. Meu peito fica pesado, como se estivesse cheio de algodão, e quanto mais profundamente respiro, menos ar encontro.

Precisamos sair daqui. Precisamos sair daqui *agora*.

A porta é novinha em folha, construída há alguns anos, e tem um grande quadrado de vidro nela, cheio de fios de segurança. Sei que a Diretora a trancou, mas testo a maçaneta de todo modo. Jogo todo o peso de meu corpo contra ela, mas nada acontece.

— Aqui — diz Julia —, minha faca. — Dou um passo para o lado, e ela se agacha diante da porta, tira a faca do cinto e começa a mexer no buraco da fechadura, tentando virá-la.

Há um pânico agora, elétrico. Não apenas em nós, mas em todos os lugares, nos deixando em desespero. Mal consigo pensar com aquela gritaria, mal consigo ver com a névoa. Coloco minha camisa sobre a boca e tento respirar por ela. Dá certo no começo. Posso sentir minha mente ficando mais clara e meus pensamentos voltando, mas há muito líquido ainda sendo borrifado, e não há nada para ele atingir além de nós.

É então que a primeira de nós cai. De repente, ali um segundo e no chão no próximo, toda contorcida, com os olhos abertos e olhando para o nada.

— Ai, meu Deus — diz Cat, e aí ela também apaga.

— Julia — falo —, você tem que correr.

Sarah se curva sobre Cat e sacode seus ombros. Do outro lado do cômodo, uma pessoa baixa e magérrima está acomodada nos braços de Landry. Tem alguém chorando, outra gritando, e se ficarmos aqui dentro por muito mais tempo, não sobrará nenhuma de nós.

— Isso não está funcionando — observo. Com a respiração curta e ofegante. — Dá para quebrar o vidro?

Julia se levanta, parecendo fraca.

— Com o quê?

E ela está certa. Não há nada aqui dentro, nem mesmo uma estante para partituras, e o fio de segurança na janela destruiria a mão de quem quer que o quebrasse. Mas essa talvez seja nossa única opção. Minha cabeça está nebulosa e estou perdendo a visão indo. Não tenho muito tempo antes de desmaiar. Isso precisa ser rápido.

Tiro meu casaco e enrolo em minha mão esquerda, segurando bem o tecido no punho. Sei que isso vai doer, mas a neblina está queimando meus pulmões, e é agora ou nunca.

Acerto o vidro com força, uma vez, duas, de novo.

Ele se parte e abre. Por um segundo após se quebrar, não sinto nada, apenas o vento frio do ar fresco, e então sou tomada pela dor, explodindo de minha mão e me derrubando de joelhos no chão. Caio para a frente contra a porta, passo minha outra mão pelo buraco na janela e mexo, procurando a tranca. O metal gira em minha mão escorregadia, e sinto que vou vomitar.

Eu me recosto na maçaneta. O mundo fica incrivelmente inclinado. A porta se abre e, acima de mim, uma planície cinza, vacilando, perdendo a forma. Não consigo mais sentir minha mão e fecho o olho, me afundando no chão.

— Ei, ei. Vamos lá, vamos.

Luto para me manter acordada. Julia está de joelhos, com o corpo pairando acima de mim.

— Funcionou? — murmuro.

— Está tudo bem — responde ela. — O ar está melhorando. Aqui, levanta o braço. Acho que é melhor deixar para cima. Está sangrando muito.

Ela ergue meu braço pelo cotovelo e tira o casaco de minha mão estilhaçada. Parece que a pele está sendo arrancada de mim, mas não é nada, só mais dor, e já sinto bastante disso.

O resto da sala está voltando ao foco, e começo a enxergar ao redor. Todas as meninas, caídas, jogadas. Julia e eu perto da porta, as outras espalhadas pela sala. Umas mais acordadas do que outras e começando a se mexer, mas todas ali, com a mesma nebulosidade vazia por trás dos olhos.

— Para fora — falo. — Temos que sair dessa sala.

Devagar, os borrifadores param de respingar, e Julia me ajuda a deixar meu braço contra o peito enquanto me levanto. Há vidro espalhado e sangue manchando o chão xadrez. Observo enquanto as meninas sobreviventes passam por mim, arrastando o corpo das mortas em direção ao corredor, e eu cambaleio atrás delas.

Como a Diretora pôde fazer isso conosco? Depois de todo esse tempo, depois de tudo a que sobrevivemos, como ela pôde desistir de nós?

CAPÍTULO 21

Dezesseis mortes. Fazemos um balanço no salão principal, longe do que restou do gás, e Julia faz uma atadura em minha mão com pedaços de roupa rasgados do casaco de uma das meninas mortas. A maior parte é mais jovem, restando somente Emmy daquele ano, mas Dara, do meu ano, se foi, assim como três meninas do ano acima do nosso. Então enfileiramos os corpos e fechamos seus olhos.

Quando terminamos, todas estão caladas, e apenas o som abafado de choro quebra o silêncio. Sobraram por volta de quarenta de nós, e nos sentimos tão pequenas. Vejo Emmy sentada ao lado do corpo das meninas do ano dela, penteando seus cabelos cuidadosamente com dedos, e meu coração se aperta no peito.

— Isso foi a Diretora — diz Cat, com a voz falhando. — Ela fez isso conosco. Não podemos deixar que ela saia impune disso, de tentar matar nossas amigas. De tentar nos matar.

— O que podemos fazer em relação a isso? — pergunta Lauren, e olho para onde ela está, de pé ao lado do corpo de Sarah, sua amiga. — Ela foi embora.

— Posso encontrá-la — digo, ignorando a dor latejante em minha mão. Preciso encontrá-la. Se eu a encontrar, acho Reese. E Reese está contando comigo.

— E depois disso? — Lauren ri cruelmente. — Matamos a Diretora?

— Sim — responde Cat. — É exatamente isso que faremos.

Há um murmúrio de concordância, começando baixo e crescendo, mas Lauren balança a cabeça.

— Ainda tem um urso lá fora. O portão está aberto. Essa casa já era, e nós também. Não é com isso que deveríamos estar preocupadas?

Cat começa a gritar, e o cômodo fica fragmentado com todo o barulho. Olho para Julia, que não disse uma palavra. Ela está com o braço ao redor de Carson, cuja cabeça está acomodada no pescoço de Julia. Ela está com a menina dela. Eu não tenho nenhuma das minhas duas.

— Ei — falo, baixinho. — O que você acha?

Julia olha para Cat e Lauren discutindo e então para mim novamente.

— Vá achar Reese — diz Julia. — Ela não tem tempo para isso.

Sorrio, agradecida. Dou um pequeno aperto na mão dela com a minha que ainda funciona e me afasto devagar, em direção à porta. Quando ninguém nem me nota, sigo para o corredor. Depois corro de volta pro salão principal, um pouco sem equilíbrio, com a cabeça ainda desanuviando do gás. Minha mão esquerda pulsa junto com meu coração. O sangue ainda vaza pela atadura, e sei que ela jamais vai se esticar e dobrar como antes.

Pela janela, vejo que o dia está claro, ensolarado, e, se prestar atenção, posso ouvir o urso, bufando e respirando bem do lado de fora da porta. Deve ter terminado com o corpo de Lindsay. E agora está vindo pegar o restante de nós.

Há apenas alguns poucos lugares seguros o suficiente que a Diretora poderia ter usado para prender Reese. Um deles é a sala dela, mas posso ver de onde estou que a porta está aberta, então nem me preocupo em verificar. Simplesmente subo apressada para o segundo andar, cada passo mais firme que o anterior. A Diretora tentou me derrubar e não conseguiu — não vou deixar que ela faça o mesmo com Reese.

Adiante, a porta para a escada que leva à enfermaria. Ela está entreaberta, movendo-se um pouquinho, como se alguém tivesse acabado de passar. Mas não ouço ninguém no terceiro andar. Talvez Taylor e a Diretora estejam escondidas, esperando, prontas para me trancafiar como fizeram com Reese. Mas não há o que fazer, nenhum plano. Não sobrou mais nada em mim. Começo a subir, recostando com todo o meu peso na parede à medida que a dor em minha mão aumenta.

As portas fechadas bloqueiam o sol da manhã, então a enfermaria está escura. Da última vez que estive ali, estava procurando Byatt, e as respostas pareciam fora do alcance. Agora eu as tenho — sei que a levaram da ilha e que Welch estava metida nisso tudo —, e isso esgotou minha vontade de lutar. Não quero mais a verdade. Só quero viver.

Não há onde se esconder no corredor estreito. Acho que estou sozinha aqui em cima. Passo de porta em porta, em busca de algum barulho, qualquer coisa. Até ali, a última porta do corredor, que dá para o quarto onde encontrei a linha e a agulha de Byatt. A porta está trancada e há um som abafado lá dentro, como as molas de um colchão.

Reese.

Calma, digo para mim mesma. Se ela está lá dentro, alguém mais pode estar também. Deito nas tábuas, com meu olho esquerdo voltado para o chão. Posso ver sob a porta, por uma fresta de 3 ou 5 centímetros mais ou menos. Vejo as pernas da cama e o que parece ser uma banqueta ao lado dela. Nada da Diretora nem de Taylor.

Começo na parte de cima, destrancando uma a uma as travas. Elas vão fundo na parede e, com apenas minha mão direita funcionando, preciso de toda minha força para deslizá-las. Acabo de terminar a primeira quando escuto algo. Baixo, quase inexistente.

— Hetty?

Pressiono a testa na porta. É ela. É realmente ela.

— Oi. Você está bem?

Um segundo de silêncio e então:

— Acho que sim.

— O que elas fizeram com você? Por que queriam você?

— Elas queriam... — começa Reese, parando e soando tonta. — Elas queriam uma maneira de sair da ilha.

A pancada na cabeça que ela levou na sala de música ainda deve estar deixando Reese confusa, e a forma como está falando é estranha, como se não estivesse toda presente. Puxo a trava seguinte, e ela mal se mexe.

— Aguenta firme — digo. — Vou tirar você daí.

Eu a ouço respirar fundo e acho que ela vai dizer algo quando alguém, alguém que não é Reese, diz meu nome da ponta do corredor.

Taylor.

Eu me viro lentamente. Seu contorno está pouco nítido na escuridão do corredor, mas está lá. De olho em mim.

— Sai daí — diz ela. — Se afasta da porta.

— Taylor?

Ela dá alguns passos em minha direção e então consigo ver seu rosto, posso ver a teimosia em seu maxilar e a faca no cinto. Eu me volto mais para ela, me certifico de que a atadura improvisada em minha mão está visível. Se Taylor não me vir como uma ameaça talvez possamos arrumar um jeito de sair dessa.

— Só quero falar com ela — minto. — Só para ter certeza de que está bem.

— Não acredito em você. — A voz de Taylor é inexpressiva, brusca. — Eu disse para se afastar da porta.

— Ela está bem? Pode me dizer isso, pelo menos?

— Se afasta. Nesse instante.

Taylor costumava ser uma de nós. Apesar disso tudo, ela tem que se importar pelo menos um pouco. Se eu conseguir continuar insistindo, talvez a faça ceder. Talvez eu consiga outra chance.

— O que vocês fizeram com ela? Para que queriam Reese? Me diga isso e vou embora. Podemos fingir que jamais estive aqui.

Taylor balança a cabeça.

— Sabe que não posso deixar você ir embora, Hetty.

Dou meu melhor sorriso.

— Claro que pode. Você pode fazer o que quiser.

— E vou. — Ela dá mais um passo para a frente. — A Diretora e eu vamos dar o fora dessa porra de ilha. E, se alguém sabe como, é a sua amiga.

Relembro o que ela disse na casa Harker naquela noite. Como disse que saiu da Equipe do Barco porque nós merecíamos mais. Que mentira de merda. Foi por esse motivo que ela saiu da equipe, bateu em Reese e nos deixou naquela sala para morrermos. Para fugir.

— Acha mesmo que eles simplesmente vão deixar você ir embora? A Marinha e o CDC? — Ela não pode ser tão inocente assim. Eu costumava ser, e veja o que aconteceu.

Ela dá de ombros.

— Não importa. Aqui é que não vamos ficar.

— Mas e o resto de nós?

— Estou tão cansada dessa pergunta — dispara Taylor. — E eu, como fico, hein? Como eu fico?

Não posso argumentar contra isso, não consigo ultrapassar a culpa em meu estômago.

— Escuta, você não pode simplesmente me matar — retruco em vez disso. Taylor faz uma cara de escárnio, mas eu sorrio como Byatt faria. — Quer um jeito de sair da ilha? Então vem comigo, vamos encontrar uma forma juntas.

Mais um passo para perto.

— Está mentindo — diz ela.

— Não estou, não estou. Prometo. — Mas Taylor não está mais ouvindo. Ela estende a mão para pegar a faca presa em seu cinto.

— Guarda isso. Vamos lá, você não precisa fazer isso — insisto, e meu papinho já era. Estico o braço para tentar mantê-la afastada, e minha mão está tremendo.

— Preciso, sim.

Tenho que correr neste segundo. No entanto, ela está bloqueando o caminho, e não há saída, e então Taylor vem para cima de mim.

CAPÍTULO 22

Rápido, tão rápido que é um borrão. Eu a vejo esticando o braço, vejo o branco de sua mão e o branco da faca, e não sei qual é qual então agarro o que está mais perto de mim, forçando o outro para longe. Piso forte no pé dela.

Taylor enfia o cotovelo em meu nariz, e cambaleio para trás, batendo contra a parede. A dor explode em minha mão machucada, meu cabelo entra no olho, e o sangue alcança minha boca e se espalha por todo canto, nas bochechas e dentro das orelhas.

A faca dispara, e eu puxo Taylor para perto, pressionando a lâmina deitada sobre mim para que ela não a possa usar. Taylor tenta virar a faca, tenta enfiá-la em mim, tenta abrir meu peito, então eu — e não preciso de muito, eu apenas — viro e empurro — e ela entra com facilidade. Como se Taylor estivesse esperando.

— Ai, meu Deus — digo. — Ai, meu Deus.

Ela desliza da faca. Cai. Assim como a faca. Taylor está vazando para todos os lados, e não sei como fazer com que pare.

— Hetty.

Não sei se alguma coisa poderia fazê-la parar. Os olhos de Taylor estão agitados. Há sons de asfixia no ar conforme ela começa a ter espasmos e estremecer, uma mão tentando alcançar o nada, a outra pressionando suas costelas. E Taylor é Welch, e Welch é o Sr. Harker, e tudo está sempre acontecendo de novo e de novo.

Uma voz vindo de trás de mim, de outro lugar.

— Hetty. Hetty.

Não consigo me mexer. Não consigo respirar. O sangue está prestes a tocar a ponta de minhas botas. Talvez se eu ficar de pé aqui por tempo suficiente, ele vai entrar pelas costuras e por minhas meias e tocar minha pele também. Nunca vou conseguir limpar essa mancha.

— Vem destrancar a porta — diz Reese.

Reese.

Minha bota faz um som de molhado quando a retiro do sangue e passo sobre as pernas de Taylor. Reese está repetindo meu nome, com firmeza, acima dos outros sons, acima dos espirros e do borbulhar de sangue saindo da boca de Taylor.

Quando chego à porta, preciso de algumas tentativas para destrancar cada uma das travas, e meu ombro dói, mas, enfim, levanto o ferrolho e a abro.

A cama está descoberta, com o colchão manchado de sangue. Na banqueta, há um walkie-talkie e um rádio de ondas curtas, e, ao lado, uma faca brilha sob o sol que entra pela janela. Sua borda está suja de sangue, e quase não quero olhar, porque o que mais alguém poderia fazer com Reese? Mas lá está ela, esperando no canto, Reese, com seu cabelo de luar e ombro destruído, com uma ferida começando a aparecer na bochecha.

— OK — diz ela, segurando meu rosto com a mão prateada, seu dedão tocando o canto de minha boca. — OK.

— Não era minha intenção... — começo, mas é tudo que consigo dizer.

— Você não teve escolha — lembra Reese. Isso deveria fazer com que eu me sentisse melhor, sei que deveria, mas sinto o gosto de bile no fundo de minha garganta. — E temos que ir, agora.

— E fazer o quê? — Nada disso tem escapatória.

— Um passo de cada vez, OK? Por enquanto, só precisamos chegar lá embaixo. Só isso. E aí vamos ver o que fazer com isso tudo.

— Tá bem — concordo. E como ela continua olhando para mim, ainda esperando, tento de novo, mais firme: — Tá bem.

Ela me deixa fechar o olho ao sairmos, para não ver o corpo de Taylor, e me diz para segurar nela, me guiando pelo corredor.

— O que fizeram com você? — pergunto. Não consigo parar de ver aquela faca.

— Nada — responde ela, quase soando tranquila, mas Reese não consegue evitar que a voz fique trêmula. Sinto meu estômago revirar de náusea.

— O que elas fizeram depois de fazer nada?

Reese não responde. Mas, quando abro meu olho, vejo sangue vazando pelos rasgos das botas dela. E cada passo que ela dá é hesitante, como se estivesse favorecendo uma perna e tentando não demonstrar isso. Como se elas tivessem enfiado a faca nas solas dos pés de Reese.

Afasto esse pensamento. Se ficar remoendo demais isso, vai me destruir de dentro para fora.

Hesitamos quando chegamos no topo das escadas, com o som do andar de baixo flutuando até nós. No primeiro andar, as meninas voltaram a barricar a porta. A Diretora tentou acabar com tudo, mas elas não vão permitir. E não estamos falando nada, mas sei que nós duas estamos imaginando onde ela pode estar. Será que as meninas a encontraram? Ou será que ela vai nos alcançar e prender Reese de novo? Ela não está nem aí para mim, mas Reese conhece a ilha como se fosse a própria encarnação de Raxter. Se depender da Diretora, ela jamais vai abrir mão de Reese.

Em algum lugar lá embaixo no salão principal, há um estrondo, e alguém grita. Um clamor crescente de pânico ecoa até nós. Outra batida terrível. É um som pesado, como algo batendo com força contra a porta. De repente, aquele murmúrio pulsante reverbera.

O urso, insistindo para entrar. Sob a influência da Tox, ele não vai parar até conseguir o que quer.

— Vamos — diz Reese.

Descemos as escadas correndo, e tento não pensar nas pegadas que estou deixando para trás, as marcas do sangue de Taylor. Meu batimento está claro no ouvido quando entramos em disparada no mezanino. Abaixo de nós, no salão principal, as meninas gritam, e Julia berra ordens. Alguém chora com soluços baixos e espaçados.

Tudo está um caos ao descermos as escadas principais. As portas da frente estremecem conforme o urso joga seu peso contra elas, tentando entrar. Duas meninas nos seguem, vindas do segundo andar, carregando um armário de arquivos entre elas. Um grupo de garotas está agachado perto dos sofás, que foram empurrados e colocados contra as portas, segurando-os para que não cedam.

— Hetty — grita Julia ao nos ver. Ela está de pé próxima à barricada, supervisionando tudo. — Você achou Reese.

Nós nos juntamos a ela, saindo rapidamente do caminho quando as meninas com o armário de arquivos passam.

— O que está acontecendo? — pergunta Reese. — Ele não estava assim antes.

Julia assente.

— Deve ter sentido o cheiro. Do sangue de Hetty na sala de música.

Minha atadura está manchada de vermelho, mas isso não é nada em comparação ao sangue no andar de cima, penso.

— Merda — solta Reese —, olha.

Eu sigo seu olhar até as portas da frente, que começaram a ficar deformadas. A tranca industrial, antes restaurada e segura, agora cedendo com as investidas contínuas do urso. O barulho soa como as batidas de um coração, e as portas tremem, tensionando contra a trava.

— Para trás — ordena Julia. E então, quando as portas chacoalham nas dobradiças, ela berra: — Todas para trás.

A tranca quebra e as portas se abrem com tudo. O sol frio e o vento entram. Mandíbulas batendo com força. O sofá e a mesa se partem, estilhaçando-se, e as portas, arrancadas das dobradiças, caem em cheio, prendendo algumas meninas sob elas. Gritos, ouço gritos, e ali, a silhueta colossal, o grunhido sacudindo os céus à medida que o urso avança.

— Ala sul! — berra Julia. — Vão para a ala sul!

Todas que ainda estão de pé saem correndo naquela direção. Estou colada ao chão, observando o olhar do urso sobre a pequena Emmy, que engatinha para fora das ruínas com as mãos e os joelhos ensanguentados.

Pelo menos isso eu posso fazer.

— Hetty — diz Reese. — Não.

Mas já estou correndo, empurrando Cat e pulando sobre o que sobrou de um dos sofás.

— Emmy — grito.

O urso olha para cima, fixa seu olhar podre em mim, e Emmy dispara em minha direção, com seu cotovelo batendo em cheio contra minha canela. Lanço meu braço bom na cintura dela e a puxo para cima.

— Vá — digo —, vá. Estou logo atrás de você.

— Vem logo! — escuto Reese gritar.

Dou um passo lento para trás, me mantendo entre o urso e Emmy enquanto ela corre para um lugar seguro, mas o urso estala mandíbula, e meu instinto ganha vida. Eu me viro e corro para a ala sul, a adrenalina clara e revigorante. Sinto como se eu fosse mais do que eu mesma. Estou indo rápido de verdade, e Reese me espera na entrada do corredor. Elas mantiveram as portas abertas.

— Entra, entra — diz ela, e arrisco uma olhada sobre o ombro ao dar meus últimos passos. O urso está com o focinho cutucando o corpo de alguma menina que foi atingida no olho por uma lança dos destroços.

Reese me conduz pelo corredor, para o grupo que nos espera, e Julia e Cat fecham as portas duplas, cerrando a ala sul do restante da casa. Imediatamente as meninas começam a destruir as salas de aula e os escritórios, enfiando escrivaninhas no corredor para construir outra barricada.

Por quanto tempo mais conseguiremos fazer isso? Quanto tempo até o próximo conjunto de portas ceder? E depois, o que faremos?

As portas do corredor não ajudam muito a abafar o som, e ouvimos o urso soltar uma respiração curta e grunhir, nos chamando. Emmy está agachada perto da parede, cuidando de um corte no lábio e apertando a palma da mão, toda cortada. Em volta dela, mais garotas estão machucadas, mais garotas estão famintas e morrendo. Isso é culpa minha. Eu criei esse mundo para nós.

— Existe uma saída? — pergunto. — Você não disse para a Diretora, mas me fala, Reese. Podemos sair daqui?

Ela me encara por um longo instante, então suspira.

— Aham, acho que sim.

Ela está falando sério? Eu a afasto ainda mais das outras.

— Por que diabos você não usou essa saída antes?

— A princípio, não achei que conseguisse passar da cerca — explica ela, evitando meu olhar. — E aí consegui, mas esse lugar é minha vida inteira.

Engulo em seco, pisco para afastar o lampejo do rosto do Sr. Harker no escuro, os olhos vazios e os dentes escurecidos.

— E agora?

Ela encolhe os ombros.

— Você me pediu.

CAPÍTULO 23

Ninguém nota quando nos afastamos e seguimos pelo corredor onde ele vira para a cozinha. Há uma porta lá, uma saída de emergência que ninguém usa, apenas caso os alarmes ainda funcionem, mas não tem por que continuar se preocupando com isso.

Estamos passando pela sala da Diretora quando paro de repente. A porta estava aberta antes, mas agora está praticamente fechada. Pela fresta, consigo ver uma caixa de comida, então alguém se move no interior e bloqueia minha visão. Tem que ser a Diretora. E ela está guardando suprimentos, suprimentos que iremos precisar se formos embora de Raxter.

A porta não está trancada, mas, assim que tento empurrar, ela bate em algo e para de se mover.

— Com licença — diz alguém lá dentro, soando indignado. Definitivamente a Diretora. — Você não tem permissão para entrar aqui.

Quase solto uma risada. Como se isso ainda importasse.

Tento outra vez, dando um empurrão na porta com meu ombro, e lentamente ela se abre. Eu pisco, ajustando o olho ao sol que inunda a sala com suas janelas altas, e lá está a Diretora, uma silhueta contra elas, com os ombros caídos e o coque se desfazendo.

Ela está de pé diante de uma embalagem com garrafas de água e, ao lado, empilhados na lateral de sua mesa gigantesca e antiga, estão montes de caixas que eu reconheço — comida, suprimentos, tudo roubado da despensa, tudo roubado de nós. Entre essas coisas, também há pacotes com utensílios médicos, do tipo que a Marinha costumava nos enviar. Pequenos kits de primeiros socorros, pilhas de papéis, fichas da enfermaria e coolers, como aquele que encontrei na floresta.

Há quanto tempo ela está guardando tudo isso? Há quanto tempo está cuidando apenas de si mesma?

Entro na frente de Reese, porque não vou perdê-la de novo, não mesmo, mas ela me afasta e, com um olhar para a Diretora, entendo por quê. Olhos vermelhos, dedos trêmulos. Uma risada nervosa e falhada quando ela mexe na gola da blusa.

— Meninas, vou ter que pedir para vocês saírem — diz ela, e posso ouvir sua voz instável. Ela está com medo. Medo de *nós*.

— O que está acontecendo? — pergunto. — O que você está fazendo com essas coisas? Isso é nosso.

Ela passa as mãos na calça, limpa manchas de sangue seco sob suas unhas, como se não tivesse pus cor-de-rosa e brilhante saindo de sua boca.

— Nada. Apenas fazendo inventário.

A raiva volta como uma enxurrada, me inundando até eu me afogar nela.

— Nada? — repito. — Como o que você fez na sala de música?

Reese me segura, mas eu empurro sua mão e ando para a frente. A Diretora vai para trás, colocando-se contra a parede, e preciso de toda a minha força para me manter controlada, para não partir para cima dela.

— Você nos trancou! — grito. — Tentou nos matar.

— Não — retruca a Diretora, com os olhos indo de uma para outra —, não, não. Não foi isso. Só estava tentando ajudar vocês. — Ela dá um sorriso pequeno. — Essas coisas todas são para isso.

Atrás de mim, Reese solta um riso bufado.

— Não minta. Se quisesse nos ajudar, teria começado tempos antes.

— Não sei o que você quer dizer com isso.

— Ah, por favor. — Dou um passo para trás, deixo Reese ocupar o lugar à frente, seu rosto tomado por uma energia fria. — Somos apenas nós aqui. Pode ser sincera. — Quando a Diretora não responde, Reese assente. — Vou dizer o que acho, então. Acho que sempre esteve planejando dar o fora. Acho que tinha sua fuga engatilhada desde o começo. Só para o caso de eles não conseguirem nos curar, certo? Mas eles deixaram você para trás, e foi por isso que você precisou de mim.

— Não foi assim.

— Explique-se então.

— Sabíamos que algo estava acontecendo anos atrás — confessa a Diretora, murmurando. — Estava ficando muito quente nos invernos, e as flores da íris continuavam crescendo, e eles perguntaram... as pessoas do Campo Nash, da Marinha e do CDC... mas eles só queriam acesso. Apenas para testar umas coisinhas aqui e ali. Mas não estávamos esperando algo como a Tox. Juro para vocês: nós nunca achamos, eu nunca achei, que isso ia acontecer.

É mentira, e nós duas sabemos. Ela sabia. Sabia que havia algo errado antes de a Tox começar. E nos manteve aqui mesmo assim.

— Você quer dizer que nunca achou que colocaria *você* em perigo — retruca Reese. — Mas, o resto de nós, nós éramos um risco que valia a pena, certo? Meu pai sempre disse que você queria as coisas erradas, ele sempre disse para não confiar em você, e agora sei por quê.

Uma pessoa atrás da outra desmoronando sob o peso desse lugar, uma mentira atrás da outra — já chega para mim. Chega desses confrontos, de segredos saindo de nós feito sangue. Eu pego o casaco de Reese e puxo até ela virar para me olhar.

— Vem — falo. A princípio, não tenho certeza de que ela ouviu, e então algo muda em seu rosto, fica mais suave, como se ela estivesse voltando de outro lugar. — Vamos deixá-la com a bagunça que ela criou.

Reese balança a cabeça.

— Ela poderia ter salvado a gente. Poderia ter jogado esse gás na porra do mar.

É, eu sei. Eu também poderia.

Respiro fundo e ignoro o revirar nauseado de meu estômago.

— Mas, nesse momento, nós mesmas podemos nos salvar. Por favor, Reese. Vamos.

Ela olha para a Diretora, que está tremendo, me observando com olhos arregalados e indefesos.

— Se ela mexer uma merda de um músculo, eu juro...

— Ela não vai — interrompo. — Certo?

— Não vou — responde a Diretora, assentindo freneticamente.

Reese suspira, e um pouco da tensão se esvai. Seus ombros relaxam, a cabeça erguida.

— Procura alguma comida — diz ela, suavemente. — Vou pegar água.

— Obrigada — digo. — Seremos rápidas, prometo.

A Diretora está colada na parede, com as palmas das mãos espalmadas e vazias. Eu me viro e fico de costas para ela, deixando Reese de vigia, se ela quiser. Há uma mochila de lona perto das estantes de livros encostadas nas paredes que já tem uma pistola e algumas caixas de munição. Pego a pistola, verifico a trava de segurança e a entrego para Reese. O ombro dela pode estar machucado, mas nunca atirei com uma pistola antes, e ela vai saber melhor o que fazer. Com sorte, lembrará o que ensinei sobre a mudança de postura.

Reese enfia a arma na cintura da calça jeans e se agacha perto da embalagem de garrafas de água. O plástico em volta foi aberto, e algumas garrafas estão tombadas no chão.

— Você pega aquilo — diz ela, indicando com a cabeça a caixa perto de mim, cheia de carne-seca e de pacotes de biscoito. — Eu vou pegar alguns sinalizadores marinhos. E um daqueles kits de primeiros socorros também.

Enfio o máximo que consigo colocar de comida dentro da mochila. É estranho: no fundo da caixa, há uma camada de papéis, como se a Diretora tivesse embalado alguns dos arquivos da escola. Eu os retiro da caixa e passo o olho. Reese também analisa por cima de meu ombro, mas a letra é muito pequena e meu olho está doendo, desesperado por um descanso, então apenas os enfio no fundo da mochila. Vamos voltar a isso depois.

Reese retorna para as garrafas de água, mas, momentos depois, ela diz meu nome, e eu a encaro. Ela está com uma das garrafas na mão, com a tampa aberta.

— O quê? — pergunto.

— Já estava aberta. O lacre está rompido.

Relembro a cena de quando entramos na sala, como a Diretora estava diante dessa embalagem. Havia algo em suas mãos. Olho para ela agora, tento encontrar seu olhar, mas ela está olhando diretamente para a frente.

— É só essa? — questiono.

Reese pega outra garrafa da embalagem e gira a tampa.

— Essa também. — Vou até ela, e nós duas verificamos cada garrafa. Todas as tampas abrem facilmente, com o lacre rompido.

— Merda — solto, mas Reese já está de pé, indo para cima da Diretora.

— O que — diz ela com a voz baixa — você fez?

O chão está úmido sob meus joelhos, molhando meu jeans. A Diretora deve ter adulterado a água de alguma forma. Mas para quê?

Ponho uma das garrafas contra a luz. A princípio, não vejo, mas então... ali. Grãos de um pó preto fino aglomerados no fundo.

Reese para quando a afasto do caminho para passar. A Diretora recua, mas engancho meus dedos no bolso de sua calça e a puxo para perto de mim. Estou certa, sei que estou, queria estar surpresa, mas as coisas sempre se repetem. Tudo sempre se repete.

— Hetty — diz Reese —, o que foi?

A Diretora está lutando para se afastar de mim, mas coloco meu ombro contra seu peito, prendendo-a da forma mais reta que consigo.

— Verifique a munição — falo para Reese. — Você vai ver.

— Não era minha intenção machucar ninguém — alega a Diretora. — Era só para ajudar.

— Ah! — exclama Reese atrás de mim, e sem olhar sei o que ela encontrou.

Algumas das balas já abertas, sem pólvora, da forma como as meninas mais velhas da Equipe das Armas nos ensinaram a fazer. Eu nunca soube como descobrimos o que um pouco de pólvora podia fazer com um corpo tomado pela Tox. Ninguém nunca me contou quando perguntei. Mas sei que é uma morte lenta, como dormir, se dormir lançasse a pessoa em labaredas de dor.

— Você colocou na água, não foi? — pergunto, chegando tão perto que meu cuspe respinga na bochecha da Diretora.

Ela pega meu rosto com as mãos, antes que eu consiga me afastar, e me olha com superioridade, sua expressão suave apesar de estar me segurando cada vez com mais força.

— Você precisa me ouvir — diz ela. — Essa é sua melhor opção nesse momento.

— Solta a Hetty — interfere Reese, mas a Diretora a ignora.

— Eles estão a caminho, Hetty. Aviões de caça vindo de um porta-aviões. — Sua voz fica mais baixa, rouca e mal passando de um sussurro. — Sabe o que eles podem fazer.

Sei. Não porque ouvi coisas quando estava morando na base militar. Mas porque não ouvi. E isso dizia mais que qualquer coisa.

Afasto as mãos dela com um empurrão e dou um passo para trás.
— Por que agora? Eles tiveram um ano e meio. O que mudou?
— Houve um contágio na equipe de pesquisa — diz a Diretora —, e aí uma das meninas quebrou a quarentena.

Preciso de toda a força para continuar de pé, a culpa me esmagando, e é como se eu estivesse me afogando, exceto que não posso demonstrar. Não posso deixar a Diretora saber que fomos nós.

— Um risco alto demais para uma recompensa tão baixa — prossegue ela. — Eles não conseguem curar isso. Talvez se tivessem conseguido fazer uma variedade maior de testes...

— Variedade maior? — Isso está relacionado a alguma memória que não consigo identificar, então fecho o olho, filtrando os últimos dias, até ter a lembrança exata. Welch, no píer logo antes de morrer. Eles queriam testar todas nós, fazer experimentos com a comida, contou Welch, mas ela não deixou.

— Welch estava do nosso lado — digo. — Não estava?

A Diretora franze a testa.

— Não tenho certeza do que constitui o seu lado, Hetty, mas ela era inflexível quanto a não sujeitar todo o corpo discente a testes, porque isso levaria a sofrimentos desnecessários. — Ela sorri, nervosa. — Pessoalmente, acho que está claro que ela estava errada.

— Ela se matou. — Estou tremendo, e Reese se aproxima mais, pondo uma das mãos na base das minhas costas. — Ela fez aquilo por causa dos seus planos.

— Não vamos esquecer — argumenta a Diretora, com um lampejo de irritação no rosto — que ela era uma mulher adulta e capaz de ter pensamento crítico. Ela fez suas escolhas. Não vou me responsabilizar por elas.

Ela está certa. Welch escolheu, de fato: ela nos escolheu todas as vezes que jogou suprimentos contaminados fora e todas as vezes que nos fez mentir para a Diretora.

E eu estava errada. Eu a interpretei mal o tempo todo.

Não posso mais ficar aqui. Cada erro que cometi está nos levando mais para o fundo do poço, e todo esse lugar ficará melhor sem mim, mesmo quando os aviões de caça chegarem.

— Hetty — diz Reese atrás de mim

Escuto pessoas falando no corredor, mais e mais alto — as meninas entrando em uma sala de aula próxima, à procura de escrivaninhas e bancos, qualquer coisa com que possam barricar as portas.

Volto a olhar para a Diretora.

— Quanto tempo até os aviões chegarem?

— Estarão aqui quando anoitecer.

É isso. Um dia. Isso é tudo que resta para Raxter até um esquadrão de aviões fazer a ilha sumir do mapa. Posso ouvir a voz de meu pai em minha cabeça, e ele me diz para correr, o mais rápido possível, para o mais longe que conseguir. Eu vou. Mas ainda resta uma última coisa.

— Por que se incomodar com a água, então — pergunto —, se estamos todas mortas de qualquer jeito?

A Diretora tosse delicadamente.

— É mais humano.

— Humano? — Quase gargalho. Não acredito nela. — Onde estava isso quando tentou nos sufocar com gás?

— Gás? — dispara Reese atrás de mim, chocada. Eu tinha esquecido que ela não sabia.

— Deveria ter funcionado — insiste a Diretora. — Não acho que a dose estava concentrada o bastante. Afinal, funcionou na sua amiga.

Por um segundo, não estou mais aqui. Estou na balsa naquele primeiro dia, olhando Byatt me observar. Seu sorriso, que me fez sentir como se eu tivesse esperado a vida inteira por ele e como se eu fosse algo especial.

— Não — digo. — Não, não estou entendendo. Do que você está falando?

— Sua amiga. A Senhorita Winsor.

Minha respiração fica ofegante. Reese solta um palavrão, baixinho.

Mas a Diretora continua:

— Pelo que ouvi, ela foi muito útil.

— "Foi"? — repito. Mas eu sei; eu sei o que está vindo.

— Ela está morta. — A Diretora dá de ombros. — O CDC administrou sua dosagem de gás ontem, em algum momento.

Eu me sinto vazia, como se o núcleo da minha vida tivesse desaparecido. Sido arrancado inteiro de mim. Ela não pode estar morta. Lágrimas brotam em meu olho, e meu corpo inteiro treme.

— Não acredito em você — retruco. — Não acredito, não acredito.

— Bom, isso não importa muito.

Sem me dar conta, estou do outro lado da sala, com minha mão rasgando o rosto da Diretora. Ela grita, e sangue escorre por sua pele conforme minhas unhas arranham seu pescoço. Reese me pega pela cintura e me puxa para trás, com minhas pernas batendo desesperadamente enquanto ela me arrasta para longe da Diretora.

— Ela está mentindo — digo. — Ela não conhece Byatt. Ela não entende.

— Eu sei — sussurra Reese em meu ouvido. — Você está certa. Está. Mas não temos tempo. Como você disse, OK? Temos que ir.

— Sim. — Engulo em seco, forço meu corpo a relaxar. — Só uma coisa antes. Jogue fora as garrafas. Exceto uma.

— Não — diz a Diretora —, não, não, espere.

Reese me solta e me deixa pressionar o antebraço contra o pescoço da Diretora.

— Acabou — declaro.

Atrás de mim, Reese começa a despejar a água. O chão fica escuro e escorregadio, e a Diretora começa a chorar.

Byatt não está morta. Não vou acreditar nisso. A Diretora já mentiu antes, e poderia estar mentindo agora. Vou encontrar Byatt, como prometi. E, quando a achar, vou poder dizer para ela que fiz isso em seu nome.

Tiro o braço da garganta da Diretora, estico-o para Reese e ela põe a última garrafa de água em minha mão boa. Por Byatt, pelo Sr. Harker e por nós.

— Era para nós bebermos isso? — digo, segurando a garrafa em meus lábios. Ela assente.

— É a melhor coisa para vocês — argumenta ela. — Vocês não querem toda aquela dor. Prometo, vai ser a coisa mais fácil do mundo.

— Aham. — Olho para a garrafa e passo a língua em meus lábios. Quando levanto o olhar para a Diretora novamente, ela está me observando com ternura nos olhos, levantando o braço para tocar meu ombro.

— Não vai doer — fala ela, baixinho.

Eu me aproximo.

— Prove.

A Diretora arfa, e enfio a garrafa em sua boca, jogando todo meu peso contra seu maxilar e mantendo-o aberto, deixando a água entrar.

Um grito abafado e um soluço, e ela se debate. A água escorre pela minha mão e encharca a parte da frente da sua blusa. Ela pode tentar não engolir, mas em breve vai ter que ceder. Seus lábios estão molhados contra a palma de minha mão, mas não desisto, apenas pressiono com mais força, encostando minha testa na dela. Ela fez isso conosco. Agora é a nossa vez.

Seu nariz está pingando com muco, e a Diretora começa a sufocar, sendo tomada por espasmos. Mantenho o olhar fixo em sua garganta, esperando, esperando, e finalmente um gemido sai de dentro dela quando ela engole.

Fico ali, quadril contra quadril com ela, até seu corpo relaxar e eu não conseguir mais segurá-la. Dou um passo para longe, deixando-a cair no chão. De quatro, tentando respirar. Ela parece pequena. Vejo seu pulso estreito, a pele amarelada, pálida. Amasso a garrafa e a jogo ao lado da Diretora.

— Deixa essa mulher aí — diz Reese — e vamos. Está ficando feio lá fora.

Eu a encaro, confusa, e ela indica o corredor com a cabeça. Uma batida atrás da outra contra as portas duplas que dão para o salão principal. Se as portas da frente não aguentaram, essas aqui não têm a menor chance. Ouço Julia gritar para as outras meninas, insistindo para que continuem reforçando a barricada. Mas não adianta.

— OK — respondo.

Pego a mochila, oscilando um pouco com seu peso, mas logo a ponho nas costas e nós saímos da sala. Sem olhar para trás, até chegarmos à cozinha e, então, eu verificar para ter certeza de que nenhuma das meninas está nos seguindo.

Vazio e o som de berros. Precisamos nos apressar.

Reese vai até a saída de emergência, com o letreiro acima escuro e quebrado. Eu a sigo. Ela sai primeiro, abre a porta apenas uns centímetros e olha para fora.

— Parece livre.

Solto uma risadinha.

— De qualquer maneira, nós vamos.

Ela estica sua mão prateada para mim, e eu a seguro.

— Fica comigo — diz ela —, e eu vou ficar com você, OK?

Fecho meu olho. Raxter atrás de mim e sabe-se lá o que há adiante.

CAPÍTULO 24

A porta nos leva ao lado sul do terreno. Os raios de sol que passam pelas nuvens estão fortes à medida que a manhã surge. O gramado está vazio à frente, com apenas alguns pinheiros entre nós e o mar. À minha direita, após uns 100 metros de grama coberta de gelo, está a cerca, a saída.

— Se por acaso nos separarmos — diz Reese —, ache minha casa. Encontro você lá.

— E depois procuro o quê?

— O barco do meu pai — explica ela. — Parece um bote, acho. Está escondido em algum lugar pelo litoral.

Um estrondo vem de dentro da casa, talvez uma das portas cedendo, e escuto as outras meninas começarem a gritar. Aperto a mão de Reese. Os aviões de caça estão vindo, penso. Odeio que isso soe como uma desculpa.

— Contamos até três — decreta Reese. — Aí corremos para o portão.

Faço que sim com a cabeça, e sussurramos juntas:

— Um. Dois. Três.

Nós disparamos, tão rápido que perco o fôlego, deixo minha boca aberta e jogo toda a energia para as pernas. Acima, os primeiros flocos de neve, ardendo contra minhas bochechas. A mochila está muito frouxa, pulando de um lado para o outro, e eu tropeço, mas Reese não me deixa cair.

— Quase lá! — grita ela.

A cerca está mais próxima, mas não posso parar. Estou cansada, tão cansada, e minha pernas ficam moles, meus passos ficam estranhos. Mas, enfim, chegamos ao portão.

Nós cambaleamos e paramos. Minha mão lateja, e há uma trilha de sangue na neve deixada por Reese, mas sinto a adrenalina afiada e amarga na boca, o frio como um despertar contra minha pele. Estou viva. Estou aqui e estou viva.

Aperto as alças da mochila enquanto Reese tira a pistola da cintura da calça. O portão está aberto ali à nossa frente, e ela morde os lábios para afastar a dor ao levantar a arma. Com sua postura e mão de disparo trocadas, como ensinei, Reese mira na sombra cobrindo as árvores além do portão.

— So por segurança — comenta ela.

Quase dou uma risada.

Pegamos outro caminho para sua casa. Não nos embrenhamos na floresta, nos mantendo no caminho irregular dos veados, que serpenteia pelas árvores. Preferimos enfrentar os perigos que conhecemos a encarar os desconhecidos.

A floresta está estranhamente silenciosa, mesmo para Raxter. A neve salpica a terra, mais espessa do que é costume tão cedo no inverno. Nós analisamos cuidadosamente o chão atrás de rastros, mas, sempre que encontramos algo, ele nos leva para longe, para a escola. Se estamos seguras aqui, é à custa das outras meninas.

Enfim, a forma em ruínas da casa Harker surge. Eu pisco para afastar os flocos de neve de meus cílios e me apresso, ansiosa por um pouco de descanso.

Reese entra primeiro, limpando o pé à porta distraidamente, e isso faz algo pesar em meu peito. E, então, ela se sobressalta, deixando um soluço escapulir — e, é claro, esqueci. O Sr. Harker. O corpo.

Apoio minha mão boa em seu ombro, me aproximando, pronta para oferecer algumas palavras de conforto. Mas de nada adiantariam, porque amontoadas em torno do que sobrou do Sr. Harker estão três raposas cinza, a boca pingando líquido preto conforme elas rasgam o tronco dele.

— Saiam de perto dele! — grita Reese, levantando a pistola e disparando entre as raposas, sem qualquer mira, com a postura uma confusão. — Vão!

Uma corre e atravessa um buraco na parede da casa, desaparecendo nos juncos, mas as outras duas apenas levantam a cabeça e nos encaram. Reese, no entanto, não se importa. Ela cambaleia até o corpo, afastando minha mão quando tento impedi-la, e cai de quatro aos pés de seu pai, com uma das botas com o cadarço desfeito, a outra com uma meia listrada aparecendo.

As raposas olham para ela calmamente, quase como se Reese fosse uma delas. Mas, quando me aproximo, elas se afastam rapidamente com um grito agudo e se contorcem, saindo através das paredes.

— Reese? — digo. Ela se senta apoiada nos calcanhares, e percebo um rastro de lágrima em sua bochecha antes que Reese a seque.

— Você se importa — pergunta ela — se dermos o fora daqui?

Nós seguimos mais para o oeste pela costa da ilha. Seria mais fácil ir pela praia, mas Reese nos mantém nas árvores, suficientemente para dentro a ponto de ficarmos sob a cobertura dos galhos.

A parte litoral de Raxter muda aqui, é quase porosa. Mais à frente, irá se tornar um aglomerado irregular de pedras antes de se suavizar e virar um pântano do outro lado. Quando estávamos indo embora, perguntei a Reese para onde íamos, mas ela apenas balançou a cabeça e me puxou. Uma semana antes, teria chamado isso de teimosia, mas isso é ela envergonhada, porque perguntei para onde vamos, e Reese não sabe ao certo.

Estamos nas pedras agora. Sua testa está franzida, e ela espia o litoral, afastando-nos das árvores de pouco em pouco.

— Quase lá — diz Reese, e eu concordo com a cabeça. Não pressione. Ela vai achar o que está procurando.

Continuamos, nosso corpo tenso, a mochila cada vez mais pesada a cada passo. Está silencioso, como se tudo na ilha estivesse se escondendo do que aconteceu na casa. Quando o urso terminar com o que sobrou de nós, irá atrás dos outros animais. Temos que sair daqui antes que esse lugar se transforme numa guerra.

Reese para de repente, apontando para algo adiante.

— Lá — indica ela.

Escondido entre duas pedras altas e pontudas, há um caminho traçado, e mal consigo distinguir, mas vejo um trecho de litoral, com as ondas deixando ninhos de algas-marinhas na areia. E, bem ali na praia, com craca e musgo crescendo sobre o casco, um barco branco velho.

Nós seguimos para aquela direção, tomando cuidado com as pedras escorregadias por causa do mar. Reese estende o braço, e eu o seguro, deixo que ela me mantenha firme enquanto percorremos o trajeto até o litoral.

A trilha termina antes da areia, e temos que pular para baixo. Minhas botas afundam, deixando pegadas que desaparecem atrás de mim. No horizonte, consigo ver o continente, vazio e escuro contra o céu.

— Aqui — diz Reese, gesticulando para uma das pedras. — Melhor eu refazer sua atadura.

Sento ali, dando a mochila para ela pegar o kit de primeiros socorros. O curativo que Julia fez mal cobre metade dos rasgos em minha mão, e, quando Reese abre o kit, solto um suspiro de alívio ao ver uma atadura perfeita e intocada.

Ela segura minha mão entre as dela, girando o ombro para mantê-lo relaxado. A neve, ainda leve, mas grudando onde cai, se enfia em minha gola, encostando em minha nuca, e eu ponho o capuz enquanto Reese retira as bandagens improvisadas.

— Meu Deus, isso está realmente bem ferrado — comenta ela, examinando a palma de minha mão com cuidado. — Consegue sentir isso?

— Apenas em alguns pontos.

Ela estica a atadura e envolve minha mão outra vez, atenta para evitar os lugares em que o sangue já está passando pela primeira camada de tecido.

— E consegue mexer?

Consigo contrair o dedão, e Reese sorri, soltando minha mão.

— Que bom — diz ela. — Vamos continuar tentando.

Ela se levanta, coloca o kit de primeiros socorros de volta na mochila, e olha para a frente, onde o continente está esmaecido no horizonte.

— Parece tão distante — comento.

— Talvez uns 50 quilômetros até o litoral. — Reese estreita o olhar para o horizonte. — E o que fazemos depois que chegarmos lá?

— Quero ir para o Campo Nash — digo, com firmeza. — Deve ser onde Byatt está, e não vou deixar que ela fique para trás. Nem mesmo se realmente estiver morta.

— Hetty...

— Não vou. Não posso deixar Byatt assim. Você não entende Reese desvia o olhar.

— Entendo, sim.

Claro. O pai dela. Luto contra uma onda de náusea.

— Desculpa. Não foi minha intenção... — Jogo a cabeça para trás, observando a neve cair. — Não quero que você pense que eu esqueci. Ou que acho que esteja tudo bem. Sei que você está com raiva, e sei que ficará assim por um bom tempo, e posso aceitar isso.

— Estou com raiva — responde Reese, devagar. — Mas mal consigo sentir isso. E sei que vai voltar, mas também preciso pedir desculpas por algumas coisas. — Ela olha para mim, para minha garganta, e me lembro da sensação do braço dela me pressionando com força. Uma semana atrás, mas parece que faz anos. — Há coisas mais importantes, neste momento.

Solto uma risada de alívio que quase se transforma em lágrimas, e Reese se inclina para que nossos ombros se encostem.

— Uma dessas coisas importantes — continua ela — é uma cura. Ninguém está procurando uma de verdade. Sabemos disso agora.

— Talvez a gente encontre alguma coisa no Campo Nash — pondero. E então penso em Welch no cais, no que ela me contou sobre meus pais. No que eu disse sobre meu pai. — Ou talvez tenha outra pessoa que possa ajudar.

Reese franze a testa.

— Quem?

— Meu pai. — Eu me pergunto se ele ainda está servindo em Norfolk. O que ele e minha mãe fizeram da vida agora que acham que estou morta? — Ele é da Marinha. Quer dizer, não do Campo Nash, mas talvez saiba de algo. E, a essa altura, acho que isso é tudo que podemos esperar.

Reese fica em silêncio, e eu olho para longe. Sei que ela está pensando no próprio pai, e fico esperando o momento passar.

— OK — diz ela, enfim. — Byatt e então uma cura.

Fecho a mochila enquanto Reese vai até o barco para virá-lo. Em um ou dois minutos, ela o endireita e o arrasta para a água. Vejo que há um motor externo enferrujado quase caindo da popa.

— Vai funcionar? — pergunto. — Ou teremos que remar? Cinquenta quilômetros é longe.

— Deve funcionar, sim — responde ela. — E meu pai sempre guardava uma lata extra de combustível no caixa de depósito.

Observo conforme Reese inspeciona os remos e os coloca sobre os assentos, por via das dúvidas. Uma onda forte atinge o barco, e dou uns passos para trás. Sou filha de um homem da Marinha, barcos são maiores de onde eu venho. Estáveis, e largos, e que ficam inteiros sem um remendo na popa.

Reese ri, o vento puxando sua trança, e sinto meu coração se apertar. As nuvens estão agitadas acima de nós, e o sol baixo no horizonte. As pedras soltam murmúrios conforme o vento escoa por elas, e jamais vou deixar Raxter para trás, não importa o quão longe eu vá. Esse lugar jamais vai me deixar.

— Entra — diz Reese, me dando a mochila. — Eu empurro para sairmos.

Entro e sento depressa, virada para o litoral, segurando com força a borda. Reese começa a empurrar o barco mais para a rebentação até ficar com água até os joelhos, e posso sentir meu estômago começando a revirar à medida que o barco é jogado de um lado para o outro.

— OK — diz ela. — Se segura. Vou entrar.

Ela dá um último passo, empurra com o máximo de força que consegue e se ergue sobre a borda. O barco se inclina descontroladamente para o lado no momento em que Reese passa uma perna para dentro e então a outra. Eu jogo meu tronco para trás quando a água atinge meu rosto.

— Pronto — comenta Reese, jogando-se no banco em frente ao meu. — Tudo certo?

— Você trouxe metade do mar para dentro.

Ela revira os olhos.

— Além disso.

— Sim.

As ondas já estão nos levando de volta para a praia, então Reese ajusta uma alavanca no motor e puxa para dar a partida. Nada acontece, mas ela tenta outra vez, e outra, e enfim ele ganha vida, levantando jatos de água em nossa trajetória para a frente.

— Beleza — diz ela. Mal posso ouvi-la acima do som do motor.

— Lá vamos nós.

O litoral se afasta. Reese nunca olha para trás.

CAPÍTULO 25

Nós ficamos perto do lado norte da ilha. Reese deixa o motor com menos potência para economizar combustível e seguimos devagar, com a costa deslizando por nós e a neve espiralando em rajadas suaves. Árvores alinham-se uma ao lado da outra como fósforos, e então, quando o sol se aproxima do ápice de meio-dia, o pântano surge. Mais ou menos uns 800 metros até chegarmos ao ponto da ilha onde o cais se projeta.

O percurso é mais difícil nesse ponto, com bancos de areia emergindo em lugares estranhos. Aperto o olho, procurando o centro de visitantes. A profundidade vai começar a aumentar quando passarmos por ele, e aí entraremos em mar aberto.

Em pouco tempo, lá está. O centro fica no lado norte da ilha, separado do pântano por uma faixa espessa de árvores. Construído para se assemelhar a uma casa à beira do mar, com um telhadinho e uma varanda, além de um puxadinho quadradão aos fundos, provavelmente feito mais ou menos uma década atrás, quando o conselho de turismo decidiu tentar se modernizar. Mas hoje parece praticamente sem forma, envolto com um tipo de tenda.

Eu endireito meu corpo, esfrego o olho, pisco com força e olho novamente. Lá está a antena de rádio, emergindo, mas o resto da construção está coberto pela tenda, cujas bordas balançam com a brisa.

— Para — falo, e Reese mexe num interruptor para que o motor desligue.

— O que é aquilo? — pergunta ela. — Aquele lugar deveria estar vazio.

A tenda não parece cobrir o prédio inteiro, mas não consigo dizer ao certo de onde estou. Já vi coisas assim para fumigação, para manter edifícios isolados. Mas por que teria um negócio desses aqui?

E então cai a ficha. Um barco saiu da doca naquela noite na casa Harker, mas ele não foi para o Campo Nash. Veio para cá.

— Sempre pensamos que eles estavam no continente — comento. — A Marinha, o CDC. Mas não. Estavam em Raxter esse tempo todo. — Eu me viro para Reese. — Foi com eles que ouvi Welch falando no rádio. Eles são o posto avançado. Pensa. De jeito nenhum que eles levariam material infectado para o continente.

— Então, em vez disso, eles mandam uma unidade para cá. — Reese franze a testa. — Não faz sentido algum. Estão arriscando a própria contaminação.

— Uma troca. — A própria segurança em troca de acesso a materiais. Acesso a nós. — E, quando estão prontos para testar uma cura, pedem uma cobaia viva. E ganham uma. — Eu me inclino para a frente, fazendo o barco oscilar para um lado. — É ali que Byatt está. Tenho certeza.

Reese dá a volta com o barco pela ponta da ilha e aponta na direção do píer. As amarras já se foram faz tempo, e não temos nenhuma corda, então ela nos guia para a parte rasa, embicando no pântano.

Ela me deixa sair primeiro, dizendo que vai manter o barco equilibrado enquanto saio. A água é lamacenta ali, e não consigo ver o fundo, mas não pode estar tão longe assim. Vou para a borda, com o barco inclinando conforme deixo meu peso escorregar pela beirada. E então a água fria circunda minhas pernas quando finalmente salto do barco e piso nos juncos.

Só atinge metade das minhas panturrilhas, mas é gélida, pior do que qualquer dia que tivemos até agora Tremo descontroladamente, lembrando a mim mesma que não posso sair correndo para a praia e que preciso segurar o barco de modo que Reese consiga sair.

Ela joga a mochila sobre seu ombro bom e escorrega pela borda com facilidade, como se tivesse feito isso mil vezes na vida, e claro que fez. Reese anda pela água até a popa do barco e empurra, enquanto o guio pela proa. Juntas, nós o levamos à praia, uns 30 a 60 centímetros acima da linha da água.

O terreno daqui até o centro de visitantes é basicamente um pântano, quase sem cobertura até chegarmos às árvores que mantêm a construção fora de vista. Ficamos afastadas do calçadão, nos mantendo abaixadas e avançando devagar entre mosquitos e o fedor que acaba de ser coberto pelo branco da neve. É mais seguro dessa forma, mas sinto calor, minha pele formiga, e o suor começa a aparecer sobre meu lábio superior. Talvez os aviões não venham, e talvez eles não tenham ido embora, talvez ainda estejam aqui.

Vejo movimentos pelo canto de meu olho. Ouço o clique contínuo de uma trava de segurança se soltando. Um junco parte atrás de mim, e eu me encolho, me jogando de joelhos no chão. Eles estão vindo. Acabou, acabou.

— Ei.

Só espero que sejam rápidos, atirem de uma vez no meio da minha testa. Não vou lutar contra isso, fiz por merecer, mas, por favor, não me façam esperar.

— Hetty. Meu Deus, você está pegando fogo.

Então eu sinto: uma mão sobre minha testa. Pisco com força. Reese, é Reese, e ela me puxa para eu sentar, com meu queixo próximo ao peito. A terra está molhada, e a umidade entra em minha roupa.

— Vamos fazer uma pausa — diz ela enquanto vasculha a mochila atrás do kit de primeiros socorros. — Você precisa descansar.

— Estou bem.

Reese joga o kit de primeiros socorros no chão, e uma embalagem de aspirina cai de dentro, rolando na lama.

— Não é suficiente — solta ela, com a raiva dilacerando sua voz. — No que isso vai ajudar?

Quando ela me ajuda a ficar de pé, deixamos o kit de primeiros socorros para trás.

Por fim, passamos do pântano e chegamos às árvores, zigueza-gueando por elas até atingirmos o outro lado e vermos o centro de visitantes despontando, com a tenda de plástico batendo ao vento.

O caminho começa logo ali, a trilha de pedras surgindo embaixo da tenda. Sei que eu deveria ter algum tipo de plano, algum jeito especial de entrar escondida lá dentro, mas minha mão dói, estou tão cansada, e tudo que consigo pensar em fazer é levantar a tenda e entrar. Reese solta um palavrão atrás de mim e continua me seguindo. O plástico cai atrás dela, nos selando na escuridão sufocante.

Nós paramos um momento, caso alguém surja correndo, mas há apenas silêncio, e se os aviões estão a caminho, a equipe de pesquisa já deve ter evacuado. As portas duplas do centro de visitantes estão a um braço de distância. Estendo a mão, puxo levemente a maçaneta, e ela abre com um rangido.

— Vamos simplesmente entrar? — pergunto.

Reese dá de ombros, roçando contra o meu.

— Que foi, você quer bater?

Lá dentro, o saguão tem a mesma cara que tinha em meu primeiro dia em Raxter. Desbotado e amarelado, as paredes pintadas com formas abstratas em tons verdes e azuis. Vamos até o balcão da recepção, que é longo o bastante para três ou quatro pessoas. Há apenas uma cadeira atrás dele, e a maior parte da superfície está coberta de catálogos antigos sobre os pontos de interesse recreativos da área.

— Está tão silencioso — diz Reese. — E tão quente. Acha que tem alguém aqui?

Penso na Diretora, a quem foi prometida uma saída e que depois foi deixada para trás.

— Não. Devem ter desocupado tudo já. — Eu me inclino sobre o balcão, olho os catálogos, mas não há nada de importante, nada que nos ajude a encontrar Byatt. — Onde a deixariam? — questiono, me virando para Reese. — Precisariam de um quarto grande o bastante.

— Tem uma sala de eventos nos fundos do prédio, na parte nova.

Ela me guia pelo térreo. Seguimos as placas por um corredor principal, passamos por uma sala indicada como a capela e vamos até a outra recepção, essa menor, mais malcuidada.

Há sangue no piso de linóleo. Essa é a primeira coisa que noto. Poças de sangue, traçando um caminho para ambos os lados, longe das escadas que levam até a torre de antena. Troco um olhar com Reese. É muito sangue. Mais do que qualquer um poderia realmente aguentar perder.

— Esquerda ou direita? — pergunta Reese.

Viramos para a esquerda, seguindo as placas até a sala de eventos. Um canto cheio de janelas surge e, ali dentro, o cômodo está cheio de macas e cortinas e rasgos no piso de linóleo. Na parede mais distante, há uma fileirinha de armários e uma pia, um bar para as festas que jamais ocorreram aqui, e, acima dos armários, cobertos mas aparecendo, pôsteres com propagandas de tudo que Raxter tem a oferecer.

— Para onde você acha que eles foram? — questiona Reese. — Digo, os médicos.

— De volta para a base na costa, quem sabe. Esse lugar é longe o bastante da escola para não conseguirmos ver se alguém tivesse vindo buscar a equipe.

A porta está aberta, e o rastro de sangue desaparece ali. Vou na frente, entrando na ala com cuidado. Quatro camas, três desfeitas. À minha frente, uma cama está amarrotada, as cobertas jogadas, com um suporte de soro derrubado ao lado dela. Há manchas vermelhas espalhadas pelo chão.

Reese pega a prancheta amarrada ao pé da maca e passa o olho por ela.

— É ela. Aqui, viu? Byatt Winsor.

Ela realmente estava aqui. Mas estou atrasada. Estou sempre atrasada demais.

Eu me viro, analisando o resto do quarto e procurando algum tipo de pista, e então noto a cama à esquerda da porta. Está encharcada, as cobertas ensopadas com manchas marrons, escuras. No centro, há um bisturi, reluzindo fraco à luz tremeluzente. E há outra coisa também.

— Ei — digo, e Reese dá meia-volta. — Olha.

— Que merda é isso?

Nós nos aproximamos. Não está se mexendo, mas Raxter me ensinou a não confiar em meus olhos. Coisas podem ser perigosas mesmo muito tempo depois de mortas.

— Isso é...

— Um verme — completa Reese.

Está coberto de sangue seco, mas consigo ver o corpo pálido e translúcido. E, de algum modo, parece familiar. Nunca vi nada assim antes, tenho certeza disso, mas sinto uma pontada no estômago; iguais que se atraem.

O verme e o bisturi. Junto as peças. Byatt aqui, com o bisturi na mão, vasculhando dentro de si até encontrar o que estava procurando.

— Isso estava dentro dela — comento. E então, porque ambas estamos pensando a mesma coisa: — Tem um dentro de nós também, não tem? É a Tox.

Parasitas, vivendo em nosso corpo, nos marcando como deles. Usando aqueles que os aguentam, e abandonando os que não conseguem. Protegendo-se a todo custo. Dentro de mim, dentro dos animais — dentro de Raxter. Tornando-nos selvagens.

Não consigo continuar olhando isso. Eu me curvo, tremendo, com ânsia de vômito.

— Calma — diz Reese, passando a mão em minhas costas.

— Quero isso fora de mim. — Lágrimas brotam em meu olho, e estou respirando rápido demais, preciso desacelerar, preciso. — Por favor, tira isso de mim.

— Não podemos fazer isso.

Eu me endireito, empurro o braço dela para longe.

— Não quer isso fora de você?

— Não sabemos o que pode acontecer se tentarmos. Poderíamos sangrar até morrer. — Reese coloca meu cabelo atrás da orelha, dando um sorriso trêmulo. Ela está se esforçando tanto para fazer tudo ficar bem. — Vamos dar um jeito nisso — diz. — Vamos dar um jeito em tudo isso.

— Não entendo. Como poderíamos não saber?

— Deve ter crescido. Deve ter sido pequeno no começo. Microscópico.

— Mas... — e me sinto perdida, como se o mundo inteiro tivesse aprendido uma nova língua e me deixado de fora — e os testes? Exames de sangue e físicos. E por que agora? Por que nós?

— Não sei — responde Reese, pegando mais uma vez a prancheta da cama de Byatt e começando a folhear os papéis ali. Eu queria ser como ela; queria conseguir deixar as coisas de lado quando não há nada a ser feito.

Fico ao lado de Reese, lendo por cima do ombro dela, e vejo uma palavra ou outra aqui e ali que reconheço — "estrogênio", "adaptação" e, repetidas vezes, "fracasso" —, mas a maior parte é composta de gráficos e números. Será que as respostas estão em algum lugar ali?

Mais gráficos, mais parágrafos em uma letra ilegível, e Reese folheia depressa, mal olhando, até parar em uma página.

— O que é isso?

Ela dobra o canto da página, então larga nossa mochila no colchão e procura até achar os papéis que levamos da escola.

— Reese?

— Achei que tinha reconhecido isso — comenta ela, mostrando as folhas de papel. Gráficos iguais, com uma análise impressa abaixo em uma letra tão pequena que eu precisaria de uma lente de aumento para conseguir decifrá-la.

— Acompanha o clima — explica Reese, apontando para um eixo em que os anos são listados. O ano da Tox está ressaltado em uma cópia, com a tinta amarela desbotando e manchando. — A temperatura de Raxter com o passar do tempo. Olha, cobre muitos anos.

Uma cópia nos registros escolares e outra ali, num hospital improvisado, anexada à cama de Byatt. E lá está, o clima mudando, a temperatura aumentando. Certa vez, li sobre criaturas presas no gelo ártico. Coisas antigas e pré-históricas, que voltavam à vida à medida que o gelo derretia. No Maine, em Raxter, um parasita chegando lentamente às coisas mais fracas — as flores da íris, os caranguejos — até ficar forte o suficiente para chegar à vida selvagem. A nós.

CAPÍTULO 26

Reese continua olhando os gráficos, e eu tiro a prancheta da cama para dar uma espiada no resto dos documentos. Observações feitas a respeito de uma paciente BW. E, no final de cada formulário, a mesma assinatura. Não consigo decifrá-la, mas há um nome impresso abaixo, sob "médico de plantão".

— Audrey Paretta — leio. — Era essa a médica de Byatt.

A Diretora disse que deram gás para ela. Isso teria sido feito por Paretta, quem teria tomado a decisão de matar minha melhor amiga. Se ela estivesse aqui, eu arrancaria seus olhos com minhas próprias mãos.

— Ela foi embora — diz Reese, gentilmente. — Não tem nada que possamos fazer sobre ela agora.

Eu assinto, afasto Paretta de meus pensamentos e continuo folheando. Testes e mais testes, e nenhum deles funcionava. A Tox era forte demais para morrer, e nós fracas demais para viver. RAX009, é a indicação dela. Outras oito, então, e penso no corpo de Mona naquele saco.

Welch disse naquela noite que eles achavam que tinham acertado. Devem ter mandado Mona de volta para a escola para ver se ela duraria, se a cura que encontraram funcionaria. Mas ela não durou, e a cura não funcionou, e aposto que Mona está em algum lugar nesse prédio, com os olhos arregalados como se encarassem alguma coisa, o corpo rígido e aberto em busca de respostas. Essa história era dela também.

Dou mais uns minutos para Reese vasculhar o quarto, pegar os documentos da cama de Byatt e os enfiar na mochila. Quando ela termina, nós duas seguimos para a porta. Não há mais nada de que precisamos aqui, e os aviões irão sobrevoar em breve. Está na hora de pegarmos Byatt.

Seguimos o caminho de sangue que sai da ala, segue pelo corredor e passa pela recepção. Ele nos leva para depois da escada, por um corredor estreito com curvas bruscas. O rastro fica mais fraco, mas não some, e, aqui e ali, espalhadas pela parede, há marcas de mão, como se alguém tivesse se apoiado para ficar de pé.

Depois da terceira curva, o ar começa a ficar com o cheiro do exterior, fresco e limpo. Acelero o passo, com Reese logo atrás, e então lá está, uma porta amassada e entreaberta. E, além dela, um gramado e a luz do dia.

Passo batida pela porta e dou num pequeno quintal. Há uma cerca de arame demarcando o limite e, além dela, árvores com folhagens espessas. Isso deve ser nos fundos do prédio, dando direto na floresta. Acima de nós, o céu está de um azul intenso, sem nuvens.

Quase não a vejo. Um pouco mais adiante, encostada na parede do centro, o corpo tão pequeno e encolhido, com o casaco firme em volta do que sobrou dela.

— Byatt?

Estou correndo, com os pés batendo na terra. Caio de joelhos ao lado dela. É uma bagunça, é horrível, mas não consigo desviar o olhar. Há neve espalhada por seu cabelo escuro. Uma atadura no braço encharcada de sangue, sua pele quase translúcida de tão pálida e uma Íris de Raxter entre seus dedos todos pretos. Ela está fria. Seu corpo está tão frio.

— Byatt. Byatt, ei, vamos lá. Sou eu, Hetty.

Nenhuma resposta. Tento sentir seu pulso no pescoço, mas estou tremendo demais, e ela está olhando diretamente para mim, os olhos brilhantes e carinhosos, exatamente como me lembro deles. Só que não há nada atrás deles agora. Nenhuma vida, nenhum lugar escondido. Ponho seu cabelo para trás, e voltamos para um ano atrás e para um mês atrás e para o dia em que nos conhecemos, tudo de uma vez. Byatt roubando comida da cozinha para mim, Byatt telefonando para meus pais por mim quando eu ia mal numa prova, Byatt guardando um lugar para mim na missa noturna, Byatt, Byatt, me abraçando quando eu tinha pesadelos, sempre andando no lado de meu olho cego e apoiando a mão em meu cotovelo até eu aprender a não precisar mais disso. Minha amiga, minha irmã — parte de quem eu sou.

— Os médicos deram uma dose de gás para ela — observa Reese, e eu me arrasto de volta para o mundo. — Ela devia saber que estava morrendo.

Byatt, com o fim quase chegando. Reocupando seu corpo. Indo ali fora, para longe de onde a colocaram.

Um soluço me despedaça, e pressiono meu rosto na curva do pescoço de Byatt, cedendo ao tremor em meu corpo. A Diretora me contou, mas não pude acreditar. Byatt é enorme, é grande demais para desaparecer. Como alguém teve coragem de fazer isso com ela? Como Paretta pode ter conhecido Byatt e não ter visto seu valor?

— O que você quer fazer? — pergunta Reese quando me aquieto.

— Acho que não podemos levar Byatt conosco.

— O quê?

— Não podemos ficar aqui para sempre. A escola provavelmente já foi destruída, e os aviões devem chegar daqui a pouco.

— Não vou deixar Byatt aqui — retruco, ajeitando o casaco dela.
— Mas...
— Já disse que não vou deixar Byatt aqui. — E não sei como vamos contornar isso, porque nem eu nem Reese vamos ceder. Consigo ver na contração de seu maxilar. Ficar ali é perigoso, sei disso, mas, depois de tudo que fiz para encontrar Byatt, não vou deixar minha amiga agora.

Reese solta um suspiro e parece prestes a dizer algo quando escutamos alguém tossir, uma respiração um pouco difícil. Dou um pulo e me viro devagar, quase com medo de olhar.

Ela está viva. Byatt, o peito quase não se mexendo, os olhos piscando enquanto ela abre a boca.

— Ai, meu Deus. — Ponho minha mão atrás de sua cabeça para dar apoio ao pescoço dela. — Byatt, consegue me ouvir?

Finalmente, ela inclina a cabeça e olha para mim, e consigo sentir o sorriso desaparecer de meu rosto. Algo está errado.

— Byatt?
— O que foi? — pergunta Reese.
— Não sei ao certo. — Pego a mão de Byatt e a pressiono contra minha bochecha. — Sou eu. Hetty.

Nada. Nenhum reconhecimento. O rosto é de Byatt, mas não há ninguém lá.

— Não entendo — diz Reese. — Eles deram o gás para ela. Como ainda está viva?

Olho para baixo, para o braço dela, mole e ossudo junto do meu. E a atadura no braço, as pontas de uma ferida aparecendo sob o curativo.

— Está viva porque tirou aquilo de si mesma — observo.
— O quê?
— O gás deveria matar a Tox. Mas ela tirou aquilo de dentro dela. Então não havia nada para matar. — Os olhos de Byatt ficam

desfocados, fixos logo acima de meu ombro. — E é como se ela tivesse ido com a doença. Sua personalidade, tudo dela.

Reese se agacha perto dos pés de Byatt, e nós a observamos virar a cabeça lentamente para encará-la. A princípio, acho que tem alguma coisa, uma faísca, mas se vai antes que eu tenha certeza do que vi.

— Vamos ver se ela consegue se mexer — sugere Reese. — Você não está forte o suficiente para ajudar, e não sei se consigo levar Byatt até o barco sozinha.

Machucada demais, ela quer dizer, mas jamais diria. Nem mesmo agora, depois de tudo.

Seguro de um lado e Reese do outro. Enquanto colocamos Byatt de pé juntas, um ronco baixo surge, suave mas aumentando, a distância. Os aviões de caça. Minha boca fica seca, e o medo arrepia os pelos de minha nuca.

— Merda — solto. — Temos que nos apressar.

As passadas de Byatt vacilam, como se ela estivesse aprendendo a mover seus membros nesse instante, mas começamos a seguir para a porta do centro.

Lá dentro, passamos pelos vários corredores. Estou cada vez mais fraca, minha força sendo sugada de mim, e cada passo é mais devagar que o anterior, até que chegamos à recepção principal, com o sol do meio-dia esgueirando-se pelas janelas com tábuas. Nós paramos e apoiamos Byatt no balcão para que eu descanse por um momento. Sinto Reese me observar. Ela está esperando que eu diga, está esperando que eu deixe Byatt para trás, mas irá esperar por muito tempo.

— Vamos — falo. — Agora ou nunca.

Saímos e cruzamos o pântano. Lá está nosso barco na praia. Está tão longe, e estou perdendo minhas forças, mas Reese diz meu nome uma vez, apenas uma vez. Firme e forte, e ela acredita que consigo fazer isso, então preciso conseguir.

Um sibilo, e uma lufada forte de ar gélido.

— Se abaixa — consigo dizer antes de um trio de aviões de caça surgir mergulhando acima de nós. O barulho é tão alto que não consigo pensar, não consigo fazer nada além de aguentar. Eles estão voando baixo demais. Temos que ir agora.

Então eles desaparecem, dando a volta para passar novamente, e eu ergo Byatt um pouco mais com meu braço bom.

— Vamos lá.

Por fim, o cais, e descemos para o litoral o mais rápido possível, com os pés de Byatt arrastando na areia. Cuidadosamente, colocamos o corpo dela entre os assentos, e seus olhos estão fechados, mas ela está respirando. Ela está viva.

— Entra — diz Reese. — Eu empurro a gente para fora.

O balanço da água, a rotação do motor, Reese na popa à medida que o barco se afasta. Uma curva rápida e estamos deslizando, com a ilha ficando borrada até sumir nos respingos de água. Mais e mais longe, até eu não conseguir mais ouvir os aviões de caça.

A neve para e o dia fica mais quente, o mar refletindo a luz difusa em minha vista, o casco do barco brilhando com a claridade. Perco minutos, horas, olhando para o horizonte, tentando ver os prédios baixos do Campo Nash. Mas o continente permanece esmaecido e nunca parece mais próximo, não importa o quanto Reese nos conduza contra as ondas.

Ainda estamos a quilômetros da costa quando ela para o motor com um resmungo frustrado. Eu desperto, esfregando meu olho cego.

— O que você está fazendo?

— A correnteza está nos empurrando para longe da enseada. Não vamos ganhar terreno algum assim.

— Então vamos simplesmente parar?

— Até a maré mudar. — Ela tira o cabelo do rosto e se levanta, com o barco inclinando para um lado. — Temos uma quantidade limitada de combustível. É um desperdício usar isso agora.

Reese passa por cima do corpo estirado de Byatt para se sentar a meu lado na proa do barco. Byatt parece tão estranha, com o rosto sem vida e os olhos fechados. Ela sempre teve uma espécie de brilho, mesmo quando estava dormindo. Isso se foi agora, ou está diferente, de algum modo.

— Como ele é? — pergunta Reese, de repente. — Seu pai, quero dizer.

— Não sei. — Isso sai de minha boca antes que eu consiga me impedir. É verdade, sem dúvidas, mas sei que não é isso que ela está procurando. — Ele volta para casa das missões militares e vai embora de novo.

Reese inclina a cabeça.

— E você ama seu pai?

— É claro que sim. Só não conheço ele.

Não faz sentido para ela, eu sei, e quero explicar, quero dizer que ele não vive em meu coração como o pai dela vivia no dela, mas não tenho a oportunidade. Meu corpo se contorce, meu peito puxa para o lado, e sinto minha garganta se fechar com a saliva.

— Hetty?

A febre no pântano, do lado de fora do centro de visitantes. Aquela que o corpo estirado de Byatt afastou de minha cabeça. Eu deveria ter reconhecido o sinal. Sinto um crepitar em meu corpo que se acomoda no estômago, e parece que há algo pesado lá dentro. Uma ânsia de vômito me toma. Me apoio na lateral do barco e ponho para fora bile. Posso sentir um objeto em minha garganta, mas não consigo colocá-lo para fora.

— Me ajuda — consigo dizer, e Reese me puxa para eu ficar de frente para ela, com os olhos arregalados. — Eu tenho que... —

Outro tremor violento, e sangue escorre por meu queixo. — Você precisa tirar isso de mim.

Ela me encara inexpressiva, e então vejo a ficha cair.

— OK.

Sento com uma perna de cada lado do banco e Reese faz o mesmo. Minha mão apoiada em sua coxa, seus dedos prateados segurando minha nuca.

— Me fala se quiser que eu pare — avisa ela.

Balanço a cabeça.

— Não até funcionar.

Abro minha boca. E Reese enfia dois dedos o mais fundo dentro de minha garganta que ela consegue.

Não consigo respirar. Uma tosse cresce em meu peito, mas não consigo pôr para fora, não consigo engolir, e uma onda toma meu corpo conforme tento afastar Reese. Meu olho se enche de lágrimas e o mundo fica nebuloso, distorcido, mas algo está se mexendo, preso no meio do caminho.

Bato no braço de Reese, e ela puxa a mão de volta, levando fios de saliva. Primeiro um impulso, então outro, até eu finalmente vomitar, sentindo dor por todos os cantos, como se minhas entranhas tivessem sido dilaceradas. Algo carnudo e pulsante se espatifa no chão do barco.

Limpo minha boca na manga da camisa. O que quer que seja, ele está coberto de sangue, mas parece familiar, como se eu já tivesse visto essa forma em algum lugar antes. Num livro didático, num corpo, na floresta com o Sr. Harker.

— É um coração — diz Reese. — Isso é um coração humano.

Esse está no barco encolhido, murcho, e o meu ainda está batendo em meu peito. Afasto meu olhar, desmorono contra Reese, com a cabeça girando. Ela passa o braço por minha cintura.

— Alguém na escola tem algo assim? — pergunta ela.

— Sarah — respondo. — Dois batimentos cardíacos. — Mas dois corações em vez disso... E se o corpo dela manteve o dela, por que o meu não fez o mesmo?

Penso em Byatt na praia comigo no dia antes de eu conseguir a vaga na Equipe do Barco. O último momento que tivemos antes de tudo virar um caos. O caranguejo que ela achou, o Raxter Azul, tanto com pulmões quanto com guelras, como aprendíamos todos os anos na aula de biologia. Tanto pulmões quanto guelras. Para que ele conseguisse viver independentemente de qualquer coisa.

A Tox, funcionando no Raxter Azul, em tudo e em mim.

— Está tentando ajudar — observo. — Está tentando me fazer melhorar, mas não consigo aguentar.

Reese tira meu cabelo de minha nuca para deixar a brisa soprar ali.

— Fica calma. Está tudo bem.

Tusso, o gosto de sangue forte e metálico em minha língua, e Reese me puxa para perto para eu me encostar em seu peito. O barco oscila, e o cheiro de sal flutua no ar. Fecho meu olho, afasto o brilho da água e a palidez da pele de Byatt.

— Estou bem. Só preciso descansar.

Nós três juntas, acomodadas no silêncio. Já estivemos aqui antes. Um fim de semana durante meu primeiro ano em Raxter. Byatt rasgou sua última meia-calça, e o Sr. Harker nos levou até o continente para comparar uma nova para ela. Era para o encontrarmos no parque quando tivéssemos acabado, mas ele estava atrasado, então nos deitamos na sombra extensa de um carvalho baixo. As folhas ficavam translúcidas com a luz, e o tempo estava fresco, bom. Byatt no meio, Reese e eu, e foi a primeira vez que nos deixamos ficar em silêncio. A primeira vez que fomos nós mesmas de verdade.

— Você vai ficar bem — sussurra Reese, e deixo isso me embalar e me fazer adormecer. — Você me salvou. Agora vou salvar você.

Não sei para onde estamos indo. Não sei o que virá a seguir. Mas as batidas do coração de Reese são constantes em meu ouvido, e eu me lembro — me lembro de como era. Nós três juntas, e vou fazer com que volte a ser assim.

AGRADECIMENTOS

Tive muita sorte de trabalhar em *Meninas selvagens* com uma equipe incrível. Muito obrigada a cada um de vocês — vocês viram o que eu queria dizer e me ajudaram a encontrar a forma certa de dizer isso. Serei eternamente grata.

A Krista Marino — obrigada por sua dedicação à medida que tirávamos as meninas de minha cabeça e pela orientação ao colocarmos as personagens no papel. Seus *insights* me ensinaram muita coisa e fizeram este livro crescer de formas que não achei que fossem possíveis. Eu não poderia querer uma editora melhor.

Obrigada a minhas agentes, que me deixam completamente admiradas. A Daisy Parente, por cada e-mail desesperado que você respondeu. Por seu entusiasmo, e seus conselhos, e por ter visto algo em *Meninas selvagens*. A Kim Witherspoon, por sua sabedoria e equilíbrio (e por todo um outro conjunto de respostas a e-mails desesperados). A Jessica Mileo, por seu apoio e *feedback* inestimável. E às equipes da Lutyens & Rubinstein, InkWell e Casarotto — muito obrigada por toda a ajuda de vocês.

À Delacorte Press, obrigada por sua generosidade sem fim e pela incrível dedicação em fazer *Meninas selvagens* o melhor que podia ser. Barbara Marcus, Judith Haut e Beverly Horowitz: obrigada por acreditarem em *Meninas selvagens*. Fico muito orgulhosa de ter entrado na família Delacorte e Random House.

Obrigada a Betty Lew e Regina Flath pelo projeto gráfico tão deslumbrante, por dentro e por fora, e a Aykut Aydoğdu pela arte da capa, que é misteriosa e linda e tudo que eu poderia querer. Para o resto da equipe da Delacorte, não consigo imaginar pessoas melhores com quem trabalhar. Monica Jean, Mary McCue, Aisha Cloud e a equipe da Underlined — Kate Keating, Cayla Rasi, Elizabeth Ward, Jules Kelly, Kelly McGauley e Janine Perez —, sou mais grata a todas vocês do que consigo expressar.

Meninas selvagens jamais teria existido sem minha coorte na Universidade de East Anglia. Obrigada a todas pelo apoio e por me darem o primeiro *feedback*, e o mais crucial de todos: me pedir para ler mais. Às docentes — Jean McNeil e Trezza Azzopardi —, por me aconselharem enquanto eu transformava *Meninas selvagens* em algo agradável de se ler. A Taymour Soomro, por entender o que eu queria dizer antes mesmo de mim, por todo o seu *feedback* e, acima de tudo, por sua amizade. A Avani Shah, por me acompanhar em diversos cafés da manhã, por compartilhar minhas opiniões corretas sobre pão e por ler uma versão atrás da outra de *Meninas selvagens*. Tenho muita sorte de conhecer você.

A minha mãe. Obrigada por cada passeio de Darwin, por cada filme, por cada vez que você me deixou na estação de trem e, mais importante, por me mandar fotos do cachorro toda vez que eu pedia. Obrigada por ficar a meu lado. Sempre ficarei ao seu.

Às meninas que conheci na internet: Christine, Claire e Emily. Vocês sabem o quanto escrever isso me dói, mas gosto demais de vocês. Vocês são brilhantes e sagazes e muito, muito queridas, e fico muito grata por ter vocês em minha vida.

Obrigada a meus leitores beta por seu tempo e *feedback* — quaisquer erros que este livro contém são meus e apenas meus. Obrigada aos Yarboros, que generosamente apresentaram as Ilhas Harker para mim, a inspiração original para Raxter. Ao Sama's em Middlebury e à Sin em Providence, por terem testemunhado boa parte de meus desesperos com *Meninas selvagens*. A meus professores, pelas horas extras que vocês dedicaram à leitura de meu trabalho e por todo o incentivo que me deram. A meus amigos, por me aturarem enquanto eu mostrava fotos em close-up de parasitas, e, a minha família, pelo encorajamento mesmo quando eu mudava de ideia (de novo e de novo e de novo).

E, por fim, obrigada à jovem Rory, que decidiu ficar. Eu não estaria aqui sem você.

Este livro foi composto na tipografia
Bembo Std, em corpo 11/16, e impresso em
papel off-white no Sistema Cameron da
Divisão Gráfica da Distribuidora Record.